2006

제51회

# 現代文學賞 수상소설집

안규철, 「두 개의 빈 의자」, 드로잉

| 현대문학상 기념조각 |

**안규철**

책은 양면적인 요소들이 중첩되어 있는 물건이다.
책에는 왼쪽과 오른쪽 페이지가 있고, 보이는 앞면과 보이지 않는 뒷면이 있다.
안과 밖이 있고, 시작과 끝이 있다. 흰 종이와 검은 잉크가 있고,
드러난 것과 숨겨진 것이 있으며, 저자와 독자가 있다.
서로 상반되면서 동시에 상호의존적인 이런 요소들은 책이 닫혀져 있을 때는 드러나지 않는다.
책은 상자와 같아서, 책장이 펼쳐지기 전에 그것은 무뚝뚝한 한 덩이 종이뭉치에 불과하다.
책을 열면 이렇게 하나였던 것이 둘이 된다. 왼쪽과 오른쪽이, 안과 밖이, 저자와 독자가 거기서 생겨난다.
그리고 그 둘 사이에서, 낯선 한 세계의 지평선이 떠오른다.
마술사의 손바닥에서 피어나는 꽃처럼, 작은 책갈피 속에서 세계 하나가 온전한 윤곽을 드러낸다.
문학작품 앞에서 늘 그것이 경이롭다.

제51회 現代文學賞 수상소설집

* * *

# 정이현

# 삼풍백화점 외

현대문학

## ■ 차례

## 역대수상작가 최근작



## 심사평



## 수상소감

**수상작**

삼풍백화점

* * *

**정이현**

**수상작가 자선작**

어두워지기 전에

**정이현**

# 삼풍백화점

1972년 서울 출생.
성신여자대학교 정치외교학과 및 동대학원 졸업.
2002년 《문학과 사회》로 등단.
소설집 『낭만적 사랑과 사회』 등.

# 삼풍백화점

1995년 6월 29일 목요일 오후 5시 55분 서초구 서초동 1675-3번지 삼풍백화점이 무너졌다. 한 층이 무너지는 데 걸린 시간은 1초에 지나지 않았다.

그해 봄 나는 많은 것을 가지고 있었다. 비교적 온화한 중도우파의 부모, 슈퍼 싱글 사이즈의 깨끗한 침대, 반투명한 초록색 모토로라 호출기와 네 개의 핸드백. 주말 저녁에는 증권회사 신입사원인 남자친구와, 실제로 그런 책이 존재하는지는 확인하지 못했지만, '모범적 이성교제를 위한 데이트 매뉴얼'에 나오는 방식대로 데이트했다. 성실하고 지루한 데이트였다. 노력하기만 한다면 무엇이든 될 수 있으리라 믿었으므로 당연히, 아무것도 되고 싶지 않았다. 1990년대가 겨우 절반 밖에 지나지 않았다는 사실이 끔찍하게 당혹스러웠다. 참 아름다운 한해였지, 라고 말하려다 생각해보니 마치 아무 전화번호나 눌러 부동산 투자를 권유하는 텔레마케터가 된 것처럼 무책임한 기분이 든다. 그래, 무언가 특별한 1995년이었다고, 그렇게 기억해두기로 하자.

제도교육의 장에 진입한 것은 1995년으로부터 약 이십여 년 전. 대한민국 유아교육의 현실에 대해 낙관적인 기대를 품었던 모친은 네 돌이 지나지 않은 딸의 손을 잡고 동네 어린이집을 방문했다. 지역사회에서 가장 명망 높은 곳이었다. 나비 모양의 뿔테 안경을 코끝에 걸친 여자 원장이 내 얼굴을 유심히 들여다보았다. 아직 아기처럼 보이는군요. 엄마는 기분이 상했다. 그런가요? 하지만 보기보단 야무진 아이랍니다. 엄마를 실망시키고 싶지 않아서 나는 조가비처럼 입술을 꼭 다물고 눈동자에 바짝 힘을 집어넣었다. 처음 보는 어른으로부터 스스로를 지키고 싶을 때 지금도 나는 종종 그렇게 한다. 원장은 입학을 허락하면서 다음과 같은 저주를 남겼다. 이제 슬슬 공동생활의 질서를 배워가야 하는 시기이지요. 위대한 공동생활의 질서. 똑같은 꿈에서 깨어나 똑같은 모양의 가방을 메고 똑같은 시간에 등교하여 똑같은 노래와 율동을 배운 다음 똑같은 메뉴의 간식을 먹는 것.

네 살. 지각은 필연적이었다. 왜, 매일매일 타인에 의해 강제로 달콤한 아침잠에서 깨어나야 하는지 나는 절대로 이해할 수 없었다. 받아들일 수도 없었다. 아침마다 엄마는 나를 들쳐업고 골목길을 달려야 했다. 당대의 톱스타 남진을 추앙하던 식모 숙자 언니가 내 엉덩이를 손으로 떠받치며 함께 뛰었다. 담당교사는 반복되는 지각 사유를 궁금해했다. 그건요, 선생님, 제 잘못이 아니에요. 저는 둥근 해가 뜨면 자리에서 일어나요. 선생님이 가르쳐주셨잖아요. 둥근 해가 떴습니다. 자리에서 일어나서 제일 먼저 이를 닦자, 윗니아랫니 닦자. 그리고 세수하고 머리 빗고 옷을 입고, 다음 차례인 밥을 먹으려고 했죠. 그런데 아뿔싸, 엄마랑 숙자 언니는 아직도 쿨쿨 자고 있는 게 아니겠어요? 아무도 제 밥을 차려주지 않는 거예요. 선생님도 아시겠지만 저는 아직 네 살, 혼자 힘으로 밥상을 차리기엔 너무 어리잖아요. 그래서 엄마를 깨우고 아침식사가 완성되는 것을 기다려 꼭꼭 씹어 먹고 오느라 늦었답니다. 반찬은 콩자반과 멸치볶음, 그리고 미역국. 전부 제가 좋아하는 것들이에요, 선생님. 상습 지각생의 보호자 자격으로 엄마는 즉각 소환되었다. 억울하기는 했겠지만 그렇다고 딸을 뺑순이로 낙인찍히게 할 수는 없었으므로 엄마는 앞으로는 천지개벽이 난대도 애보다 일찍 일어나 식사 준비를 마치겠다는 약속을 했다고 한다. 입만 열면 신들린 것처럼 술술술 거짓말이 흘러나오던 시기였다.

불행히도 게으름이나 거짓말 같은 사회부적응자의 징후들을 부모는 별로 심각하게 받아들이지 않았다. 오히려 또래 아이들에 비해 언어 구사력이 뛰어난 편이라는 것을 자랑스러워했을 가능성이 높다. 서른다섯의, 당시로서는 꽤 늦은 나이에 첫 아이를 낳았던 부친의 경우가 특히 그랬는데 일찍이 그는 돌상을 짚고 겨우 일어서는 딸내미를 올림픽 마라톤 우승자에 비유하여 칭찬함으로써 돌잔치에 참석한 일가친척들을 기함시킨 전력이 있었다. 미취학 시절, 손님이 방문했을 때면 아빠는 나를 마루로 불러내어 큰 소리로 신문을 읽게 했다. 아니, 이렇게 빨리 한글을 깨쳤단 말인가요? 손님이 예의상 놀라는 척하면 그는 겸손하게 반문했다. 아, 요즘 아이들 다 이렇지 않은가요? 나는 '어쩌면 신동' 답게 입을 가리고 호호 웃었다. 손님이 지금 몇 시냐고 물어올까봐 가슴이 몹시 두근거렸다. 나는 한문을 제외한 조간신문의 사설을 또랑또랑하게 읽을 줄은 알았지만, 시계는 보지 못하는 어린이였던 것이다. 숫자가 개입되면, 철분결핍성 빈혈 환자처럼 갑자기 어지러워지고 세상이 빙글빙글 돌았다. 1다음에 왜 5나 8이 아니라 2가 와야 하는지 아무래도 불가해하기만 했다. 왼손과 오른손 역시 오랫동안 구별하지 못했으나, 그 문제는, 여덟 살, 유리문에 왼쪽 팔목을 베이면서 자연스럽게 해결되었다.

손톱만큼만 옆으로 비켜 찔렸으면 동맥을 건드렸을 텐데, 운이 참 좋은 아이네요. 산부인과에서부터 내과, 소아과, 이비인후과, 정형외과에 이르기까지 일당백으로 진료하던 동네의원의 의사가 벌이진 피부를 얼기설기 꿰매주었다. 왼쪽 팔에는 세로 방향의 길고 거친 흉터가 남았다. 여자애 몸에 저걸 어쩌니. 엄마는 울었지만 나는 하늘을 날듯 기뻤다. 모두 왼손을 드세요, 라는 말에 더 이상 쭈뼛거리며 옆의 아이를 훔쳐볼 필요가 없다니. 이제 흉터가 있는 팔을 번쩍 들기만 하면 되는 것이다! 훗날, 친구 S의 애인이던 남자가 전국의 정형외과 전문의를 대표하여 분노를 사그라트리지 못했을 만큼 서툰 바느질 자국이었지만, 이상하기도 하지, 단 한 번도 나는 그 상처를 부끄러워하지 않았다. 심심하기 그지없던 1990년대의 어느 날엔 가는 줄자로 재어보기도 했는데 상처의 총 길이는 팔 센티미터에 달했다. 당시 유행하던 통굽 구두의 높이와 비슷했다. 길에서 그만한 구두를 신고 가는 여자와 마주칠 때면 엷은 친근감과 예기치 못한 슬픔이 한꺼번에 밀려왔다.

1995년 6월 29일 숨이 턱턱 막히도록 더운 날씨였다. 오후 5시 3분, 나는 삼풍백화점 정문에 들어섰다. 죄송합니다, 손님, 백화점 전체의 에어컨이 고장입니다. 내일까지는 꼭 수리할 거예요. 엘리베이터 걸이 상냥한 미소를 띠며 말했다.

'myself'라는 피시통신 아이디, 대학 재학생이거나 휴학생이거나 졸업생인 스물네 명의 친구들, 서태지의 1, 2, 3집 앨범과 르모쓰리 기종의 워드프로세서를 그해 봄 나는 가지고 있었다. 책상서랍 속에는 민병철과 정철, 파고다어학원의 직인이 찍힌 중구난방의 수강증들이 굴러다녔다. 1990년대 초반, 성북구의 캠퍼스보다는 확실히 강남역 인근의 영어회화 학원에서 보낸 시간이 많았었다. 시간이 절대적인 것이 아니라 상대적인 것이라면 더욱 그렇다. 나는, 나를 위해 샐리라는 닉네임을 지었다. 회화반의 클래스메이트들은 〈해리가 샐리를 만났을 때〉라는 영화에서 따왔느냐고 물었지만 사실은 요술공주 새리의 변형이었다. 본명으로 불리지 않을 수만 있다면 새리, 캔디, 이라이자, 하다못해 삐삐라고 해도 아무 상관없다는 심정이었다. 바야흐로 서태지가 된, 정현철의 시대였으므로.

제도교육 과정으로부터 밀려난 것은 1995년. 서태지와 동갑이라는 사실은 그때나 지금이나 나에게 자긍심과 열패감을 동시에 선사한다. 1992년 3월에는 〈난 알아요〉가, 1994년 8월에는 〈발해를 꿈꾸며〉가 발표되었다. 진정 나에겐 단 한 가지 내가 소망하는 게 있어 갈려진 땅의 친구들을 언제쯤 볼 수 있을까 망설일 시간에 우리를 잃어요. 문득 정신을 차려보니 대학에서의 마지막 가을이 깊어가고 있었다. 이제 우리도 본격적으로 늙은 여자가 돼가고 있구나. 친구 S가 한숨을 몰아쉬었다. 나는 아까부터 반짝거리는 S의 입술만 쳐다보고 있었다. 그녀가 바른 립스틱의 브랜드가 궁금했다. 취업과 남자친구를 양손에 거머쥔 아이는 금메달감이지만 아무것도 이루지 못한 아이는 목 매달 감이라는군. 다른 친구 W가 으스스한 농담을 했다. W의 분류법에 의하면, 4학년 2학기가 시작되는 것과 동시에 굴지의 투자금융회사에서 인턴사원으로 일하고 있는 데다, 국립대생 남자친구를 가진 W 자신은 월계관을 쓴 금메달리스트였다. 밤이면 잠이 오지 않았다. 직업을 기입하는 곳에 망설임 없이 '학생'이라고 써온 세월이 이십 년에 가까웠다. 고등학교를 졸업하면 대학생이 되거나 재수학원의 학생이 되는 방법 말고 다른 길이 있다고는 생각해보지 못했다. 대학 졸업도 다를 바 없었다. 나는 피시통신의 게시판을 샅샅이 뒤져 서울 시내에서 증명사진을 가장 잘 찍는다는 사진관을 찾아냈다. 온순하고 건실하며 서글서글해 보이도록, 카메라 앞에서 나는 위스키, 하고 웃었다. 얼마 전 국적항공기의 여승무원 시험에 합격한 과동기가 알려준 방법이었다. 치아를 반쯤 드러낸 채 입꼬리를 치켜올리고 있는 이력서 속의 나를, 내가 아니라고 우기기는 어려웠다.

열 통이 넘는 자기소개서는 르모쓰리로 작성했다. 저는 단단한 사람입니다. 벽돌 회사에 제출하는 자기소개서는 그렇게 시작했다. 문구 회사의 자기소개서에는, 제 옆에는 지금 귀사의 볼펜 한 자루가 놓여 있습니다, 회사를 위해 잉크를 다 바쳐 제 몸을 헌신하는 볼펜 같은 사람이 되겠습니다, 라고 적어넣었다. 도무지 뭘 하는 곳인지 파악이 안 되는 회사를 위해서는 할 수 없이 이렇게 썼다. 저는 자애로우신 부모님 아래 태어나 평범한 환경에서 성장하였습니다. 제 젊은 날의 꿈과 열정을 이곳에서 불태우고 싶습니다. 부디 기회를 주십시오. 한 군데에서 호출이 왔다. 영화사였다. 그곳에다가는 뭐라고 쓴 자기소개서를 보냈는지 기억나지 않았다. 면접을 보러가서야 내가 왜 서류전형을 통과했는지 알게 되었다. 영화사는 엘리베이터가 없는 오층 건물의 꼭대기에 있었다. 동네 복덕방처럼 낡은 가죽 소파와 철제 캐비닛, 싸구려 사무용 책상들이 다닥다닥 붙어 있는 사무실을 지나니 대책 없이 호화스러운 사장실이 나왔다. 사장은 작고 여윈 사십대 남자였다. 그가 내 얼굴을 빤히 들여다보았다. 눈 밑에 점이 있네요? 그거 빼야 시집가는데. 아, 예. 만약 결혼과 직장 중 뭘 선택하겠느냐는 질문을 받는다면 현대여성에게 결혼과 직업은 택일의 문제가 아니라고 생각합니다, 라고 대답하리라 결의를 다졌지만 그런 질문은 나오지 않았다. 영어 능통이라고 되어 있네요? 아, 예. 영어 실력 '상 · 중 · 하' 가운데 아무 데나 동그라미를 쳐야 한다면 누구라도 '상'을 택했을 것이다. 어쨌거나 나는 파고다어학원 인텐시브 코스의 수료자였던 것이다. 그런데 말이야. 사장이 갑자기 반말을 했다. 자기, 글은 좀 써? 글을 좀 쓴다는 것이 의미하는 바가 얼른 와 닿지 않았다. 나는 멍청한 표정을 지었다. 아, 답답해. 어렸을 때 백일장 같은 데 나가고 그래 본 적 있느냔 말이야. 영어와 문장력. 우리는 이 두 가지 재능을 겸비한 사람을 찾고 있거든. 저, 고등학교 때 문예반에 들긴 했었는데, 시를 써서 상을 탄 적도 있긴 하고요. 거기까지 말하자 어쩐지 스스로가 매우 구차하게 느껴졌다.

사장이 못미덥다는 눈빛을 감추지 않으며 다시 질문했다. 좋아, 그럼 가장 감명 깊게 본 에로물이 뭐지? 예에? 에로물 몰라? 남녀상열지사! 아, 네, 저기… 〈나인하프위크〉하고 〈레드슈다이어리〉요. 사장의 입가에 미소가 번졌다. 오호, 나름대로 계통이 있군. 그는 내가 입사해서 맡을 임무에 대해 장황히 설명함으로써, 나를 채용하고 싶다는 의사를 비쳤다. 떡영화라고 들어봤지? 떡으로 시작하는 세 음절의 단어라곤, 떡볶이와 떡라면 밖에 몰랐지만 나는 감히 고개를 젓지 못했다. 궁극적으로 우리 회사가 지향하는 건 제3세계의 숨겨진 아트무비를 들여와 한국 관객 앞에 소개하는 거야. 지금은 때를 기다리고 있지만 곧 아트무비 전용관도 열 거고. 그러려면 우선 뭐가 제일 급하겠어? 그렇지, 안정된 자금력. 사회생활이라는 게 나하고 싶은 것만 하고 살 수는 없는 거거든. 꿈을 이루기 위해 움츠려야 할 때도 있는 법이지. 일개 구직자에게 에로물 수입업자로서의 소회를 비장하게 토로한 끝에 사장은, 나의 할 일이 극장에 걸리지 않고 바로 비디오로 출시되는 수입영화들—주로 18금 에로물—의 일차 번역본을 감수하고 매끄럽게 윤색하는 것이라는 사실을 알려주었다. 신음이 태반이니까 별로 어렵지는 않을 거야. 다음 주부터 출근할 수 있지? 엉, 왜 대답이 없어? 저기, 생각할 시간을 좀. 사장의 눈이 휘둥그레졌다. 주눅이 잔뜩 든 내 목소리를 그는 백작의 프러포즈를 거절하는 시골 처녀의 그것으로 받아들였다. 쯧쯧, 아직 어리군. 배가 덜 고프거나. 경리사원이 챙겨주는 흰 봉투를 얼떨결에 받아들고 영화사를 나섰다. 겉면에 면접비라는 굵은 글씨가 씌어 있었다. 안에는 빳빳한 만 원짜리 두 장이 들어 있었다. 원래 이런 건가. 면접이란 걸 처음 봤으니 알 턱이 없었지만, 놀라웠다. 오층 계단을 걸어서 내려오는 동안 이렇게 훌륭하고 양심적인 직장에서 일할 기회를 내 발로 걷어차버린 데 대한 후회가 밀려들었다. 그때나 지금이나 나는 전형적인 조변석개형 인간이다.

Q브랜드의 매장은 숙녀복 매장 오른쪽 끄트머리에 위치해 있다. Q매장 앞을 스쳐 지났지만 R은 보이지 않았다. 분홍색 유니폼을 입은 다른 직원만 한가로이 계산기를 두드리고 있었다. R은 간식을 먹으러 갔을지도 몰랐다. R은 삶은 계란 반 개를 넣은 매콤한 쫄면을 좋아했다. 백화점 직원식당의 간식용 쫄면에는 언제나 계란이 빠져 있다고 투덜거리곤 했다.

새로운 친구.

그해 봄 내가 가졌던 그녀에 대하여, 아무도 몰랐다.

R과 나는 Z여자고등학교의 동창생이었다. 학교에 다니는 동안 이야기를 나누어본 적은 거의 없었다. 특별한 까닭은 없었다. R은 있는지 없는지 모르는 조용한 아이였다. 우리는 1학년 때 한 반이었지만, 가까운 번호도 아니었고, 키나 성적이 비슷하지도 않았고, 친한 친구들도 전혀 겹치지 않았고, 등하굣길도 달랐다. 한강 북단에 위치한 Z여자고등학교에서는 전교생의 삼십 퍼센트에 달하는 강남 거주 학생들을 위해 다섯 대의 스쿨버스를 운행했다. 8학군에 전입한 지 만 삼십 개월이 되지 않아 부득이하게 다른 학군에 배정받았다는 사실을 학부모들은 받아들일 수 없어했고, 단체 전학 움직임이 일었고, 이를 무마하기 위해 학교 측에서는 최선의 성의를 보여야 했다. 안전한 등하교는 저희가 책임지겠습니다. 올 때보다 갈 때가 더 문제 아니겠습니까. 엉뚱한 데 새지 못하도록 집 앞까지 확실히. 야간 자습이 끝나자마자 스쿨버스를 놓치지 않기 위해 나는 부리나케 달려야 했다. 나중에야 알게 되었지만 R의 집은 학교 후문에서 스무 발짝 떨어진 곳이었다. R과 나는 눈이 마주친 순간 서로를 알아보았다. 1995년 2월이었다.

그러니까 대학 졸업식까지 일 주일 남짓 남은 어느 날이었다. 친구 S에게서 전화가 왔다. 큰일났어, 우리 회사 무조건 정장이래. W네 회사는 금융권이라 유니폼 입는다는데, 옷값 안 들고 좋겠지? 대답할 말이 마땅치 않았다. 글쎄, 뭐, 다 똑같은 옷 입는 것보다는 그래도 자유복이 나을 거 같다. 그래, 그렇긴 하겠지? 참, 넌 졸업식날 뭐 입을 거야? 글쎄, 뭐, 어차피 검은 가운으로 다 가릴 텐데 무슨 옷 입었는지 보이겠냐. 아우 야, 그래도 그런 게 아니지. 우리 옷 사러 가자. 내가 삼풍으로 갈게. S를 만나기로 한 백화점은 우리 집에서 오 분 거리였다. 아파트 단지를 천천히 걷는 내내 나는 코트 주머니 속의 삐삐를 만지작거렸다. 진동은 느껴지지 않았다. 그때 나는 화장품전문 잡지사와 맞춤형 부엌가구 회사의 최종 연락을 기다리는 중이었다. 면접비를 찔러주는 회사는 아무 데도 없었기 때문에 먼젓번의 영화사가 새삼 그리워졌다. 맥주 몇 잔에 취한 며칠 전 밤에, 헤어진 첫사랑 대신 영화사 사무실에 전화를 걸어보았는데 오 분 동안 신호음만 울렸었다. 야근도 하지 않는, 아주 좋은 회사임에 틀림없었다. 이렇게 일 주일이 지나면 내가 무소속의 인간이 된다는 게 믿기지 않았다.

S는 여성복 매장의 마네킹이 걸친 모든 옷들을 입어보고 싶어 했다. U브랜드의 벨벳 원피스는 통통한 편인 S에게 어울리지 않았지만 S는 기어이 그것을 샀다. 정장바지는 Q가 예쁘더라. 우리는 Q매장으로 갔다. 거기, 분홍색 유니폼을 입은 R이 있었다. 어머, 안녕? R이 먼저 나에게 인사했다. 어, 그래, 안녕? 내가 대답했다. 우리가 나눈 첫 대화였다. 나, 여기서 일해. 말하지 않아도 이미 알고 있는 것을 R은 굳이 말했다. 그렇구나, 몰랐어. 나 여기 자주 지나다니는데. 응, 명동 롯데에서 옮긴 지 얼마 안 됐거든. 꽤나 어색했다. S가 눈빛으로 누구냐고 물어왔지만 못 본 척했다. 마땅히 설명할 말도 없었거니와, 고등학교 때 같은 학교를 다녔던 애야, 피차 얼굴만 아는 사이라고 할 수 있지, 그렇게 귓속말을 해줄 수도 없는 노릇이었다. S는 카키색 정장바지를 골라들고 탈의실로 들어갔다. 다른 손님은 없었다. R과 나 둘뿐이었다. 멋쩍어서 나는 좀 웃었다. R이 말했다. 넌 하나도 안 변했구나. 웃는 모습이 똑같이 예쁘다. 내가 웃는

것을 R이 전에 본 적이 있었던가. 나는 날 때부터 도시인이었다. 상대방에게 칭찬을 들으면 칭찬으로 대응해주어야 한다고 배워왔다. 그래서 말했다. 너는 예전보다 훨씬 더 예뻐졌는걸. R이 쑥스럽게 미소 지었다. 학교 다닐 때 내가 좀 뚱뚱하긴 했었지. 그러고 보니 살이 많이 빠진 것 같았다. 우리는 다시 침묵 속에 놓였다. 이상하다, 바지 디자인이 변했나봐. 나 너무 짧아 보이지 않아? S는 전신거울 앞에서 이리저리 옷태를 보았다. 아니에요, 손님. 잘 어울려요. 기장이 길어서 그런가, 잘 모르겠네. S는 거울 속의 자신이 영 마음에 들지 않는 눈치였다. 기장을 한번 잡아봐드릴게요. 바짓단을 잡기 위해 R이 S의 발치에 무릎을 꿇었다. 돌돌 말아올려 검은색 망사 그물 속에 집어넣은 R의 머리묶음. 목덜미에 잔머리칼들이 몇 가닥 흩어져 있었다.

S는 결국 그 바지를 사지 않았다. 나 갈께, 오늘 반가웠어. 그래, 오늘 쇼핑 잘 하고 담에 여기 지나갈 때 꼭 놀러와. 그래 다음에 만나자. 저기, 잠깐만. 뒤돌아서는 나를 R이 불러 세웠다. 삐삐번호 하나 적어줘. 세일 정보 있으면 미리 알려줄게. 예의상 나도 R의 번호를 물었다. 015로 시작하는 삐삐번호와, 5로 시작하는 매장 전화번호를 R은 삼풍백화점의 동글동글한 마크가 찍힌 메모지에 적어주었다. 일주일이 흘렀지만 화장품전문 잡지사와 맞춤형 부엌가구 회사에서는 연락이 오지 않았다. 졸업식날에는 학교에 가지 않았다. 겨울방학은 길었지만 방학이 아닌 첫 날은 또 다른 기분이었다. 아주 어린시절 잠깐 '어쩌면 영재'로 오인받았으나 지금은 대졸 실업자가 된 장녀에 대하여 부모는 복합적인 감정이 들었겠지만, 채근하지는 않았다. 그들은 딸의 월급을 생계에 보탤 필요가 없을 만큼의 경제력은 가지고 있었다. 졸업식에 초대해 학사모를 씌워주며 사진을

박는 대신 나는 맞선 제안을 묵묵히 수락함으로써 최악의 불효를 면할 수 있었다.

미국에서 치과대학에 다니는 남자는 신붓감을 찾아 귀국했다고 했다. 그는 자신의 전공이 손상된 치아의 복원이라고 소개했다. 길을 걷다 말고 그는 십층 높이의 건물을 가리켰다. 하루에 환자 세 명만 받으면 저런 빌딩은 금방 올릴 수 있어요. 그런 말을 진심을 담아 하는 사람을, 텔레비전 드라마 안에서가 아니라 직접 본 것은 처음이었다. 그는 나의 경멸을 산 동시에 엄마를 솔깃하게 했다. 엄마 미쳤어? 말도 통하지 않는 곳에 가서 어떻게 살라는 거야? 너 주구장창 영어학원 다녔잖아. 기껏 비싼 돈 처들여 학원 보내줬더니 말이 왜 안 통해? 아무튼 안 돼. 난 절대 다른 나라에서는 못 살아. 왜? 왜냐면 나는 고급 한국어를 구사하는 사람이니까. 그제야 내가 떠나기 위해서가 아니라 남아 있기 위해서 영어공부를 해왔다는 걸 알게 되었다. 삼월이 코앞이었다.

아침에 눈을 뜨면 정오가 훌쩍 지나 있었다. 나는 가죽배낭을 메고 집을 나서 서초동의 국립중앙도서관으로 갔다. 도서관 입구에서는 주민등록증이 아니라 학생증을 내보였다. 출입증 나누어주는 아저씨는, 학생증의 유효기간 같은 것에는 관심이 없어 보였다. 정기간행물 실에는 국내에서 발행되는 엔간한 잡지가 죄다 구비되어 있었다. 『행복이 가득한 집』과 『워킹우먼』, 이름도 모르는 문예지들을 번갈아 읽다보면 머릿속이 먹먹해지는 것 같았다. 감자와 당근으로만 이루어진 도서관 식당의 멀건 카레라이스는 딱 한 번 시도하고 말았다. 늦은 점심으로는 김치사발면을 먹거나 포카리스웨트를 뽑아 마셨다. 겨울 코트를 벗지 않았으니 아직 봄이 온 것은 아니었다. 그렇게 닷새째 되던 날이었다. 구내매점에서 사발면에 뜨거운 물을 붓고, 나무젓가락을 반으로 쪼개는데 불현듯 등줄기가 서늘해졌다. 도서관은 너무 추웠다. 사발면을 그대로 쓰레기통에 넣고 나는 도서관을 나왔다. 마을버스를 타고 삼풍백화점으로 갔다.

백화점 오층의 비빔냉면은 기가 막히게 맛있었다. 시뻘건 면발 속에 겨자를 듬뿍 넣어 휘휘 섞었다. 매워서 눈물이 찔끔 났다. 육수를 마시다가는 입천장을 데었다. 오층에서 에스컬레이터를 타고 한 층씩 아래로 내려갔다. 사층의 스포츠용품, 삼층의 남성복, 이층의 여성복 매장을 꼼꼼히 구경했다. 무료한 시간을 짜릿하게 보내기에 역시 백화점만큼 좋은 공간은 없었다. 이층의 오른쪽 모퉁이 매장에서 손님을 응대하고 있는 R의 모습이 보였다. 66사이즈까지밖에 나오지 않는 Q브랜드와 어울리지 않아 뵈는, 덩치 큰 중년여자를 앞에 두고 R은 친절히 웃고 있었다. 나는 매장 안으로 들어가 R의 어깨를 툭 치려다 발길을 돌렸다. 일층에서는 화장품 진열대의 아이섀도 신제품을 테스트했고, 헵번스타일의 알 굵은 선글라스를 만지작대다 내려놓았다. 지하 일층의 팬시점에 들어가 아기곰 푸의 캐릭터가 그려진 빨간색 헝겊 필통을 샀다. 그 옆의 서점에 서서, 지금은 내용도 잊어버린 문학상 수상작품집을 처음부터 끝까지 읽었다. 한참 뒤에 고개를 들었는데도 시간이 얼마나 흘렀는지 알 수 없었다. 그때나 지금이나 백화점 안에는 시계가 없으니까. 뱃속에서 꼬르륵 소리가 났다. R이 준 메모지를 찾느라 배낭을 뒤집어엎었다. 파리의 거리처럼 멋 부려 만들어놓은 백화점 일층 로비의 공중전화 부스 속에 들어가 이층의 R에게 전화를 걸었다. 응, 너구나. R은 내 이름을 정확하게 댔다. 두 시간만 기다려봐. 서두르면 여덟시엔 나갈 수 있어. 그 1995년이 한참 흘러간 뒤에, 나는 가끔씩 궁금해지곤 했다. 그때 R은 왜 내 전화를 그렇게 담담하게 받았던 걸까. 내가 먼저 연락해올 줄 예상했던 걸까. 아니면 R에게도 그때, 자신에 대해 아무것도 모르는 새로운 친구가 필요했던 걸까.

여덟시가 넘자, 옥외 주차장 쪽으로 한 무더기의 여자들이 쏟아져 나왔다. 유니폼이 아닌 평상복 차림의 그녀들은 어둠 속에서도 뽀얗고 생기발랄해 보였다. R이 먼저 내 어깨를 툭 쳤다. 오래 기다렸어? 청바지와 모자 달린 점퍼를 입은 R은 고등학교 때와 똑같았다. 배고프다, 가자. R이 너무나 자연스럽게 내 팔짱을 꼈다. 우리는 고속터미널 방향으로 걸어내려갔다. 칼국수집에 들어가 주문을 하고 나서야 점심으로도 면을 먹었다는 게 생각났다. 어머, 나도 면이라면 환장하는데 너도 그렇구나. 그래도 밀가루는 한 끼씩 건너뛰며 먹어야 해. 안 그랬다간 나처럼 속 다 버린다. 이쪽 일 하는 사람들은 불규칙하게 먹으니까 다들 속이 안 좋아. 나는 단무지를 씹으며 물었다. 백화점 일을 오래 했나봐? 스무 살에 시작했으니까 올해가 오 년짼가. 고등학교를 졸업한 뒤에 바람결에라도 R의 소식을 들은 적이 없었으니 R이 대학을 가지 않았다는 것도 당연히 몰랐다. 그렇구나, 일은 재밌어? 그냥저냥, 먹고사는 게 다 그렇지 뭐. 유통 일은 마약 같다고들 해. 너무 힘들어서 관두겠다고 입버릇처럼 떠들고 다녀도 또 이 언저리를 못 벗어나거든. 칼국수가 나왔다. 김이 무럭무럭 나는 칼국수를 우리는 묵묵히 먹었다. R은 나더러 무슨 일을 하느냐고 묻지 않았다. 학교를 졸업했느냐고도 묻지 않았다. 식당에서 나갈 때 R이 계산서를 들었다. 나는 얼른 지갑에서 천 원짜리 넉 장을 꺼냈다. 내 몫의 칼국수 값이었다. 동전 하나까지 정확히 나누는 더치페이가 1990년대 초반 여대생들의 일반적인 계산법이었다. R은 한사코 그것을 뿌리쳤다. 할 수 없이 나는 천 원짜리 넉 장을 도로 집어넣었다. 그럼 내가 커피 살게. R이 다시 내 팔짱을 꼈다. 나는 카페 가는 거 솔직히 너무 돈 아깝더라. 차라리 우리집 갈래? 요 앞에서 버스 한 번만 타면 되는데.

우리는 Z여자고등학교 앞 정류장에서 버스를 내렸다. R을 따라 미로처럼 어둠침침한 골목길을 헤치고 들어가니 낯익은 Z여고 후문 담벼락이 보였다. 지름길로 온 거야. 삼 년 동안 다니고도 모르는 길이었다. 우리집 학교랑 되게 가깝지? 나는 고개를 끄덕였다. 아마 내가 전교에서 제일 빨리 등교하는 학생이었을 걸. 텅 빈 교실에 앉아 있으면 그제야 해가 뜰 때도 있었어. R이 수줍게 웃었다. R의 집으로 가기 위해선 대문을 들어서서, 안채 옆쪽으로 길게 뻗은 시멘트계단을 올라야 했다. 어두웠고, 층계의 한 칸 사이가 멀어서 좀 힘들었다. R이 마루의 스위치를 올렸다. 실내는 단출했지만 창 너머 내려다보이는 서울의 불빛들은 근사했다. 와아아, 야경 끝내준다아. 나는 조금은 과장된 감탄사를 뱉었다. 이래봬도 여기가 남산이잖아. R은 쑥스러운 듯 덧붙였다. 네가 좋아할 줄 알았어. 앉은뱅이탁자에는 보라색 천이 덮여 있었다. R이 탁자를 창가 옆으로 끌어다놓았다. 달착지근한 커피가 부드럽게 혀 안에 감겼다.

R이 돌아오기 전에 나는 에스컬레이터를 타고 지하 일층으로 내려갔다. 삼풍백화점의 구조라면 눈 감고도 다닐 수 있을 만큼 훤했다. 팬시코너로 가, 하드커버의 일기장을 골랐다. 물방울 무늬와 얼룩말 무늬 표지 중에 갈등하다가 마지막 순간에 얼룩말 무늬로 결정했다. 숨쉬기가 힘들 만큼 후텁지근했다. 유니폼을 입은 판매원들 서넛이 계산대 근처에 모여 웅성거리고 있었다. 들었어? 아까 오층 냉면집 천장 상판이 주저앉았대. 웬일이니, 설마 오늘 여기 무너지는 거 아니야? 오늘은 죽어도 안 돼! 나, 새로 산 바지 입고 왔단 말이야. 그녀들이 까르르 웃었다. 그것은 정말로 까르르 소리

가 나는 웃음이었다. 손님, 사천구백 원입니다. 나는 백 원짜리 동전을 손에 쥐고 그곳을 떠났다.

그해 이른 봄, 나는 새 친구와 급속도로 친해졌다. 스물네 명의 친구들은 모두 바쁜 모양인지 내 초록색 모토로라 호출기는 여간해서 울리지 않았다. 나 역시 R말고 다른 친구들에게는 먼저 연락하지 않았다. 3월의 볕은 여전히 짧았다. 나는 국립중앙도서관의 열람실에서 하루에 한 통씩 이력서를 썼다. 입꼬리를 치켜올리고 찍은 증명사진이 모자랐다. 서울 시내에서 사진을 가장 잘 찍는다는 사진관에서 찍어준 원본 필름을, 삼풍백화점 안의 즉석사진관에 맡겨 열장 더 인화해야 했다.

도서관에서 하루 종일 뭘 해? R이 물었다. 그냥 책 읽고 공부도 하고, 그러지. R이 눈을 둥그렇게 떴다. 넌 안 지겹니. 무슨 공부를 자꾸 해? 미안하지만 지겨울 정도로 공부를 해본 적은 단 한 번도 없었기 때문에 양심에 좀 찔렸다. 낮에 가 있을 데 없으면 우리집 열쇠 줄까? 지금껏 그런 방식으로 말했던 친구는 없었다. 나는 그냥 웃었다. 어차피 비어 있으니까 라면도 끓여먹고 책도 읽고 편하게 있어도 돼. 너 먹은 설거지만 해둬. 집을 대여해주는 계약조건치고는 참으로 소박했다. R이 은색 열쇠를 꺼내는 순간 형언할 수 없는 부담감이 느껴졌다. 나는 마구 고개를 흔들었다. 아냐, 괜찮아. 너도 없는 네 집에서 나 혼자 뭘 하니. 그래도 받아, 혹시 또 모르잖아. 내가 자다가 심장마비로 죽으면 네가 이 열쇠로 따고 들어와서 나를 발견해줘. 야, 끔찍하게 왜 그런 말을 해? 그럼 목욕탕 바닥에 미끄러져 넘어져 있으면 구해줘, 알았지? 알았어, 그래도 119 부르기 전에 먼저 옷은 입혀줄게. 으하하, 꼭 그래줘야 돼. R의 손바닥에서 내 손바닥으로 넘어온 열쇠는 작고 불완전해 보였다.

그 열쇠를, 열쇠구멍에 밀어넣고 나 혼자 R의 집에 들어간 기억은 없다. 도서관이 문을 닫으면 나는 삼풍백화점으로 갔다. 대개는 마을 버스를 탔고 기운이 좀 올라간 날이면 걸었다. 어떤 날엔 도서관 오른쪽으로 방향을 잡아 서초역 사거리의 향나무를 지났고, 또 어떤 날엔 도서관에서 길을 건너 강남성모병원을 가로질렀다. R을 기다리는 두어 시간 남짓은 금세 흘렀다. 책을 보거나, 음반을 고르거나, 옷을 구경하거나, 아이스크림을 먹거나, 나는 그곳에서 무엇이든 다 했다. 백화점은 원래 그런 곳이다. 그러다 심심해지면 Q매장으로 가서 R을 거들었다. 탈의실에서 옷을 입고 나온 고객들은 판매원인 R의 말보다, 같은 손님처럼 보이는 나의 코멘트를 더 신뢰했다. 솔직히 언니한테는 무채색 계통보다 파스텔 계열이 훨씬 잘 어울려요. 지금 입으신 회색 재킷 말고 아까 그 연두색 바바리가 열 배는 더 예뻤어요. 좀 비싸도 나 같으면 당연히 그걸 살 거예요. 손님이 한 팔 가득 파란색 쇼핑백을 끼고 나간 다음에 R과 나는 마주보고 찡긋 웃었다. 내가 보기에 너는 이쪽으로 비상한 재능이 있는 것 같아. R이 나를 칭찬했다. 네 빽으로 나 좀 취직시켜 달라니까. 나는 킥킥거렸다.

폐장시간이 다가올수록 손님이 줄어들었다. 폐장시간이 되면 스피커에서 〈석별의 정〉이 흘러나왔다. 빠르고 경쾌하게 편곡된 〈석별의 정〉은 매일 들어도 귀에 설었다. 오랫동안 사귀었던 정든 내 친구여 작별이란 웬 말인가 가야만 하는가 어디 간들 잊으리오 두터운 우리 정 다시 만날 그날 위해 노래를 부르자. 가사를 빠르게 흥얼거리면서 나는 먼저 백화점 바깥으로 나와, 청바지로 갈아입고 나올 R을 기다렸다. 밥은 R과 내가 번갈아 샀다. 네가 무슨 돈이 있다고?

R은 만류했지만 타인에게 일방적으로 얻어먹는다는 것은 상상해본 적도 없었다. 사실 내 재정상태는 나쁘지 않았다. 피자나 패밀리레스토랑의 스테이크라면 몰라도, 쫄면이나 김밥 같은 메뉴는 매일이라도 살 수 있었다. 아직도 집에서 용돈을 받는다는 사실을 R에게 말하지 않았다.

밥을 먹은 다음에는 R의 집에 가서 같이 비디오를 보거나 맥주를 마셨다. 안주는 땅콩이나 양파링이었다. R은 오징어 맛이 나는 과자는 절대로 사지 않았다. 마른 오징어 구이도 먹지 않았다. 온몸이 뒤틀린 채 가스불 위에서 타 들어가는 오징어의 모습을 차마 눈 뜨고 볼 수 없다고 했다. 안 보면 되잖아, 내가 구울게. 그렇게 말해보았지만 R은 들은 체도 하지 않았다. 깊은 바다 속에 살던 오징어가 육지로 끌려나와, 몇날 며칠 동안 땡볕 아래 바짝 말려진 걸로도 모자라, 뜨거운 불에 구워지는 건 너무 잔인하지 않니? 듣고 보니 그럴 듯했다. 오징어를 마요네즈에 푹 찍어 어금니로 잘근잘근 씹고 싶다는 욕망이 사라졌다. 늘 양파링보다 맥주가 먼저 떨어졌다. 맥주가 떨어지면 나는 자리에서 일어났다. 버스정류장까지 R이 따라나와주었다. 며칠이 다르게 밤공기가 훈훈해져가고 있었다. 남산 순환도로의 개나리들이 하나 둘 망울을 터트리는 중이었다. 가로등 불빛에 어룽거려서 개나리 빛이 얼마큼 샛노란지 알아볼 수 없었다. 개나리가 아니라 진달래였는지도 모른다. 그러고 보니 대낮의 햇빛 아래서 R의 얼굴을 본 적이 없다.

물어봤으면 대답해주었겠지만, R에게 왜 혼자 사느냐고 묻지는 않았다. 내 기준에서는 그것이 예의라고 생각했기 때문이다. 혹시라도 R은 그걸 섭섭하게 느꼈을 수도 있겠다. 마음과 마음 사이 알맞은 거리를 측정하는 일은 그때나 지금이나 내겐 몹시 어렵기만 하다. 책꽂이에 꽂혀 있던 시집들에 대해서도 궁금했지만 입을 닫았다. 캐러멜 색 표지의 '文學과知性 詩人選 80 기형도 詩集'『입 속의 검은 잎』은 나도 가지고 있는 시집이었다. '오랫동안 글을 쓰지 못했던 때가 있었다. 이 땅의 날씨는 나빴고 나는 그 날씨를 견디지 못했다. 그때도 거리는 있었고 자동차는 지나갔다.' 그렇게 시작하는 뒤표지의 시작메모를 R의 집에서 다시 읽었을 때, 내가 견디지 못하는 것은 이 땅의 날씨가 아니라 나 자신이라는 것을 알았다.

일층의 공중전화부스에 들어가 R의 삐삐 번호를 눌렀다. R은 그 흔한 인사말조차 녹음해두지 않았다. 흠흠. 목소리를 가다듬고 나는 음성메시지를 남겼다. 나야, 지나가다 들러봤는데 네가 안 보이네. 간식 먹으러 갔니? 잘 지내지? 나도 잘 지내. 연락도 자주 못하고, 미안해. 회사 다니는 게 그렇더라. 들어오면 씻고 자기 바빠. 오늘은, 그냥 중간에 나와버렸어. 나오기는 했는데 갈 데가 없네. 잘 있어, 나중에 또 올게. R이 나의 메시지를 들었을까. 아직도 나는 모른다.

토요일이었다. 느지막이 일어나 세수를 하고 오니 Q매장의 전화번호가 삐삐에 찍혀 있었다. 너 오늘 하루만 아르바이트해라. 우리 매니저 언니네 할머니가 갑자기 돌아가셔서 언니 급하게 시골 내려갔거든. 본사 지원은 내일이나 되어야 나온다고 하고, 세일이라 손님 많을 텐데 하루만 도와줘. 나는 알았다고 대답했다. 옷장을 열어보았다. 아무래도 Q브랜드의 옷을 입는 편이 좋을 것 같아서 작년 봄 시즌에 산 Q브랜드의 흰색 남방셔츠를 찾아 입었다. 밑에는 이대 앞 보세가게에서 산 블랙스커트를 입었는데 언젠가 R이, 이거 우리 옷이구나, 라고 착각했던 치마였다.

Q매장에는 R과 처음 보는 남자가 함께 있었다. 대리님, 오늘 저희 매장 일일 지원이에요. R이 나를 소개했다. 남자는 내 주민등록증을 받아 몇 가지를 베껴 적었다. 그리고 말했다. 제복으로 갈아입으세요. 나보다 더 당황한 것은 R이었다. 아니, 얘는 오늘 하루 알반데 유니폼을 왜 입어요? 원래 규정이 그렇잖아. 그동안 안 그랬어요. 안 입었던 사람들이 잘못한 거야. 그래도 얘는 학생이고 제 친구라서 그냥 오늘 하루만 잠깐 도와주는 거예요, 한번만 봐주세요. 학생이 아니었으므로 나는 움찔했다. R의 태세는 강경했다. 지나는 사람이 봤다면, 그 대리가 나에게 입히려는 것이 삼풍백화점 판매원 유니폼이 아니라 죄수복이라고 짐작했을 것이다. 내가 R을 말렸다. 나는 괜찮아, 그냥 입지 뭐. R이 나를 보았다. 어린 소처럼 어글어글한 눈망울이었다. 너 진짜 괜찮아? 나는 피식 웃어 보였다. 당연하지, 그게 뭐 어때서. 대리님, 그럼 얘 가슴에 명찰 하나 달아주세요, 지원 아르바이트라고요. 유니폼은 내 몸에 딱 맞았다. 나는 완벽한 교복자율화 세대였다. 국민학교 때 걸 스카우트 단복을 입었던 이래로 아주 오랜만에 입어보는 제복이었다. 유니폼은 생각보다 무거웠다. 이상하게, 그렇게 느껴졌다.

아무렇게나 입고 서서 아무런 말이나 툭툭 던지며, R의 일을 도와주던 때와는 모든 것이 달랐다. 정오가 지나자 손님들이 밀려들어오기 시작했다. 할 건 많은데 몸은 굼뜨고 일은 서툴렀다. 손님들에게 어울리는 옷을 골라주기는커녕 사이즈를 찾아달라는 주문에도 땀이 뻘뻘 흘러내렸다. R이 열심히 커버해주었지만 그녀가 재고를 찾기 위해 창고에 들어가거나 다른 손님을 응대하고 있을 때에는 내가 어떻게 해야 하는지 알 수가 없었다. 먼저 들어온 손님의 소맷단을 핀으로 표시하고 있으면 나중에 들어온 다른 손님이 버럭 신경질을 내기 일쑤였다. 삼십 프로 디스카운트해서 이 블라우스 얼마야? 십오만 원도 아니고 십사만팔천오백 원의 삼십 퍼센트가 얼마인지 까마득하기만 했다. 더구나 나는 아라비아 숫자만 보면 머리가 핑핑 도는 인간이 아닌가. 나는 R을 쳐다보았다. 저편의 R은 손님이 마음에 들어하는 흰 바지에 어울릴 윗옷을 골라주기에 여념이 없었다. 계산대의 캐셔도 정신없이 바빠 보였다. 아가씨, 뭐 해? 얼른 계산 좀 해줘. 이렇게 네 벌 할 거고. 삼십 퍼센트로 계산해봐봐. 나는 신중하게 전자계산기를 두드렸다. 바빴던 캐셔가, 내 엉성한 산수를 재확인하지 않았던 것이 문제였다.

백만 원권 수표를 내고 거스름까지 받아 돌아갔던 손님이 다시 나타난 건 얼마 지나지 않아서였다. 이 계산 어떤 년이 한 거야? 년, 이라는 발음을 그녀는 눈 하나 깜짝 않고 했다. 그 욕이 지시하는 대상이, 나라는 것이 실감나지 않았다. 왜 그러시죠? R이 나를 막고 나섰다. 아까 아가씨가 아니었잖아, 저기 재가 계산했는데. 저 사람은 우리 아르바이트생이구요, 저한테 말씀하시면 돼요. 아니, 무슨 저런 기본도 안된 아르바이트생을 써? 중학교도 못 나왔어? 이깟 덧셈뺄셈도 못해? 어쨌거나 기본도 안된 아르바이트생이 틀림없었으므로 나는 고개만 푹 수그리고 있었다. 죄송합니다, 제가 얼른 다시 계산해드리겠습니다. R이 몇 번이고 머리를 조아렸다. 사만 원 가량이 어디서 보태졌는지 알 수 없는 노릇이었다. 나머지 돈을 돌려받은 손님은 나를 한번 째려보더니 마네킹의 목에 걸린 스카프를 벗겨냈다. 화가 나서 그냥은 못 가겠어. 내가 저 멍청한 애 때문에 여기서 허비한 시간이 얼만데 이거 보상금 대신 가져가는 거야. 재 일당에서 까든지 알아서 해. R이 손님 손의 스카프를 낚아챘다. 손님, 이건 정품이라서 곤란하구요. 저희가 다른 사은품을 드릴게요. 손님이

다시 스카프를 뺏으며 언성을 높였다. 누가 허접한 사은품 받고 싶대? 난 이게 마음에 들어서 가져가겠다는데 왜 이래?

소동은 아까의 그 대리라는 남자가 달려오고 나서야 종결되었다. 손님은 결국 그 스카프를 쇼핑백 귀퉁이에 밀어넣은 채 당당히 사라졌다. 대리의 가시 돋친 잔소리를 듣는 동안 R은 입술만 꼭 깨물고 있었다. 나는, 나는 거기서 도망쳐버리고만 싶었다. 대리가 돌아간 뒤 R이 나에게 말했다. 나 때문에 괜히 미안해. 지나고 보니 내가 먼저 했어야 할 말이었다. 나는 겨우 입을 열었다. 너 괜찮아? R의 눈동자가 잔잔하게 흔들렸다. 그럼, 이런 건 일축에도 안 끼는 걸. R이 내 유니폼 어깨에 묻은 먼지를 툭툭 털어주었다. 오늘은 수고했어, 이제 바쁜 시간 대충 지났으니까 그만 가라. 나는 대답을 하지 못했다. 지금까지 일한 건 내가 나중에 따로 정산해줄게, 얼른 옷 갈아입어. 혼자 있어도 돼? 응, 나 혼자가 편해, 빨리 갈아입어. R이 나를 고객용 탈의실로 떠밀었다. 탈의실에서 나는 삼풍백화점 판매원의 제복을 벗고, 내 옷으로 갈아입었다. 흰 남방셔츠와 검은색 치마. 유니폼이 아닌데도 그 옷들은 참 무거웠다. 철근이 어깨를 내리누르는 것 같았다. Q매장에 온 지 고작 네 시간이 지나 있었다. 나는 R을 남겨두고 황급히 백화점을 떠났다. 분홍색 삼풍백화점 건물이 쿵쿵, 나를 따라오는 것 같았다.

한때 가까웠던 누군가와 멀어지게 되는 것은 드문 일이 아니다. 어른이 된 다음에는 특히 그렇다. 그 일이 있은 뒤, 오래 지나지 않아 나는 취직을 했다. 동물 사료를 수입하는 회사였다. 이 세상에 그토록 많은 동물이 있다는 게 놀라웠다. 나는 마케팅 팀에 배속되어 연구용 실험동물을 위한 사료를 팔았다. 햄스터는 하루 10~14그램의 열량을 섭취해야 하고, 랫은 15~20그램을 먹어야 한다. 토끼에게는 적어도 120그램 이상이 필요하다. R과 나는 서로에게 삐삐를 치지 않았다. 회사 복도 자판기의 밀크커피는 R이 타준 커피에 비해 형편없었다. 우리 회사 제품을 사용하는 서울 경기 지역의 병원과 대학 실험실에 인사를 도느라 봄이 어지러이 깊어가는 것도 몰랐다. 안국동의 회사까지는 지하철을 타고 다녔다. 평일엔 정장을 입어야 했지만 토요일엔 청바지도 입을 수 있었다. 그거 하나는 마음에 들었다. 몇 번인가 전화기를 들었다가 그냥 내려놓았다.

남자친구도 생겼다. 증권회사의 신입사원인 그와 만나면, 주로 서로의 회사생활에 대해 얘기 했다. 그는 내가 귀여워서 좋다고 했다. 귀엽다는 게 무슨 뜻이야? 말 그대로야, 너 예쁘지는 않지만 귀엽게 생겼잖아. 피부도 하얗고, 웃을 때 양쪽 눈가에 주름이 세 개씩 잡히거든. 그는 기형도가 한려수도쯤에 있는 외딴 섬 이름인 줄 알 것이 틀림없었다. 하지만 선하고 밝아서 나쁘지 않았다. 그해 봄 나는 많은 것을 가지고 있었다. 비교적 온화한 중도우파의 부모, 슈퍼 싱글 사이즈의 깨끗한 침대, 반투명한 초록색 모토로라 호출기와 네 개의 핸드백. 구태의연한 것들이었다. 봄이 가고 무기력하게, 여름이 오고 있었다.

1989년 12월 개장한 삼풍백화점은 지상 5층, 지하 4층의 초현대식 건물이었다. 1995년 6월 29일. 그날, 에어컨디셔너는 작동되지 않았고 실내는 무척 더웠다. 땀이 비 오듯 흘러내렸다. 언제 여름이 되어버린 거지. 5시 40분, 1층 로비를 걸으면서 나는 중얼거렸다. 5시 43분, 정문을 빠져나왔다. 5시 48분, 집에 도착했다. 5시 53분, 얼룩말 무늬 일기장을 펼쳤다. 나는 오늘, 이라고 썼을 때 쾅, 소리가 들렸다. 5시 55분이었다. 삼풍백화점이 붕괴되었다. 한 층이 무너지는 데 걸린 시간은 1초에 지나지 않았다.

그리고 많은 일들이 일어났다. 내 초록색 반투명 모토로라 삐삐에 안위를 묻는 메시지들이 가득 찼다. 저녁을 짓다 말고 찌개에 넣을 두부를 사러 삼풍백화점 슈퍼마켓에 간 아랫집 아주머니가 돌아오지 않았다. 도마 위에는 반쯤 썬 대파가 남아 있었다고 한다. 장마가 시작되었다. 며칠 뒤 조간신문에는 사망자와 실종자 명단이 실렸다. 나는 그것을 읽지 않았다. 옆면에는 한 여성 명사가 기고한 특별칼럼이 있었다. 호화롭기로 소문났던 강남 삼풍백화점 붕괴사고는 대한민국이 사치와 향락에 물드는 것을 경계하는 하늘의 뜻일지도 모른다는 내용의 글이었다. 나는 신문사 독자부에 항의전화를 걸었다. 신문사에서는 필자의 연락처를 알려줄 수 없다고 했다. 할 수 없이 나는 독자부의 담당자에게 소리를 질렀다. 그 여자가 거기 한번 와본 적이나 있대요? 거기 누가 있는지 안대요? 나는 하아하아 숨을 내쉬었을 것이다. 미안했지만 어쩔 수가 없었다. 내 울음이 그칠 때까지 전화를 들고 있어주었던 그 신문사 직원에 대해서는 아직도 고맙게 생각한다.

콘크리트 잔해 속에서 230시간을 버틴 청년이 구조되는 것을 텔레비전으로 보았다. 285시간을 버틴 소녀도 있었다. 나는 아무것도 하지 않고 TV만 보았다. 남자친구가 나를 걱정했다. 태어난 이상 누구나 죽는 거야. 군대에서 의무병으로 근무할 때 나는 여러 죽음들을 보았어. 외삼촌이 육군 장성이라 손을 쓸 수도 있었지만 아버지는 억지로 나를 그곳에 보냈지. 꼭 그것 때문만이라고 할 수는 없지만 그와는 곧 헤어졌다. 이내 그는 나보다 네 살이나 어리고 일본인형처럼 깜찍하게 생긴 여대생과 사귀기 시작했다. 6월 29일 이후 한 번도 출근하지 않은 회사에서, 등기우편으로 해고통지서를 보내왔다. 사유가 무단결근이라고 되어 있었다. 정확한 표현이었다. 붕괴 377시간 만에 열아홉 살의 여성이 발견되었다. 그녀의 첫마디는, 오늘이 며칠이에요, 였다. 1995년 6월 29일 발생한 삼풍백화점 붕괴사고의 사상자 수는 실종자 삼십 명을 포함하여 사망자 오백일 명, 부상자 구백삼십팔 명으로 최종 집계되었다. 십 분만 늦게 나왔으면 어쩔 뻔했니. 사람들은 나에게 운이 참 좋다고 말했다.

작고 불완전한 은색 열쇠를 책상서랍 맨 아래칸에 넣어둔 채, 십 년을 보냈다. 스카치테이프나 물파스 같은 것을 급히 찾을 때 무심코 나는 그 서랍을 열곤 했다. R에게서는 한 번도 연락이 오지 않았다. R과 나의 삐삐번호는 이미 지상에서 사라졌다. 사람들은 호출기에서 핸드폰으로, 아이러브스쿨에서 미니홈피로 자주 장난감을 바꾸었다.

이 글을 쓰기 시작하면서 나는 사이월드의 '사람찾기' 기능으로 R의 미니홈피를 찾아보았다. R과 같은 이름을 가진 1972년생 여자는 모두 열두 명이었다. 그 이름들을 하나하나 클릭해보았다. 열두 명의 R들은 대부분 바쁜 모양인지 미니홈피를 꾸미지 않고 있었다. 만 서른셋. 우리가 한창 현실적인 시절을 통과하고 있기는 한가보다. 열한 번째 미니홈피에 들어가니 대문에 여자아이의 사진이 걸려 있었다. 서너 살쯤 되어 보이는 꼬마였다. 나는 사진을 확대하여 한참 동안 들여다보았다. 아이의 눈이 착하게 커다랬다. 잘 보니 둥그런 턱선도 R을 닮은 것 같았다. 더 선명하게 나온 다른 사진들을 보고 싶었지만 사진은 달랑 그것 한 장 뿐이었다. 그 아이가 R의 딸이기를, 나는 진심으로 바랐다.

많은 것이 변했고 또 변하지 않았다. 삼풍백화점이 무너진 자리는 한 동안 공동空洞으로 남아 있었으나, 2004년 초고층 주상복합 아파트가 들어섰다. 그 아파트가 완공되기 몇 해 전에 나는 멀리 이사를 했다. 지금도 가끔 그 앞을 지나간다. 가슴 한쪽이 뻐근하게 저릴 때도 있고 그렇지 않을 때도 있다. 고향이 꼭, 간절히 그리운 장소만은 아닐 것이다. 그곳을 떠난 뒤에야 나는 글을 쓸 수 있게 되었다. ■

# 어두워지기 전에

## 1

남편은 일곱 번째 맞선 파트너였다.

스물아홉 살 가을의 일이다. 엄마는 그해가 지나면 자신과 딸의 인생이 종말을 맞이하기라도 한다는 듯 조급하게 굴었다. 구월과 시월, 일곱 번의 일요일마다 나는 맞선용으로 구입해놓은 샤넬 라인의 원피스를 입고 새로운 남자들을 소개받았다. 날씨가 추워져 새로운 옷이 필요해지기 전에 다행히 지금의 남편에게서 애프터 신청을 받았고 우리는 이듬해 삼월 결혼식을 올렸다. 예식장에서 엄마와 시어머니는 매우 만족스러워 보였다. 국회의원 선거에서 무조건 가장 보수적인 정당의 후보자에게 투표하는 것까지 양가의 분위기는 여러 모로 비슷했다. 나보다 네 살 위인 남편도 그동안 집안으로부터 만만찮은 압력을 받았으리라 짐작되었지만 굳이 물어보지는 않았다.

결혼한 지 사 년이 되도록 임신이 되지 않자 친정 엄마와 시어머니는 번갈아 한약을 지어들고 신혼집을 방문했다. 딸의 나이 서른넷이 되었으며 가임 기간이 여유 있게 남아 있지 않다는 사실 때문에 엄마는 늘 불안해했고 시부모에게 미안해했다. 시어머니는 평균 이상의 교양을 소지한 분답게 직접적인 채근을 하지는 않았으나, 아이를 즐거운 인생의 방해꾼쯤으로 여기는 요즘 젊은 부부들의 이기적인 풍조에 대해 틈만 나면 개탄하곤 했다. 아이가 부모에게 주는 소소한 기쁨들은 무엇으로도 바꿀 수 없다는 둥, 아이를 낳아 키우는 지난한 희생의 과정을 거쳐야만 비로소 어른이 되는 거라는 둥 그런 얘기들을 듣고 있을 때 나는 우리가 섹스리스 부부라는 사실을 확 밝혀버리면 무슨 일이 벌어질까, 짓궂은 상상을 하곤 했다.

남편과 나는 한국에서 시판되는 침대 중 가장 커다란 킹 사이즈 베드의 양끝에서 잠을 잤지만, 꼭 사이가 나쁘다는 의미는 아니었다. 그것은 상대에 대한 일종의 배려였다. 잠귀가 무척 밝고 새벽마다 꼭 한 번은 화장실에 가기 위해 깨나는 남편이 바깥쪽을, 벽을 바라보고 누워야만 잠드는 습관을 가진 내가 안쪽을 차지했다. 함께 잠들기 전에 남편은 내 이마에 가벼운 굿나이트 뽀뽀를 해주기도 했지만, 보통은 그가 거실에서 책을 보거나 컴퓨터 앞에 앉아 있는 동안 내가 먼저 침대로 갔다. 늦은 밤 혼자 캔맥주 하나를 마시며 유유자적하는 시간이 없다면 사람이 무슨 낙으로 살겠느냐고 남편은 말하였다. 남편이 출근한 뒤에 언제나 혼자만의 시간을 누리고 있는 나로서는 알 듯 모를 듯한 얘기였다.

남국의 섬으로 떠난 신혼여행 당시만 해도 첫 날과 두 번째 날 각각 한 번씩의 삽입 성교가 있었다. 남편은 서툴지는 않았으나 그것을 별로 즐기는 눈치도 아니었다. 일단 지속시간이 굉장히 짧았기 때문에 나는 당황했고 그 당황함을 감추기 위해 어떻게 해야 하는지 알 길이 없었다. 여행의 마지막 날 밤, 모의고사를 치르는 대입수험생 같은 표정의 남편이 잠옷을 벗기기 위해 다가왔을 때 나는 그의 손을 잡고 가련한 어조로 이야기했다. 익숙하지 않아서인지 이 일은 나에게 아직 버겁다, 심지어 아프기까지 하다, 앞으로 노력하겠으니 너무 미안하지만 당신이 오늘은 좀 참아주면 안 되겠느냐, 거기까지 말하자 남편은 부드럽게 고개를 끄덕였다. 그는 이해력이 빠른 남자였다.

한 달에 한 번쯤 간헐적으로 있었던 부부관계는 결혼 일 년 뒤부터 느슨히 간격이 벌어지기 시작하더니 곧 전무해졌다. 부부 사이에 전에 없던, 둘만 아는 어떤 기묘한 친밀감이 생겨나기 시작한 시점이 바로 그 무렵이라고 나는 믿고 있었다. 아주 가끔씩 어머니들이 지어온 한약의 존재가 떠오를 때면 냉장고 윗간에서 한 포 꺼내어 전자레인지에 일 분 동안 데워 마셨다. 쓴맛이 났지만, 나는 이제 그 정도는 참을 줄 아는 나이가 된 것이 자랑스러웠다.

## 2

윗집 아이가 죽었다는 소식을 들은 것은 일요일이다. 사건 현장 최초의 발견자는 아이의 엄마. 서너 살쯤 된 아들의 손을 항상 꼭 붙들고 다니는 하얗고 깡마른 여자다.

"애 혼자 두고 잠깐 나갔다 왔는데 글쎄 입에서 침을 질질 흘리고 있더래."

나는 상가 정육점에서 들은 얘기를 남편에게 전해주었다.

"그래?"

마루바닥에 신문지를 펼쳐놓고 발톱을 깎고 있던 남편이 고개를 숙인 채 별 감흥 없이 말했다.

"돌연사구나."

"사람이 그렇게 죽을 수도 있나?"

"그럼. 나 군대 때 내무반 고참 하나도 그렇게 죽었는데."

처음 듣는 얘기였다. 그는 군대시절 일화를 무용담처럼 떠벌리는 남자들을 환멸 가득한 눈빛으로 쳐다보는 인간이었다.

"정말이야?"

"응. 일요일 날 다들 축구하러 가는데 혼자 낮잠 자겠다고 하더니, 나중에 아무리 깨워도 안 일어나더라. 그때 그 사람 제대 두 달 전이었는데."

"어쩜. 너무 안됐다."

"그런가?"

남편이 어깨를 으쓱하더니 발톱을 모은 신문지를 착착 접었다. 나는 어쩐지 김이 새는 느낌이 들었다.

"당신은 무섭지 않아?"

"뭐가?"

나는 손가락으로 천장을 가리켰다.

"저기 위에서 사람이, 애가, 죽었는데."

"그렇게 생각하기 시작하면 끝이 있겠냐. 전세계에 지금 이 순간에도 죽어가는 애들이 얼마나 많을 텐데."

"그렇지만 아무래도 보통 일은 아닌가봐. 경찰들도 다녀갔고 부검도 할 거래."

그 말을 하는데 웬일인지 칠부 소매의 카디건을 걸친 내 팔뚝에

좁쌀 같은 소름이 쫙 끼쳤다. 남편은 접혀진 신문지를 휴지통에 넣고 리모콘으로 텔레비전을 켰다. 전국노래자랑이 방송되고 있었다. 몸의 굴곡이 다 드러나는 꽃무늬 바지를 입은 중년여자가 엉덩이를 흔들면서 트로트를 부르는 장면이었다. 날 울린 남자, 날 버린 남자, 사랑한 게 잘못이더라, 사랑한 게 잘못이더라. 나와 남편은 한동안 조용히 화면을 응시했다.

"참 가지가지야."

냉소적인 남편의 목소리가 어쩐지 심드렁하게 들렸다. 나는 주방으로 가 식사를 준비했다. 좀 아까 정육점에서 사온 등심은 비닐포장 그대로 냉동실에 넣어두었다. 고기 굽는 냄새를 맡고 싶은 기분은 아니었다. 식은 미역국을 데우고 김치를 종종 썰었다. 올리브기름과 양파를 듬뿍 넣고 밥과 함께 볶아야겠다고 생각했다. 남편은 미식주의자였지만 내가 요리한 음식들은 별 말없이 비우는 편이었다. 싱크대 앞의 작은 유리창으로부터 환한 볕이 쏟아져들어왔다. 한낮이었다. 어제 이맘때는 제 집 마루를 도도도 뛰어 가로지르는 아이의 발바닥 소리가 천장에 울려퍼졌었다. 왜 애를 저렇게 놔두는 거지. 나는 아마 인상을 찌푸렸을 것이다. 남편이 나가고 없다는데 대해 안도감이 들기도 했었다.

윗집 아이가 내는 소음을 나보다 훨씬 더 못 참아 한 쪽은 남편이었다. 어린아이가 유발하는 것이 틀림없는, 위층에서 들려오는 여러 종류의 시끄러운 소리들에 대해서 그는 유난한 혐오의 감정을 숨기지 않았다. 쿵쿵쿵쿵 아이가 온힘을 다해 제자리뛰기라도 하는 듯한 소리가 둔중하게 울려퍼지던 어느 날에는 마루바닥에 리모콘을 확 패대기쳤을 정도였다. 에이 씨, 저 새끼 모가지를 확 비틀어버려. 평소 남편의 말투와 너무 달랐기 때문에 그 장면은 더 극적劇的으로 내 머리에 각인되어 있다. 윗집에서는 아무 소리도 들려오지 않았다. 낯선 정적이었다. 남편 입장에서는 죄 없는 리모콘을 집어던질 원인이 사라진 셈이었다.

콧등이 납작하던 윗집 남자아이. 고치 속의 누에처럼 매일매일 허옇게 살이 오르던 아이. 엘리베이터에서 마주칠 때면 볼 살 속에 파묻힌 작은 눈을 찡그리며 웃던 그 아이에게 나는 한 번도 제대로 시선을 맞추어준 적이 없었다.

디저트로 플로리다산 오렌지를 꺼내놓으려던 내 계획에 아랑곳없이 남편은 계란 프라이를 얹은 김치볶음밥을 먹자마자 화장실로 가 양치를 했다. 학원에 가야 할 시간이었다. MBA에 진학하겠다는 것은 남편이 오랫동안 간직해온 희망사항이었다. 두 달 전부터 그는 입학을 위한 본격적인 준비에 돌입했다.

"탑 클래스에 가지 않는다면 졸업 후에도 큰 의미가 없어. 허영심 때문에 공중에 달러를 낭비하고 싶지는 않아."

그것이 그의 단호한 견해였다. 미국의 명문 경영대학원에 입학하기 위해서는 토플과 G-MAT의 고득점 성적표를 첨부해야 했다. 매주 토요일과 일요일 오후에 다섯 시간씩 진행된다는 MBA 준비 클래스에서 그는 가장 연장자 축에 속할 것이다. 폴로 남방을 바지 속에 집어넣고 파란색 백팩을 멘 채 집을 나서는 남편의 뒷모습에서 어쩔 수 없는 중년남자의 체취가 묻어났다. 나는 달큼한 오렌지 과육을 앞니로 깨물면서 남편을 배웅했다.

## 3

그날 저녁, 임시 반상회가 소집되었다. 언젠가의 반상회에서 어색하게 몸을 꼬고 앉아 있다가 느닷없이 새댁은 언제 좋은 소식 들려줄 거냐는 호기심 어린 질문공세를 당하고 기겁한 적이 있었으므로, 평소에 나는 그런 식의 모임에 참석하지 않았다. 경비실에 불참 벌금 오천 원을 흔쾌히 지불하는 쪽이 훨씬 가뿐했다. 그러나 이번에는 아무래도 가보지 않을 수가 없었다. 안건은 역시, 901호 사건과 관련하여 불안해하지 말고, 만약을 대비하여 문단속들 잘 하고, 무엇보다 다른 사람들에게 소문내는 행위를 지양하라는 것이었다.

"안 그래도 우리 동 전망이 나쁘다고 가격이 안 오르는 판인데 이런 일까지 잘못 소문나면 어쩌겠어요?"

11동 주민일동이라는 명의로 조의금을 전달한다는 계획도 전해졌다. 경비원들의 상여금 조로 적립해둔 공금을 사용할 것인지, 새로 모금을 할 것인지를 놓고 가벼운 의견 충돌이 일어나 즉석 표결에 부쳐졌다. 나는 거둬둔 공금을 쓰자는 쪽에 한 표를 던졌다. 반상회가 끝나고도 동네 여자들은 각자의 집으로 들어가지 않고 계단참에 모여 웅성웅성댔다. 저마다 손지갑 하나씩을 옆구리에 낀 여자들이, 동네 소식통을 자처하는 15층 여자의 주위를 빙 둘러섰다. 소문의 윤곽은 더욱 뚜렷해져 있었다.

사건 발생 추정 시간은 토요일 밤 아홉시경. 윗집 여자는 늦은 저녁 식사 후 갑자기 심한 두통을 느끼고 진통제를 사기 위해 길 건너 약국에 갔다. 아이는 텔레비전 앞에 그대로 놔둔 채로. 약사의 증언에 의하면 자신의 처방에 따라 진통제 두 알을 피로회복용 드링크와 같이 마셨을 뿐 윗집 여자에게서는 평소와 다른 특기할 만한 점을 전혀 발견할 수 없었다고 한다. 그 다음 증언자는 약국에서 한 블록 떨어진 도서대여점 여주인. 저녁으로 짬뽕 한 젓가락을 막 집으려고 하는 찰나 윗집 여자가 들어왔기 때문에 정황을 확실히 기억한다고 했다. 윗집 여자는 연체료 오백 원과 함께 잡지를 반납하고 갔다. 총 소요 시간 이십여 분, 길어야 이십오 분쯤 걸리는 코스였다. 그리고 집에 돌아와봤더니 아이가 마룻바닥에 반듯이 쓰러져 있어서 119에 신고했다는 대강의 스토리였다.

"그래서, 사인이 뭐래요?"

더 이상 못 참겠다는 듯 누군가 물었다. 그 자리에 둘러섰던 여자들이 하나같이 눈망울을 반짝거렸다.

"그게 말이야."

모든 정보를 종합하여 시간 순서대로 보고하던 15층 여자가 갑자기 언성을 낮추었다.

"독. 살. 같대."

"네에?"

"부검해봐야 아는 거지마는 그렇게들 짐작하나보더라고."

"그럼, 누가, 죽였다는, 거예요?"

"아우, 괜히 얘기했다. 어디 가서 절대 말하면 안 돼. 알았지?"

사방에 헐거운 침묵이 고였다. 나는 서둘러 집으로 돌아왔다. 문을 잠그는 동안 나도 모르게 다리가 후들거렸다. 남편은 아직 돌아오지 않았다. 아홉시가 다 되어가고 있었다. 전화를 하려다 그만두었다. 수업이 끝난 뒤엔 수강생들 몇몇과 조직한 스터디 모임이 늦게까지 이어진다고 했다. 한군데 집중할 때면 남편은 휴대폰 벨소리를 묵음 모드로 전환시켜두었다. 그럴 때면 신호음이 한 번, 두 번, 세 번, 정확히 열세 번까지 울린 뒤에 음성사서함 서비스로 넘어갔다. '지금은 전화를 받을 수 없습니다.' 아무래도 이물감을 떨치기 어려운 그 안내음을 적어도 이 순간만은 듣고 싶지 않았다.

친한 친구들 두엇을 떠올려보았다. 하나는 둘째를 임신하고 있는 주부였고, 또 하나는 네 살 연하의 남자친구와 열애 중인 미혼녀였다. 우리 윗집에 살인사건이 일어났어, 라고 불쑥 내뱉기에 적절한 상대들은 아니었다. 나는 집 전화기 대신 휴대폰을 꺼내어 문자메시지를 보내기 시작했다. '언제 와? 좀 빨리 들어오면 안 돼? 집에 일이 좀 있어 ㅜ.ㅜ' 아무래도 너무 과한 것 같다. 취소 버튼을 연달아 눌러 울고 있는 이모티콘(ㅜ.ㅜ)를 지웠다. '…일이 좀 있어' 정도면 괜찮을까. 나는 남편에게 유약하거나 보호받아야 할 대상으로서의 이미지를 주고 싶지 않았다. 그런 것을 자존심이라고 부르는지도 모르겠다. '언제 와?' 내가 남편에게 보낸 전언은 결국 그 한마디였으나, 엄지손가락으로 확인 버튼을 누르는 순간부터 후회가 되었다.

나는 집 안의 전등을 모두 켰다. 시간을 견디기에 역시 인터넷이 제일 만만했다. 검색창에 '독살'을 치자, 동서양 역사 속의 무수한 독살 의심 사례들이 화면에 나타났다. 나폴레옹도, 정조正祖도, 고종高宗도, 스탈린도 누군가에 의해 독살당했을지 모른다는 내용의 웹페이지들을 차근차근 읽어나갔다. 비소로, 청산으로, 전갈의 독으로 사람은 사람을 죽여왔다. '나폴레옹의 사인은 지난 한 세기 이상 위암에 의한 것으로 간주되어 왔으나 사실은 세인트 헬레나 섬에서 독살됐다는 것을 99퍼센트 확신한다고 영국의 권위 있는 나폴레옹 전문가 챈들러 박사가 밝혔다. 챈들러 박사에 의하면 육 년 동안 나폴레옹에게 규칙적으로 비소를 먹인 것은 가장 가까운 측근으로 알려진 샤를 드 몽톨론 공작이었다. 몽톨론은 수년 간 나폴레옹에게 비소가 든 포도주를 먹였으며 비소는 오렌지 음료, 쓴 아몬드 등과 섞이면 치명적인 칵테일이 된다.'

"채팅해?"

남편이 등 뒤에 서 있다. 열쇠로 현관을 따고 들어온 모양이었다.

정말 궁금해서 묻는다기보다는 밥 먹었어, 지금 뭐해, 같은 일상적 안부인사처럼 들렸다. 정색을 하고서 '무슨 소리야, 채팅이라니. 사실은 당신을 기다리는데 잠이 안 와서 여기저기 둘러보던 중이야.' 라고 대답한다면 도리어 분위기가 어색해질 것이다. 나는 재빨리 인터넷 창을 닫고 쑥스럽게 웃었다.

"오늘 물은 꽝이네. 남자들이 자꾸 껄떡대기만 하고."

남편이 씩 장난스런 미소를 지었다.

"그럼. 그런 데나 들락날락하는 놈들이 다 그렇지. 뭘 바라냐."

"저녁은 먹었어?"

"수업 끝나고 가볍게 먹었어."

"피곤하겠다. 얼른 씻고 자."

"응. 그래야겠어."

가끔 우리 부부의 대화가 텔레비전 단막극 속의 대사 같이 느껴질 때가 있다. 남편이나 나나 일류배우는 아니지만 그렇다고 어설픈 삼류도 아니리라 믿는다. 남편이 화장실로 들어가자 곧 소변줄기 떨어지는 소리가 들려왔다. 그제야 문자메시지의 답장을 받지 못했다는 것이 떠올랐다. 윗집아이의 뉴스도 아직 전해주지 못했다. 나는 재빨리 소리쳤다.

"여보, 윗집 애 말이야. 글쎄, 살해당한 거래."

남편은 아무 대꾸도 하지 않는다.

"독을 먹였다나봐. 정말 너무 끔찍하지?"

변기 물 내리는 소리도 나지 않았는데 그가 벌컥 화장실 문을 열고 나왔다. 남편처럼 깔끔한 사람에게, 전에 없던 일이다.

"누가 그래?"

기이하게도 남편에게서는 적잖은 흥분의 기미가 전해져왔다.

"으응, 반상회에서, 십오층이."

"그런 한심한 여자들 입방아를 믿어?"

"아니. 그런 게 아니라, 거의 확실하대."

"괜히 얼토당토않은 루머 같은 거 믿지 마. 진실이라는 건 그렇게, 그렇게 간단한 게 아니야."

논리적 비약과 허둥거림. 전혀 남편답지 않다. 의아했다.

"여보, 왜 그래? 밖에서 무슨 일 있었어?"

남편이 휴우, 짧지 않은 한숨을 내쉬었다.

"어, 모르겠다. 내가 왜 이러냐. 피곤해서 그런가봐."

그의 얼굴에 막막한 불안감이 스쳐 지나는 것을, 나는 보고 말았다.

## 4

수사관은 자신을 윤尹이라고 소개했다. 남자는 내가 평소 막연히 상상했던 강력계 형사의 이미지와는 달랐다. 번들거리는 검은 가죽 점퍼를 걸치지도 않았고, 살쾡이처럼 안광이 날카롭게 빛나지도 않았다. 그는 골지의, 몸에 많이 붙는 티셔츠 차림이었는데 남편이라면 아무리 부탁해도 걸치지 않을 그런 스타일이었다. 어쩐지 여교사 앞에서 수줍어하는 다 자란 고등학생의 분위기를 풍기는 남자였다. 나는 일주일째 청소하지 않은 마룻바닥의 상태가 자꾸 신경쓰였다. 커피를 권했지만 남자는 정중하게 사양했다.

"지금은 공무수행 중이라서요. 고맙습니다, 선생님."

타인에게 선생님이라는 호칭으로 불리는 것은 처음이었으므로 어떻게 대꾸해야 할지 난감했다.

"강지원 군 사건과 관련해서 몇 가지 여쭈어보겠습니다. 아시는 대로 편안하게 말씀해주시면 됩니다."

윗집 아이의 이름이 강지원인가 보았다. 강지원. 지원이. 그러겠다는 의미로 심호흡을 한번하고 양손을 깍지 끼워 무릎 위에 얌전히 올려놓았다. 윤은 바로 본론으로 들어갔다.

"이십이일, 지난 토요일 말입니다. 그날 무엇을 하셨습니까?"

남자의 콧등에 세로의 굵은 주름 한 줄이 도드라졌다. 나도 양미간에 신경을 모았다.

"오후에…… 백화점에 갔다가…… 들어와서 집에 있었는데요."

사실이었다. 그날 오후 케이블 채널을 여기저기 돌리면서 뭉그적거리다가 천천히 집을 나서 신촌의 백화점을 둘러보았다. 막 정기 바겐세일이 시작된 터라 사람이 굉장히 많았다. 영 캐주얼 매장에서 이번 시즌 유행할 거라는 연둣빛 면 재킷을 걸쳐보았다. 어린 판매원은 딱 손님을 위한 옷이라며 호들갑을 떨었다. 맘에 들기는 하는데 아줌마한테 이런 옷이 어떨지 모르겠다고 망설이자 판매원이 깜짝 놀라는 시늉을 했다. 결혼하신 줄 몰랐다, 주부처럼 보이지 않는다는 속이 빤히 들여다보이는 칭찬이 싫지 않았다.

계산은 남편의 백화점 크레디트 카드로 했다. 엘리베이터 안에서 베레모를 쓴 못생긴 꼬마 여자아이가 내 무릎에 손바닥을 비벼댔다. 흰 바지에 성분을 알 수 없는 끈끈한 액체가 묻었다. 아이 엄마는 뻔뻔하게도 모르는 척 딴 데를 보고 있었다. 나는 길게 한숨을 내쉬었다. 지하 식당가에서 냉면을 먹으려고 했지만 대기하는 줄이 십 미터는 되어 보였다. 포장팩에 담긴 충무김밥을 하나 집어들고 식품매장을 바삐 빠져나왔다. 차가 굉장히 막혔지만 집까지는 택시를 타고 왔다.

"집에 쭉 혼자 계셨습니까?"

나는 그렇다고 말했다. 그날, 충무김밥 속의 무는 슬며시 쉬어 있었고 오징어는 지나치게 달았다. 남편이라면 비웃기 위해서나 틀어놓았을 왁자지껄한 오락프로그램을 보며 한 개씩 집어먹으니 그럭저럭 참을 만했다.

"혹시 윗층에서 무슨 특별한 소리가 나거나 하지는 않았습니까? 그러니까 아이의 울음소리라든지 비명소리라든지."

젓가락을 내려놓을 즈음 천장에서 드르르르거리는 소리가 들려오기는 했었다. 그러나 그것은 특별하다기보다는 일상적인 소음이었다. 윗집 아이가 이번에 선택한 장난감은 장난감 자동차나 오토바이, 하여튼 바퀴 달린 무언가가 틀림없었다. 또 시작이야, 중얼거리는 대신 나는 텔레비전의 볼륨을 크게 키웠다.

"사건이 일어난 건 언제 처음 아셨습니까?"

"아홉시 뉴스를 보려고 하는데 사이렌 소리가 들렸어요. 그냥 그런가보다 했는데 그때 남편이 들어오면서 밖에 구급차가 와 있다고 알려주었죠."

스터디가 예상보다 일찍 끝났다고 말하는 남편은 어쩐지 미세하게 들떠 보였다.

"아래윗집이고 부부끼리 연배도 비슷한데, 지원이네 가족과는 가깝게 지내셨습니까?"

"글쎄, 마주칠 일이 많지 않아서."

"그렇군요. 아파트 생활이라는 게 아무래도 좀 그렇죠."

"예. 아무래도."

그녀는 말끝을 얼버무렸다. 실제로 윗집 여자와는, 우연히 눈빛이 부딪치면 그제야 짧은 눈인사를 나눌 뿐 터놓고 지내는 사이가 아니었다. 이 아파트에는 젊은 핵가족으로 이루어진 세대가 유난히 많았다. 남편들이 도시 중심가로 출근한 사이 아내들은 유모차를 밀고 아파트단지를 오가다 서로 사귀곤 하는 모양이었다. 어느 유아 수영장이 괜찮고 한글교재 선생님은 언제부터 불러야 하는지 등등의 잡다한 육아정보를 교환하는 소그룹. 나로서는 끼어들 수도 없고, 끼어들 의사도 없는 커뮤니티였다. 형사의 시선이 거실 장식장 위의 사진틀에 가 머물렀다. 세피아 톤의 사진 속에서 나는 소매 없는 드레스 차림에 장미부케를 들었고, 남편은 한물간 밤무대 가수 같은 턱시도 차림이다. 공연히 얼굴이 붉어졌다.

"결혼하신 지는 얼마나 되셨습니까?"

"사 년이 좀 넘었어요."

"아직 아이는 없으신가 봅니다."

"네. 아직."

"한번 낳아보십시오. 세계관이 완전히 바뀝니다."

형사가 긴 손가락으로 짧은 머리칼을 쓸어넘기는 시늉을 했다. 갑자기 나이가 열 살은 더 들어 보였다. 지갑 속에서 제 아이 사진이라도 꺼내어 들이밀까봐 나는 덜컥 겁이 났다.

"아이들을, 좋아하십니까?"

남자가 내 얼굴을 정면으로 바라보고 있었다. 나는 착각하고 있었다는 것을 깨달았다. 형사의 눈빛은 차갑지는 않았지만 매력적이지도 않았다.

"별로. 큰 관심은 없어요."

나는 솔직히 인정했다.

"……하지만 타인에게 폐를 끼치는 경우는 누구든, 아이든 어른이든 좋아하지 않아요."

"이미 알고 계시겠지만 이것은, 살인사건입니다."

남자가 정색을 했다. 나는 어떤 표정을 지어야 하는지 알 수 없었다. 그는 전형적인 수사관의 음성으로 말을 이었다.

"일산에서, 목동에서, 홍제동에서, 연달아 비슷한 사건이 일어났습니다. 피해자는 유아. 청산염 중독. 주말 저녁, 보호자가 잠시 한눈을 판 사이 일어났다는 공통점이 있습니다."

"……"

"희생된 어린아이의 부모들은 서로 일면식도 없는 사입니다. 그들을 한 줄로 엮을 어떤 고리도 보이지 않지요. 어려운 경웁니다. 단, 불특정 대상을 타깃으로 했다고 가정하면 얘기가 재밌어지겠지만."

내 입에서 예기치 못한 헛기침이 튀어나왔다.

"아, 놀라지 마십시오. 세상엔 별 미친놈들이 다 있는 법이니까요. 아이 혐오증뿐 아니라 노인혐오증 환자도 있다더군요, 쯧. 어쨌든 천사 같은 아이를 상대로 한 범죄보다 더 잔악무도한 건 없을 겁니다."

그것은 말하자면 여름이 지나고 가을이 온다, 는 명제처럼 자명한 진리였으므로 나는 침묵했다.

"용의주도한 놈입니다. 지금까지의 증거물이라고는 이백오십 밀리미터의 족적足迹뿐이지요. 이백오십. 여자라고 할 수도, 남자라고 할 수도 있는 치수 아닙니까."

이어서 당연하다는 듯 수사관은 나의 신발 사이즈를 물어왔다. 실내화 속 맨발을 흘끔거리는 것을 잊지 않았다. 나는, 구두는 230밀리, 운동화는 양말을 신어야 하기 때문에 235밀리를 신는다고 설명해주었다. 남편의 발 사이즈가 250밀리라는 것은 말하지 않았다.

5

나는 남편을 사랑한다. 깊이 고민해본 적은 없지만 그것을 의심하지는 않는다. 사랑이 뭐 별다르리라는 착각은 스물다섯 이전에나 하는 것이다. 서른이 넘고, 결혼생활을 해본 이들이라면 잔잔한 저녁 호수 같은 사랑의 위력에 대해 인정하지 않을 수 없을 것이다. 설령 그것이 인공 낙원이라 해도 말이다. 우리는 그런대로 평온한 커플이다. 요즈음 섹스리스 부부는 아주 흔하므로, 치명적인 문제가 될 것도 없다. 우리를 묶고 있는 것은, 이를테면 동지애 같은 것이라고 믿는다.

나는 남편이라는 사람에 대해 잘 알고 있다. 대체로 온화해 보이는 그의 성품이 실은 타인에 대한 무관심과 냉소주의로부터 비롯되었다는 것뿐만 아니다. 고등어구이보다 갈치구이를 좋아하고 청량음료를 마시지 않으며 국산 코미디 영화를 보지 않는다는 그의 취향. 최근 허리띠의 구멍을 두 칸 뒤로 늘렸고 주식투자로 약간의 손해를 보았으며 성적인 문제에 현저히 열의가 떨어지고 있다는 그의 근황. 또 있다. 170센티미터의 키와 68킬로그램의 몸무게, 4500만원의 연봉, 슬슬 숱이 빠지기 시작한 뒤통수, 그 뒤통수의 납작한 골격까지도 나는 모조리 알고 있었다. 펄펄 끓는 물을 꿀꺽 삼킨 듯 목이 아파왔다.

나는 '유아 연쇄살인사건 미궁'이라는 제목의 신문기사를 잘 보이도록 펼쳐서 거실 탁자 위에 올려놓았다. 여느 때처럼 밤늦게 퇴근한 남편은 탁자 따위 아랑곳없이 컴퓨터 화면 속에 코를 박고 있었다.

"채팅해?"

언젠가 그가 나에게 했던 것처럼 슬며시 말을 붙여보았다.
"아니."
남편답다. 그는 이처럼 항상 덤덤하고 명쾌하다. 나는 안도했지만 그것은 곧 실망으로 바뀌었다. 허브차를 한잔 가져다주었는데도 그가 고맙다는 짧은 인사를 생략했기 때문이다. 타인의 호의에 적절한 형태로 답례하는 것이 그의 타고난 성정이었다. 그의 정신을 온통 빼앗아 가버린 모니터 너머를 넘겨다보았다. 화면 속은, 크고 작은 총들로 가득했다. 총. 조준하여 방아쇠를 당기는 것만으로 상대에게 치명상을 입히는 무기. 남편이 이런 데 취미가 있다고는 상상해본 적도 없다. 총. 확실히, 청산염보다는 간명한 방법일 것이다.
"당신, 이런 거 좋아했어?"
내 목소리가 명랑을 과장하는 것 들려서 마뜩치 않다.
"어, 이거? 어쩌다보니 흘러들어와서 구경하던 중이야."
남편 역시 짐짓 가장하거나 숨기고 싶은 순간이 있을까.
"인터넷이라는 게 원래 그렇잖아."
한마디 덧붙이는 품이 평소답지 않은 것만은 분명하다.
"그래도 의외다. 당신은 폭력적인 것에는 별 관심 없는 줄 알았는데."
"편견을 버려. 나도 남잔데."
그는 농담도 정색을 하고 했다. 나는 싱긋 웃어주었다. 남편이 황황히 컴퓨터 윈도우를 종료했다. 양팔을 깍지 껴 한껏 뒤로 젖히고 기지개를 켜는 포즈에서, 이제 대화를 그만두고 싶다는 은근한 열망이 전해져왔다. 나는 그를 뚫어지게 쳐다보았다.
"세브란스 병원이래."
"무슨 소리야?"

남편이 나를 마주보았다. 마흔 살까지 고작 두 해밖에 남지 않은 남자. 거실의 밝지 않은 할로겐 조명 아래에서도 그의 낯빛은 거뭇거뭇해 보였다. 피부노화가 서서히 진행 중이었다.

"경비실 옆에 공지 붙은 거 못 봤어?"

"아니. 못 봤는데."

"윗집 빈소 말이야."

그의 얼굴에 당혹감이 고스란히 드러났다.

"그런데, 그게 당신하고 무슨 상관인데?"

나는 턱짓으로 탁자 위의 신문을 가리켰다.

유아 연쇄살인사건이 처음 발생한 것은 약 두 달 전, 지난 삼월 중순의 토요일 저녁이었다. 일산의 한 아파트에서 두 살 김 모양이 숨진 채로 발견되었다. 외할머니가 아이를 재워두고 잠깐 이웃으로 마실 다녀온 사이 일어난 일이다. 경찰은 처음에 단순한 사고사이거나 돌연사로 추측했지만 부검결과 여자아이의 자그마한 위장에서는 청산의 흔적이 다량 검출되었다. 심한 가정불화를 겪고 있던 김 모양의 부모가 용의선상에 올랐지만, 그 시간 각자의 애인을 만나고 있었다는 알리바이가 확실했으므로 수사는 답보상태에 빠졌다.

두 번째 희생자는 목동에 사는 만 4세, 최 모군. 김양 사건으로부터 보름가량 지난, 비 오는 일요일 밤이었다. 역시 부모가 잠깐 외출한 틈에 아이는 죽어 있었다. 맞벌이 공무원인 최 모군의 부모는 성실하고 무난하게 살아온 편이었고 부부관계도 썩 원만했다는 측면에서 김 모양 사건과는 별 유사점을 찾을 수 없었다. 단 한 가지, 청산염 중독이라는 사인을 제외하고는 말이다.

수사진영 내부에서도 이것을 연쇄사건이라고 규정해야 할지 아닐지를 놓고 논란이 일었다. 그리고 마침내 홍제동에서 세 번째 희생자가 나왔다. 경찰은 부랴부랴 특별수사본부를 편성했다. 기사 말미에는, 정신과 의사의 말을 인용해 무동기無動機 범죄의 가능성이 제기되고 있었다. 동기가 불분명하고 피해자와 범인간의 인과관계도 찾을 수 없는 이런 범죄는 사회가 선진화될수록 점점 늘어가리라는 우려 섞인 분석이었다.

"그래서, 뭐?"

짜증이 역력한 어투였다. 나는 물끄러미 나의 남편을 응시했다. 연쇄살인사건이 시작된 시점과 당신이 MBA학원의 주말반에 다니기 시작한 시점이 정확히 일치하지 않느냐고 추궁할 수는 없는 노릇이었다. 당신, 250밀리의 신발을 신고 다니지 않느냐고. 당신, 윗집 아이에게 모가지를 확 비틀어버린다고 말하지 않았느냐고. 당신, 아이라면 진저리치며 싫어하지 않느냐고. 당신, 요즘 당신의 내부 깊은 곳에서 물결치는 그것이 무엇이냐고.

"그래서 뭘 어쩌겠다는 거야? 빈소에 조문이라도 가겠다는 거야?"

"같이 갈래?"

"미쳤어?"

"왜, 어때서? 모르는 사이도 아니고 아래윗집 사는 사이에 그런 일을 당했는데 얼굴을 비추는 게 예의잖아."

"예의라."

그가 잠깐 말을 멈추었다. 눈알의 검은자위가 고요히 흔들렸다.

"좋지. 그럼 가보던가."

"당신, 나한테는 솔직하게 말해도 되지 않아?"

나는 불쑥 말을 뱉었다. 후회는 되지 않았다. 남편이 의자에서 몸을 일으켰다. 우리의 시선이 공중에서 성기게 부딪혔다. 차게 식은

샥스핀 스프처럼 그가 대꾸했다.

"왜 그래, 자꾸. 피곤한 사람한테."

가슴이 빠개질 것 같았다. 남편이 다닌다는 학원에 전화를 하는 것은 아주 간단한 일이었다. 남편의 이름을 말하자, 전화를 받은 여직원은 '저희 수강생이 맞으세요? 명단에 없으신데' 라고 도리어 의아해했다. 이 얘기를 그대로 전하면, 남편은 절레절레 고개를 저을까? 나를 스토커 취급할까? 세상 모든 사람들이 나의 남편이라고 부르는 남자. 그 남자와 내가 대체 어떤 사이인지, 나는 영원히 알 수 없을 것이다.

그는 완강한 표정으로 입을 다물고 있었다. 고집스런 입매에 더 이상 얘기하고 싶지 않다는 의지가 노골적으로 드러나 있었다. 늙지도 젊지도 않은 그 남자는 무척 피로해 보였다. 썩어 들어가는 내장을 확 까발려 쇼윈도에 진열하고 싶다는 욕망이 주춤주춤 사그라졌다.

그래, 언제나 딱 여기까지였다. 물고 뜯고 찢고 부수고 피 흘리는 전투는 우리와 거리가 멀었다. 한쪽 눈을 감고 한쪽 귀를 막는 태도가 공동생활에 합당한 지혜라고 믿어왔다. 평화적 거리를 유지하자는 무언의 약속. 그것이야말로 우리의 격렬한 부부관계인지도 몰랐다.

남편은 침실로 들어갔다. 바보처럼, 쾅 소리도 내지 않았다. 그는 한국에서 시판되는 침대 중 가장 커다란 킹 사이즈 베드의 가장자리에 모로 누워 자는 체하고 있을 것이다. 나는 욕실로 갔다. 칫솔을 입에 물고 어금니를 박박 문댔다. 맵싸한 치약 거품이 자꾸만 목구멍 속으로 넘어갔다. 이를 다 닦고 나면 미지근한 물로 세수를 할 것이다. 순면 수건으로 물기를 씻고, 심호흡을 한 뒤 침실 문을 열 것이다. 그리고 불을 끄고는 남편이 바라보는 쪽과 반대방향을 향해 누워 잠들 것이다. 사랑도 증오도 꿈도 환멸도 기화되어 버린, 늙은 광대처럼. 우리의 조로早老는 이미 충분했다. 결심은 오래 걸리지 않았다. 나는 칫솔을 세면대에 팽개쳤다.

"우리, 얘기 좀 해."

방문을 열었을 때, 남편은 흐느끼고 있었다. 억울하게 죽은 포로의 무덤처럼 가만가만 일렁이는 그의 어깨. 내가 손을 뻗어도 닿지 않을 거리에 놓여 있었다. 나는 조용히 문을 닫았다. 더 이상의 증거는, 필요치 않았다.

## 6

강씨 상가喪家는 13호였다. 문상객이 거의 없는 낮의 빈소는 휑뎅그렁하고 을씨년스러웠다. 미리 준비한 흰 봉투 안에는 빳빳한 만원권 열 장을 넣었다. 강보에 싸여 있을 때부터 보아온 아이에게 그 정도는 해줄 수 있었다. 영정사진 속의 아이는 내가 아는 윗집 아이와는 사뭇 달랐다. 더 작고, 병약한 느낌을 주었다. 나는 한 번도 안아보지 못한 그 아이를 위해 허리 숙여 사과하고 공손히 국화 한 송이를 바쳤다.

상주는 아이의 젊은 아버지였다. 그는 내가 자신의 아랫집 여자라는 걸 아는지 모르는지, 와주셔서 고맙다고, 지원 엄마는 병실에서 링거를 맞는 중이라고 배터리가 방전된 녹음기처럼 말했다. 나는 너무 상심하지 마시라고 위로하려다가 거두고 그저 목례만을 하였다. 조의금 접수대에 봉투를 내밀고 그곳을 빠져나왔다. 햇빛이 꿈틀거리는 봄, 대낮이었다.

병원 정문까지 걷는 동안 이제부터 가야 할 목적지에 대해 생각했다. 남편이 울었다는 정황이 결정적 증거로 채택될 만한지는 알 수 없지만, 윤 형사에게 찾아가 남편을 밀고할 수도 있을 것이다. 황당무계한 추리소설 놀이를 그만두고 네일숍으로 가 손톱의 큐티클을 정리하고 프렌치 스타일로 단장할 수도 있을 것이다. 봄 정기 바겐세일이 절정인 백화점에 들러서는 연둣빛 면 재킷과 어울리는 짧은 청치마를 사고, 정말 결혼하셨어요? 그렇게 안 보이시는 걸요, 아부하는 판매원에게 여유 있게 웃어줄 수도, 아마 그럴 수도 있을 것이다. 나는 결혼한 여자가 분명하니까 말이다.

그러나 일단 그를 만나는 것이 먼저일 터였다. 남편의 회사 건물은 광화문에 있었다. 결혼을 하기 전에도 결혼을 하고 난 뒤에도 그의 직장에 찾아갈 일은 생기지 않았다. 빌딩 로비의 커피숍에서 남편이 내려오기를 기다리는 설정은 텔레비전 드라마에서나 보았을 뿐이다. 드라마를 흉내내고 있다는 기분은 그럴듯했다. 내 전화를 받고 남편은 소스라치게 놀라는 눈치였다. 남편을 기다리는 동안 무슨 음료를 시키는 게 어울리는지 골똘히 생각해보았다. 여배우들은 남자의 얼굴에 늘 뭔가를 들이붓곤 했다. 오렌지주스는 흰 와이셔츠를 착색시킬 것이고, 뜨거운 커피는 2도 이상의 화상을 입힐 것이다.

남편은 오래지않아 나타났다. 내 손으로 다린 입생로랑 셔츠와 내가 선물한 닥스 넥타이 차림이었지만, 로비를 걸어다니는 다른 샐러리맨들과 구별하기 어려웠다. 거리에서 무심코 스쳐 지났다면 아마 단숨에 알아보지 못했을 것이다. 가슴이 쿵덕쿵덕 뛰었다. 자리에 앉자마자 남편은 유리잔 속의 찬물을 단숨에 들이켰다. 첫 마디를 어떻게 떼야 하나 고심했지만 평범하게 시작하는 편이 좋을 것 같았다.

"왜, 그랬어?"

남편이 갑자기 테이블 위에 제 얼굴을 박았다.

"불쌍한 여자야."

파국은 엉뚱하게 왔다. 나는 두 눈을 똑바로 뜨고 그 남자의 고백을 경청했다.

"그 새끼, 회사를 휘저은 걸로도 모자라서 당신까지 찾아가다니. 여보, 정말 미안해. 이런 꼴 보이는 게 아닌데. 하지만 우리, 남들이 아무렇게나 떠드는 그런 사이 아니야. 우리 정말 순수하게, 그래, 이건 내가 인정할게, 순수하게 좋아하는 사이야. 아아, 일이 어떻게 이렇게 꼬였는지 모르겠다. ……하지만 당신은 당신이니까, 다른 여자들하고는 다르니까, 이해해줄 거라고 믿어."

진실은 자명했다. 남편과 사귀던 같은 부서 여직원의 남편이, 며칠 전 사무실을 급습했다. 그는 남편의 책상 한가운데 식칼을 꽂은 후 자기 아내의 머리채를 질질 끌고 어디론가 사라졌다. 남편은 사랑과 평판을, 동시에 잃었다. 세상에서 가장 불행한 사나이가 내게 애원하고 있었다.

"용서해 달라는 말은 안 할게. 어차피 그럴 자격도 없는 놈이니까. 하지만 우릴 제발 그냥 있는 그대로 봐줘. 휴, 나 진짜 병신 같지만 이렇게는 도저히 못 끝내겠다. 우리 이렇게 쉽게 끝낼 수가 없어. 당신이 조금만, 조금만 도와줘."

남편은 도와달라는 말을 거듭 되풀이했다. 대체 나더러 뭘 어떻게 도와달라는 건지 알 수가 없었다. 숨을 훅 들이마신 것은, 남편이 자연스레 반복하는 '우리'라는 말 속에 내가 들어 있지 않음을 깨닫고 나서였다.

"그래서, 당신이 죽인 거야?"

그러고 싶지 않았는데 목소리가 갈라져서 나왔다. 남편이 나를 멀거니 건너다보았다.

"……그게 무슨 소리야?"

"불쌍한 애들인데, 왜 그랬어."

남편의 눈이 튀어나올 듯 커졌다. 이 남자는, 아니 어쩌면 나는, 지금 혼신을 다해 일생일대의 명연기를 펼쳐보이고 있었다.

"자꾸 무슨 이상한 얘기야?"

"아직 조그만 애기들이잖아, 근데 왜 그랬어."

남편이 연신 주위를 둘러보았다.

"미치겠네. 여보, 정신 차려."

"죽이지 말지, 왜 그랬어, 당신, 왜 그랬어."

"아후 진짜. 다 내 잘못이다, 엉. 여보, 정신 좀 차려봐, 제발."

"왜 그랬어. 왜 그랬어. 왜 그랬어."

남편이 두터운 손바닥으로 내 입을 막을 때까지 나는 목청껏 소리를 질렀다. 울대뼈가 짜릿했다. 마흔 살까지 고작 두 해 밖에 안 남은 남자. 격무와 알코올과 니코틴과 현실과 욕망 사이에 납작하게 낀 이 남자. 그는 내 앞에 무릎을 꿇고 악어의 눈물을 흘리지도 못했다. 나는 그의 뺨을 호되게 후려치지도 못했다. 우리 부부는 역시 일류배우는 못 되는 모양이었다.

## 7

시간은 더디게 지났다. 유월 중순께 일산 2세 여아 김 모양 살인사건의 범인으로 피해자 아버지의 옛 애인이 긴급 체포되었다. 야구모자를 깊숙이 뒤집어 쓴 여자가, 정말 사랑했는데 배신당해서 그랬습니다, 라고 천연덕스레 진술하는 광경이 아홉시 뉴스로 중계되었다. 그녀는 스물세 살이라고 했다. 긴 장마가 시작되기 직전이었다. 대기는 습기를 머금은 눅눅한 바람으로 가득 차 있었고, 스물세 살 여자아이는 다른 두 건의 독살 사건과는 결단코 무관하다고 주장하고 있었다. 끝이 없을 것 같던 여름이 지나고 다시 긴소매 옷을 꺼내 입을 날씨가 되도록 홍제동 아파트 4세 남아 살인사건의 범인은 오리무중이었다. 그가, 다혈질 남편을 둔 유부녀와의 지저분한 로맨스를 깔끔하게 접었는지는 잘 모르겠다. 아무튼 두 계절이 넘도록 사건의 관련자 모두들 지옥과 연옥을 번갈아 겪고 있다는 것만은 부인할 수 없는 사실이었다. 영원한 천국을 꿈꾸는 자는 종교시설을 찾아가는 편이 더 낫다는 건, 이 도시의 시민이라면 다들 알고 있는 비밀 아닌 비밀이었다.

남편은 그날 나에게 애원했던 일을 수치스럽게 여기고 있을까, 가끔 궁금했다. 내가 맹렬히 질투했던 대상이 그들의 관계가 아니라 그토록 유치한 열정이었음을 인정하기 싫은 것처럼 그도 그렇겠지, 짐작할 따름이다. 우리 부부는, 우리는, 여전히 침대의 양 끝단에서 잠을 잤다. 훼손된 것은 아무 것도 없었다. 윗집 여자와는 이따금 엘리베이터나 근처 슈퍼마켓에서 마주쳤다. 그녀와 나는 여전히 눈인사만 나누었다. 날이 추워지자 윗집 여자의 깡마른 배는 동글동글한 빵처럼 제법 부풀어올랐다. 뱃속의 아이는 예정대로 태어날 것이고, 무럭무럭 자라서 다시 쿵쿵쿵 마루바닥을 뛰어다닐 것이다. 위층에서 아무리 시끄럽게 굴어도, 모가지를 비틀어버리겠다는 식의 교양 없는 욕설을 남편은 절대로 입 밖에 내지 못할 것이다. 노인들의 충고는 대체로 옳았다. 지난한 희생의 과정을 거쳐야만 사람은 비로소 어른이 된다. 완전한 가정을 이루려면 반드시 대가가 필요했다. 가임기도 얼마 남지 않았는데 이제야 그걸 알게 되다니. 최근에 나는

어떻게 해서든 임신을 해야겠다는 긍정적인 사고방식을 가지게 되었다. 문은 결국, 열리거나 닫힌다. ■

## 수상후보작

맥도널드 사수 대작전

김경욱

⋆ ⋆ ⋆

비치보이스

박민규

⋆ ⋆ ⋆

약혼

이응준

⋆ ⋆ ⋆

풍경

정지아

⋆ ⋆ ⋆

나는 여기가 좋다

한창훈

김경욱

# 맥도널드 사수 대작전

1971년 광주 출생. 서울대 영문학과 및 동대학원 국문과 박사과정 수료.
1993년 《작가세계》로 등단. 소설집 『바그다드 카페에는 커피가 없다』
『베티를 만나러 가다』 『누가 커트 코베인을 죽였는가』 『장국영이 죽었다고』,
장편소설 『아크로폴리스』 『모리슨 호텔』 『황금 사과』 등.
〈한국일보문학상〉 수상.

# 맥도널드 사수 대작전

평양의 맥도널드 매장에 어젯밤 원인 모를 화재가 발생했다. 폐점 시간에 벌어진 일이라 인명피해는 없었다. 여러 정황으로 미루어볼 때 누전 때문일 공산이 크지만 화재의 정확한 원인은 감식반의 조사 결과가 나와야 알 수 있으며, 지난주 개성의 맥도널드 매장에 발생한 화재와의 연관성에 대해서는 아직까지 확인된 바 없다는 것이 소방당국의 공식 입장이었다.

내가 스무 살이 되던 해의 봄, 세상은 뭔가를 지키기 위해 분주했다. 누군가는 투기성 외국자본으로부터 경영권을 지켜야 했고 누군가는 만연한 학원폭력으로부터 자식을 지켜야 했고 누군가는 신자유주의의 칼바람으로부터 생존권을 지켜야 했고 또 누군가는 백년만의 폭설로부터 도시의 간선도로를 지켜야 했다. 그해 봄은 지켜야 할 뭔가를 사람들에게 일방적으로 척척 안겨주었는데 우리들이 지켜야 할 것의 목록에는 심지어 '독도'도 포함되어 있었다. 그리하여 사람들은 우호적인 주주들을 끌어모아야 했고 학교에 감시카메라를 설치해야 한다고 목소리를 높여야 했으며 생존권 사수라는 글이 새겨진 머리띠를 두르고 농성해야 했고 사라진 길 위에 밤새 염화칼슘을 뿌려야 했으며 무엇보다 성난 얼굴로 일본대사관 앞으로 달려가야 했다. 전쟁처럼 소란스럽고 잔인한 봄이었다.

스무 살이 되던 그해 봄, 나에게도 '사수'해야 할 것이 몇 개 있었다. 장래가 불투명한 남자친구의 폭발 직전의 성적 욕망으로부터 순결을 사수해야 했고, 좀체 원망의 대상을 찾을 길 없는 아버지의 실직에서 비롯된 영락으로 파탄에 직면한 가정을 돌봐야 했다. 그리고 실체가 불분명한 위협으로부터 맥도널드 매장을 지켜야 했다.

하나같이 사수하기에 만만치 않은 것들이었으나 바로 그 이유 때문에 나는 그것들을 반드시 지켜내야 했다. 지켜내서 나라는 존재가 아주 쓸모없지는 않다는 것을 세상에 증명해야 했으니까. 그러니 그해 봄 내가 새끼 밴 고양이처럼 독기를 품은 채 지켜내려 했던 것은, 거추장스럽기도 했던 순결과 있으면 성가시고 없으면 아쉬운 가정과 하나쯤 사라진다 해도 표도 나지 않을 다국적 패스트푸드점이 아니라 안락한 미래와 교환될 수 있는 나의 '가치'였다. 누군가는 그것을 '몸값'이라 부르기도 하는 모양이다.

용돈이나 벌 요량에 파트타임으로 일하던 내가 맥도널드 매장에 매일 출근하게 된 것은 아버지의 갑작스러운 실업 때문이었다. 아버지는 그 당시 우리나라에서 두 번짼가 세 번짼가 큰 자동차회사에 부품을 납품하는 업체의 관리부장이었다. 나에게는 아버지의 연말

성과급이 얼마인지 보너스가 있는 달이 언제인지가 중요할 뿐 그 회사가 어떤 부품을 납품하는지는 관심 밖의 일이었다. 어쨌거나 모든 일은 아버지의 회사가 중국으로 이전하면서 비롯됐다. 원자재 가격 상승 압박 때문에 생산비를 절감할 수밖에 없는데 생산비 절감을 위해서는 공장의 중국 이전이 불가피하다고 경영진이 전격 발표했다. 중국 이전만이 유일한 대안이라는 경영진의 설명은 그러나 두 아이와 아내를 부양해야 하는 가장인 아버지의 고용을 보장하지는 못했다.

당최 남을 탓하는 법이 없던 아버지는 중국어를 미리 배워두지 못한 자신을 원망했지만 온순한 자책은 만시지탄을 면치 못했다. 자신의 무능을 탓하던 아버지도 술에 취해 들어오는 날이면 얼굴을 구긴 채 알아들을 수 없는 욕설을 내뱉곤 했다. 낯설게만 느껴지던 아버지의 분노가 겨누고 있는 대상은 모호했다. 그것은 아버지의 실업이 특정한 개인 탓이 아니라 구조적인 것이기 때문이라고 잘난 체하는 남동생이 말했다. 술 취한 아버지는 할 수만 있다면 그 '구조'라는 것의 면상을 한방 갈기고 싶었겠지만 내가 알고 지내는 사람들 중 그 '구조'의 얼굴을 봤다는 자는 아무도 없었다.

실직 후 아버지는 종종 인천공항에 나가 이륙하는 비행기를 망연히 바라보다 오기도 했다. 세탁기에서 우연히 발견한 인천공항행 리무진버스 시간표가 아니었다면 결코 알려지지 않았을 아버지의 기행奇行은 가족들에게 꼬리가 잡힌 이후에도 좀체 끝나지 않았다.

"공항엔 뭐 하러 나가세요?"

내가 어느 날 물었다.

"이륙하는 비행기를 보고 있으면 마음이 편안해져."

그때 아버지의 표정은 정말 편안해 보였는데 이륙하는 비행기를 상상하는지 이륙하는 비행기에 몸을 실은 자신을 상상하는지 분별할 수 없었다. 지하철을 이용하면 한 시간이면 충분한 김포공항을 마다하고 버스를 타고 두 시간이나 가야 하는 인천공항을 굳이 고집한 걸 보면 아버지는 중국에 가면 그 '구조'라는 것과 맞닥뜨릴 수 있다고 생각했는지도 모르겠다.

실직은 거대한 파국의 전조에 불과했다. 실직과 동시에 평생의 운이 다한 것처럼 아버지의 삶은 내리막의 연속이었다. 주식으로 퇴직금을 야금야금 까먹더니 아파트를 담보로 빚을 얻어 야심차게 개업한 전기구이 통닭집은 조류독감으로 치명적인 타격을 입었다. 팔리지 않는 통닭으로 끼니를 해결하는 날이 거듭되자 나는 달걀만 봐도 구역질을 했다. KFC 매장에서 일하지 않는 것이 유일한 위안이던 나날이었다. 닭들이 집단으로 독감 바이러스에 감염된 것은 어찌해 볼 도리가 없는 자연재해였으므로 이번에도 아버지는 원망의 대상을 쉬이 찾을 수 없었다. 결국 아파트마저 경매에 넘어갔지만 아버지가 재기를 도모할 의욕마저 상실했다는 게 그나마 다행이라면 다행이었다.

남동생은 고등학교 졸업장의 잉크가 채 마르기 전에 입대해야 했고 엄마는 함께 꽃구경 단풍구경 다니던 친구들에게 정수기를 팔러 다녀야 했으며 나는 학업을 중단하고 미래를 스스로 개척해야 했다. 아버지는 뜸해진 공항 나들이를 다시 시작했다. 그 무렵 나는 아버지가 중국으로 밀항하는 꿈을 꾸곤 했다. 꿈에서 깨어나면 속셈을 들켜버린 아이처럼 얼굴을 붉혔다. 경제적 능력은 상실했지만 가장으로서 아버지는 자신의 자리를 지키고 있어야 마땅했다. 적어도 내가 결혼식장에 입장할 때까지는 말이다.

휴학신청서 사유란에는 중국어학연수라고 적어넣었다. 아침에 매장의 문을 열고 영업준비를 도맡아하는 메인을 하겠다고 하자 평소 나에게 치근덕거리던 매니저가 묘한 미소를 지으며 물었다.

"사고 쳤냐?"

기분이 상한 나는 대답했다.

"애를 지워야 하는데 수술비가 없어요."

매니저는 벌레 씹은 표정이 되어 입을 다물어버렸다. 메인을 맡기 위해 매니저에게 잘 보일 필요는 없었다. 오전에 학교에 가야 하는 파트타임 아르바이트생들은 애당초 엄두를 낼 수 없을뿐더러 갖은 허드렛일을 해야 하기 때문에 어지간히 궁하지 않으면 가급적 피하려는 직책이었다. 그리하여 아르바이트 삼아 주중 3일만, 그것도 내 스케줄에 맞춰 짬짬이 근무하던 나는 매일 아침 꼬박꼬박 매장에 출근하게 되었다. 비정규적이던 나의 노동이 본의 아니게 정규적이 된 것이다.

정규적인 노동의 강도는 내 각오를 훌쩍 뛰어넘는 것이었다. 매일 아침 여덟시까지 출근하는 것부터가 고역이었다. 재료를 싣고 오는 차를 맞는 날에는 그보다 한 시간 일찍 나가야 했다. 차는 일주일에 세 번 다녀갔다. 매일 오는 것이 아니므로 한 번에 받아야 할 재료의 종류와 양은 많았다. 양상추부터 콜라시럽까지 매장으로 옮겨야 할 재료들은 그 끝을 가늠할 수 없었다. 빵이나 쇠고기 패티 같은 것들은 그럭저럭 옮길 만했으나 콜라시럽처럼 액체 상태인 것들은 몹시 무거웠는데 심지어 썬데이믹스는 한 통에 10리터나 나가기도 했다.

재료 운반이 끝나면 전날 클로징 담당이 분리해서 세척해놓은 조리장비들을 조립하고 주방과 로비를 청소하고 직원들이 옷을 갈아입거나 휴식을 취하는 크루룸을 정리했다. 이 모든 것을 끝내야 비로소 매장을 오픈할 수 있었다. 뉴욕에서도 베이징에서도 모스크바에서도 이 과정은 크게 다르지 않을 것이었다. 하루에만 전세계에서 4천 3백만 명이 드나드는 이 패스트푸드점의 영업준비는 인종과 언어를, 종교와 이데올로기를 초월해서 단일한 과정으로 '표준화' 되었기 때문이다. 표준화된 것은 그것만이 아니었다. 성별과 나이와 계급과 신분에 상관없이 고객들은 전세계 어디에서나 균일한 맛의 햄버거를 먹고 역시 성별과 나이와 계급과 신분에 상관없이 뒤처리를 위해 자신의 노동력을 제공했다. 햄버거를 먹고 나면 빌 게이츠도 실업자인 아버지도 스스로 쓰레기를 처리해야만 한다. 맥도날드의 상징인 황금아치 아래서 이런저런 '차이' 는 무의미해져 매장에 들어서는 순간 사람들은 기꺼이 형제가 되고 자매가 된다.

갓 취직해 오리엔테이션을 받을 때의 일이다. 매니저는 이 거대한 다국적 패스트푸드 기업의 기원과 역사에 대해 영상자료를 곁들여 설명했다. 대공황이 시작될 무렵 캘리포니아로 흘러들어간 형제에 의해 만들어져 120여 개 국에서 3만 개가 넘는 매장을 거느리게 되기까지의 '신화' 를 자랑스럽게 이야기했다. 맥도날드는 세계평화에도 크게 기여한다고 했다. 맥도날드가 들어간 나라들끼리는 전쟁을 한 적이 없다는 것이었다. '갈등예방의 황금아치 이론' 이라나 뭐라나. 그때 여드름쟁이 남학생이 불쑥 끼어들었다.

"제가 알기로 1999년 나토가 유고슬라비아를 폭격했을 때 그곳에는 맥도날드 매장이 열 개나 있었어요."

여드름쟁이는 자신의 양손바닥을 활짝 펼쳐보이기까지 했다. 아르바이트생으로 출발해서 매출액 기준으로 서울에서 다섯 손가락 안에 드는 핵심 매장을 책임지게 된, 나름대로 입지전적 인물이었던 매니저는 얼굴을 붉힌 채 다음과 같이 말하며 오리엔테이션을 서둘러 마쳐야 했다.

"맥도널드가 여러분을 위해 무엇을 해줄 것인가를 묻기 전에 여러분이 맥도널드를 위해 무엇을 할 것인지 묻기 바랍니다. 맥도널드 가족이 된 이상 여러분은 머리털부터 발끝까지 맥도널드화해야 합니다."

매니저의 보복은 집요해서 여드름쟁이는 한 달도 못 가 그만두고 말았다. 그 집요함이 어느 정도였는가 하면 감자 튀기는 기름을 거르는 일, 그러니까 필터링을 맡긴 다음 육안으로는 보이지 않는 불순물까지 제거하도록 다그치는 것이었다. 360도가 넘는 기름을 끝없이 걸러내면서 여드름쟁이가 대체 무슨 생각을 하고 있었는지 나로서는 짐작할 수 없었으나 매니저와 화해하는 방법을 고민하지 않은 것만은 분명했다. 그만두면서 여드름쟁이는 입사동기인 나에게 대단한 비밀을 털어놓는다는 투로 말했다.

"내가 틀렸어. 유고슬라비아에는 천구백구십칠 년에 이미 맥도널드 매장이 열한 개 있었어."

역시 여드름쟁이는 '맥도널드화' 되지 못한 것이었다.

그 사건이 터진 것은 내가 메인으로 일한 지 한 달이 지났을 무렵이었다. 비가 오락가락하는 출근길, 매장 앞에 A4 크기의 종이가 어지러이 널려 있었다. 근처 술집이나 나이트클럽에서 뿌린 광고전단이려니 생각했으나 주워보니 그게 아니었다. 빗물에 젖은 종이에는 괴이한 내용이 적혀 있었다. 잉크가 번져 본래의 형상을 알아볼 수 없을 정도로 훼손된 글자가 많았고 통째로 뭉개진 글자들도 더러 있었다. 만신창이가 되도록 혹독한 검열을 묵묵히 감당한 문서처럼 보였다.

우리의 ×구

1. ××세× ×성×자를 ×취하지 마라.
2. ×경××× 즉각 중단하라.
3. 아××의 ×강을 ××지 ××.

이상의 ××를 ×살할 시에는 응분의 댓가를 ×수해야 할 것이다.

— ×××××방×선

그 내용의 전모를 온전히 파악할 수 없는 글 밑에는 조잡한 솜씨로 햄버거가 그려져 있고 햄버거 위에 엑스표가 쳐져 있었다. 햄버거 그림만 아니었다면 그 정체불명의 전단을 주저없이 쓰레기통에 버렸을 것이다.

오븐에 넣어 바싹 말린 괴怪전단을 나는 매니저에게 보여줬다. 매니저의 표정이 순식간에 굳어졌다. 매니저는 내가 그 전단을 발견했을 당시의 정황에 대해 꼬치꼬치 물었다. 옆 빌딩에 버거킹이 들어서고 인근의 피자헛이 공격적으로 판촉행사를 벌이던 때였다. 매니저는 신경이 바짝 곤두서 있었다. 아르바이트생들이 대체 무슨 일이냐며 몰려들자 그는 애써 표정을 수습하며 별거 아니라고 어떤 정신나간 녀석이 장난질한 거라며 코웃음을 쳤다. 그러나 그의 코웃음에는 과장된 구석이 있었다. 약자는 강자에게 살과 뼈를 내줘야 하는 패스트푸드 업계에서 잔뼈가 굵은 매니저가 본능적으로 뭔가를 감지한 것인지도 몰랐다. 그러나 아무리 들여다봐도 조잡하고 장난스러워 보이는 전단일 뿐이었다.

일주일이 지나도록 별일 없었다. 매니저는 초조해하면서도 안도했고 우리는 전단의 유실된 글자를 채워넣는 게임에 몰두했다. 상상력과는 무관한 판에 박힌 노동의 와중에 괴전단은 우리의 푸석해진

뇌에 예기치 않은 활력을 불어넣었다.

'우리의 친구'와 같은 소수의 의견도 있었지만 전단의 제목은 '우리의 요구'로 별 잡음 없이 확정되었다. 그 다음부터가 문제였다. 누군가는 이런 의견을 피력했다. "너무세게 동성애자를 갈취하지 마라." 띄어쓰기가 틀렸다는 이유로 이 주장은 묵살되었다. 또 누군가는 이렇게 주장하기도 했다. "망할세상 만성적자를 고취하지 마라." 역시 띄어쓰기와 호응이 문제였다. 이런 추론도 제기됐다. "여보세요 악성감자를 섭취하지 마라." 이번에도 자연스럽지 못한 호응이 걸림돌이었다. 두 번째 항목은 "강경진압을 즉각 중단하라"나 "포경수술을 즉각 중단하라"일 수도 있었다. 세 번째 항목은 "아우들의 요강을 버리지 마라"나 "아시아의 최강을 넘보지 마라"가 아니라고 단정할 수 없는 노릇이었다.

무엇보다 첨예한 논란의 대상이 된 것은 맨 마지막 줄, 그러니까 그 전단을 살포한 주체였다. '청담동진단방사선'부터 '각종수입가방수선'이나 '물좋은노래방알선'까지 의견은 분분했고 분분한 만큼이나 전단 살포의 장본인은 오리무중이었다. 우리는 매니저의 눈을 피해 크로스워드 퍼즐을 맞추듯 전단의 유실된 글자를 복원하는 데 골몰했다. 우리에게 중요한 것은 괴전단의 원형을 복원하는 것이 아니라 본래의 형태를 잃어버림으로써 무의미해진 전단에 나름대로 의미를 부여하는 것이었다. 그러나 그 장난은 그리 오래가지 못했다. 전단이 다시 발견된 것이다. 비에 젖지도 신발자국이 찍히지도 않아서 손상된 글자 하나 없이 너무나 양호한 상태로.

우리의 요구

1. 제3세계 미성년자를 착취하지 마라.

2. 환경파괴를 즉각 중단하라.

3. 아동들의 건강을 해치지 마라.

이상의 요구를 묵살할 시에는 응분의 댓가를 감수해야 할 것이다.

— 제3세계해방전선

원형이 고스란히 보존된 전단의 등장으로 매장은 뒤숭숭했다. 크루들은 술렁거렸고 동요했다. 자신들의 추론이 허황되고 턱없었다는 사실이 백일하에 드러났기 때문이다. 어찌 상상이나 했겠는가. '제3세계해방전선' 이라니. 크루들의 표정이나 사소한 몸짓 하나도 매출에 직결된다는 것이 매니저의 지론이었다. 매니저는 적극 대처하기로 결심한 모양이었다. 크루들을 집합시킨 자리에서 매니저는 힘주어 말했다.

"동요하지 마라. 저들은 한낱 사이비 테러단체에 불과하다. 불법 테러단체와 협상은 있을 수 없다. 굴복은 더욱 가당치 않다. 우리는 가족이다. 가족을 믿어라. 지금 이 시각부터 비상경계 태세에 들어간다. 두 눈 부릅뜨고 거동 수상자를 색출해서 조기에 격리 조치하라."

테러라니. 그 자리에서 아연실색한 것은 나뿐만이 아니었을 것이다. 텔레비전 뉴스나 영화에서나 보던 불타는 차량, 화염에 휩싸인 채 폭삭 주저앉는 건물, 구급차에 실려가는 부상자들의 모습이 눈앞에 떠올랐다. 햄버거빵을 데우다가 쇠고기 패티를 굽다가 감자를 튀기다가 정체를 알 수 없는 누군가로부터 예측할 수 없는 순간에 계산할 수 없는 방법으로 공격당한다는 상상은 즐겁지 않았다. 확정되지 않은 위협은 확정되지 않았다는 이유로 더욱 위협적이었다. 테러야말로 맥도널드 정신에 역행하는, 전혀 맥도널드화되지 않은 행동양식이 아닐 수 없었다.

훼손되지 않은 전단의 효과는 신속하게 나타났다. 다음 날 세 명의 아르바이트생이 매장을 떠났다. "너무세게 동성애자를 갈취하지 마라"와 "아우들의 요강을 버리지 마라"와 "물좋은노래방알선"이 그 주인공들이었다. 훼손되지 않은 전단의 출현으로 큰 심적 타격을 받았을 것이라 짐작되긴 했지만 그들이 돌연 매장을 떠난 이유는 분명하지 않았다.

겁쟁이, 배신자라는 말이 두서없이 매니저의 입에서 튀어나왔다. 매니저는 단호하게 필요한 조치를 취해나갔다. 먼저 세 명의 신입을 뽑았다. 셋이 하나같이 건장한 체격의 남자애들이었다. 모두 남자애들로 뽑은 것은 이례적인 일이었다. 어디서 무엇을 하다온 녀석들인지 눈매가 꽉 째져 날카로운 인상들이었는데 모두 무술 유단자라는 소문이 돌기도 했다. 아무래도 매니저는 '제3세계해방전선'이라는 단체가 실제로 존재한다고 믿는 모양이었다.

사태의 심각성은 깨달았으나 사태가 어쩌다 그리 심각해졌는지 눈치채지 못한 매니저는 남아 있는 크루들에게 특별수당을 약속함으로써 추가 이탈을 막고자 했다. 말하자면 그것은 신변의 위협을 감수하는 것에 대한 특별한 보상, 일종의 위험수당이었다. 햄버거가게 따위를 테러의 대상으로 삼는다는 게 나는 도무지 믿기지 않았다. 그러나 매니저가 약속한 특별수당, 그러니까 위험수당을 손에 쥐자 미심쩍게만 여겨졌던 그 위험이라는 것이 구체적인 실체로 느껴지기 시작했다. 더도 아니고 덜도 아니고 매니저로부터 받은 추가 액수만큼만.

위험수당을 손에 쥔 후 모든 것이 달라졌다. 데땅뜨의 시대는 가고 바야흐로 투쟁의 시대가 도래한 것이다. 나의 안전과 매장의 안

위는 이 세계의 존망에 우선했다. 그간 보이지 않던 위험이 하나 둘 보이기 시작했다. 패스트푸드점만큼 불시에 감행되는 비정규적인 공격으로부터 무방비 상태인 곳도 없어 보였다.

매장 문을 열고 들어오는 모든 사람은 고객이기 이전에 잠재적 테러리스트였다. 우리는 그들이 누구인지 모르지만 그들은 우리가 맥도널드에 소속되었음을 단박에 알 수 있다. 유니폼의 모양과 색깔로 직위와 담당업무까지 식별할 수도 있다. 로비와 주방 사이에는 이렇다 할 은폐물이 없어서 우리의 보급루트 또한 잠재적 적들에게 고스란히 노출되었다. 그들이 매장에 들어서는 순간부터 나가는 순간까지 언제 어떤 방식으로 공격해올 것인지 예측하는 것은 불가능했다. 카운터 앞에 줄을 서 있다가, 메뉴판을 보며 주문하다가, 구석 자리에서 햄버거를 뜯어먹다가, 남은 음식과 빈 컵을 버리다가, 문을 열고 나가려다 갑자기 돌아서서 적의를 드러낼 수도 있다.

공격의 방식도 예측불가능하긴 마찬가지여서 그들은 야구방망이를 휘두르며 들이닥칠 수도 있고 독극물이 담긴 비닐봉지를 쓰레기통에 슬그머니 집어넣을 수도 있고 폭발물을 실은 차량을 몰고 드라이브 인 카운터로 돌진해올 수도 있다. 무엇보다 심각한 문제는 그들이 누구인지 전혀 알 수 없다는 것이었다. 알 수 없다는 이유 때문에 한층 가공할 위협 앞에서 우리가 할 수 있는 것은 경계를 늦추지 않는 게 고작이었다.

경계를 늦추지 않기 위해 우리는 예전보다 일찍 출근하고 늦게 퇴근해야 했다. 식사시간도 줄어들었으며 크루룸에서 틈틈이 즐기던 휴식도 포기해야 했다. 한 치의 오차도 없이 10밀리미터 두께로 다져진 쇠고기 패티를 구우면서, 구워진 쇠고기 패티와 역시 한 치의 오차도 없이 17밀리미터 두께로 구워진 빵과 7.08그램의 양파와 14

그램짜리 치즈와 냉동된 상태로 태평양을 건너온 양상추 한 장으로 햄버거를 '조립'하면서 매장 구석구석을 척후해야 했으며 고객상대 매뉴얼에 따라 "콜라도 드시겠습니까?" "더 필요한 것은 없으십니까?" 등의 의례적인 질문을 던지며 카운터 너머의 상대를 정탐해야 했다. 느슨해지는 법이 없는 긴장 속에서 '나'라는 생각이 끼여들 틈은 없었고 '우리'는 자신에게 부여된 임무를 군말없이 감당해야 했다. 그리하여 맥도널드화되지 않은 위협 앞에서 우리는 현저히 맥도널드화되어갔다.

그 무렵 맥도널드화된 것은 그뿐이 아니었다. 우리집에서의 의사소통은 몇 마디 말로 가능해졌다. 각자 자신의 현재를 추스르고 미래를 도모하기에 지친 나머지, 다른 사람에 대해 관심을 기울일 여력이 없었다. "밥은?" "됐다." 이런 식이었다. 맥도널드의 고객들이 그러하듯 아버지도 나도 자기의 끼니는 스스로 장만해 먹고 알아서 치워야 했다. 모든 가사노동은 특정한 개인에게 집중되지 않고 각자의 필요와 처리능력에 맞게 분산되어 '효율적'으로 수행되었다. 엄마가 늘 세일즈 중이었기 때문인데 이런 광경은 아버지가 실직하기 전에는 상상도 할 수 없는 것이었다.

아버지의 귀가시간은 어김없이 마지막 공항 리무진버스가 집 근처에 도착하는 무렵이었다. 집에 들어온 아버지는 내가 매장에서 가져온 햄버거나 프렌치프라이를 우적우적 씹어먹으며 무협영화 채널을 보았다. 과장된 기합과 비명을 내지르며 공세와 수세를 거듭하는 영화를 보며 아버지는 눈시울을 붉히기도 했다. 급기야 엄마의 입에서 이혼이라는 말이 튀어나왔다. 햄버거를 입 안 가득 채워넣은 채 무협영화를 보며 눈시울을 붉히고 있는 아버지의 모습에서 엄마가 읽어낼 희망이란 한줌도 없었나보다. 엄마의 때늦은 절망의 정확한 근거를 짐작할 수 없었던 나는 더 이상 햄버거나 프렌치프라이를 집에 가져오지 않았고 두 달 동안 무료로 시청하게 해주겠다는 유혹도 뿌리치고 케이블 TV를 해지했다. 이혼만은 막아야 했다. 미모가 출중하지도 않고 재산도 없는데다 학벌도 신통치 않은데 부모의 이혼이라는 결격사유까지 추가할 수는 없는 노릇이었다.

공무원시험을 준비한다며 고시원에 처박혀 있던 남자친구를 찾아갈 때면 나는 엄마가 느꼈을 감정의 정체를 조금은 알 것도 같았다. 모름지기 목표는 크게 잡아야 한다 했거늘 사법고시도 아니고 공인회계사시험도 아니고 공무원시험 준비가 뭐란 말인가. 게다가 행정고시도 아니고 9급이라니.

"모르는 소리 마라. 요즘은 사법고시나 공인회계사시험에 합격하고도 갈 데가 없어서 노는 사람들 많아. 일단 합격만 하면 나라에서 갈 곳 마련해주지, 중간에 잘릴 염려 없지, 공무원이 최고야."

남자친구의 대답은 언제나 '예측가능'했다. 데이트라고 해봐야 분식집에서 저녁을 해결하고 비디오방이나 노래방에 가는 게 고작이었다. 그러니 데이트 비용의 총액은 예외 없이 2만 원 안팎으로 '계산가능'했다. 게다가 자기는 시험준비로 일분 일초가 아까우니 내가 만나러오는 편이 효율적이라는 것이었다.

거기까지는 참아줄 수 있었다. 아버지의 실직은 나의 직업관마저도 바꿔놓아서 명예나 부보다는 안정이 최고라고 여기게 되었으니 말이다. 그러나 비디오방이나 노래방에 들어가기 무섭게 내 몸을 더듬는 '자동화'된 행동은 용납하기 어려웠다. 문제는 스킨십이 아니라 나를 대하는 태도였다. 자신의 억압된 성적 욕망을 해소하는 데 골몰하는 남자친구의 태도는 낭만과는 거리가 먼 것이어서 처음에는 불쾌했고 나중에는 절망스러웠다. 전화해서 보고 싶다는 입에 발린 말을 하는 것도 그나마 내가 순결을 사수하고 있기 때문이었다. 나의 순결이 지켜지는 한 남자친구는 내 통제로부터 벗어날 수 없을 것이다. 그러나 남자친구의 욕구가 극에 달할수록 나의 불만도 폭발 직전까지 치달았다.

"우리 당분간 만나지 말자."

요즘 뭐가 그리 바빠서 얼굴도 안 비치느냐는 남자친구의 투정에 내가 내뱉은 말이었다.

"헤어지자면 누가 겁낼 줄 알아?"

큰소리친 지 이틀도 못 가서 남자친구는 잘못했다고 전화했다.

"당분간 전화도 하지 말자."

그렇게까지 할 생각은 없었지만 말을 뱉고 보니 나쁘지 않은 생각 같았다. 오래전부터 준비해온 말처럼 여겨지기도 했다. 나는 차제에 남자친구와의 관계를 심각하게 재고할 참이었다. 이를테면 우리집의 의사소통과, 가사노동뿐만 아니라 남자친구와의 연애가, 심지어 남자친구의 성욕마저도 맥도널드화된 것이다. 강요된 결과가 아니었기에 그것은 그 누구의 탓도 아니었다.

괴전단이 발견된 지 한 달이 지나도록 우리는 어떤 공격도 받지 않았다. 부주의한 고객들은 늘 있게 마련이어서 콜라를 바닥에 쏟거나 탁자를 케첩범벅으로 만들거나 쟁반을 쓰레기통에 처박아두거나 막 걸레질한 바닥에 발자국을 찍기도 했다. 그러나 그들의 부주의한 행동은 제3세계해방전선과는 무관해 보였다. 매니저는 다음 달부터는 특별수당 지급을 중단하겠다고 선언했다. 그래도 혹시 모르니 주의를 게을리하지 말 것을 요구했다. 특별수당 지급중단은 더 이상 위험이 존재하지 않는다는 것을 의미했다. 경계는 허물어졌고 긴장은 무너졌다. 화폐로 교환되지 않는 위험은 한낱 허깨비에 지나지 않았다.

허물어진 경계와 무너진 긴장은 사소하고 어이없는 실수들을 야기했다. 양상추가, 심지어 쇠고기 패티가 빠진 햄버거 때문에 고객의 항의를 받기도 했다. 카운터의 처리 속도는 더뎌졌고 드라이브인 카운터에서 주문받은 빅맥이 운전자에게 치즈버거로 둔갑해 전달되었다. 새로 채용된 남자애들의 험상궂은 얼굴을 보고 어떤 꼬마는 와락 울음을 터뜨렸다. 팀워크는 실종되고 매출은 급감했다. 애당초 햄버거가게 따위가 테러의 대상이 될 리가 없었다. 양상추가 쇠고기 패티가 빠진 햄버거를 조립하면서, 고객의 주문을 건성으로 들으며, 막 걸레질을 한 바닥에 콜라를 흘리는 꼬마를 무섭게 노려보며 모두들 그런 생각을 하고 있었을 것이다. 그러니 새로운 전단이 발견된 것이 매니저로서는 다행스러운 일인지도 몰랐다.

전단을 발견한 사람은 매니저였다. 주차를 하다가 주웠다는 것이다. 기다렸다는 듯 매니저는 크루들을 다시 집합시켰다. 새로 발견된 전단에는 다음과 같은 내용이 추가되어 있었다.

1995년 덴마크 코펜하겐 맥도널드 매장 전소.
1997년 꼴롬비아 깔리 맥도널드 매장 폭탄 폭파.
1998년 그리스 아테네, 브라질 리우데자네이루, 러시아 뻬쩨르부르끄 맥도널드 매장 폭탄 폭파.
1999년 벨기에 앤트워프 맥도널드 매장 방화.
2000년 런던 트라팔가 광장 맥도널드 매장 습격.
2003년 베네수엘라 맥도널드 매장 습격.

그것은 제3세계해방전선이 자행한 맥도널드 매장 습격의 연대기였다. 맥도널드 매장이 그토록 빈번한 공격의 대상이 되어왔다는 것이 놀라웠다. 방화와 폭파와 약탈로 점철된 그 연대기가 사실이라면 그것은 우리에게 중요한 정보를 제공하고 있었다. 제3세계해방전선이 즐겨 사용하는 공격방법이 방화, 폭파라는 것. 그러나 제3세계해방전선이라는 단체가 가공된 것이라면 이 모든 것은 무의미해질 것이었다.

누군가는 경찰에 신고하자고 했다. 경찰이 드나드는 것이 영업에 도움이 되지 않는다는 이유로 매니저는 그 의견을 받아들이지 않았다. 대신 위험수당을 다시 지급하겠다고 했다. 전소, 폭파, 방화, 습격이라는 단어가 환기하는 위협에 상응해야 했으므로 특별수당의 액수는 지난달보다 커졌다. 그리하여 제3세계해방전선의 실체와는 무관하게 위험은 다시 현실이 되었다.

이번에도 불안과 긴장은 특별수당의 금액만큼만 교환되었다. 우리의 눈초리는 재차 매서워졌고 손놀림은 빨라졌다. 되살아난 것은 눈빛과 순발력만은 아니어서 팀워크가 복구되어 우리는 다시 '가족' 이 되었다. 햄버거는 완벽하게 조립되어 고객의 주문을 충족시켰으며 막 걸레질을 한 바닥에 일부러 콜라를 흘리는 꼬마에게조차 너그러운 미소를 지을 수 있었다.

상대의 주된 공격방식을 간파한 이상, 경계의 역량은 집중되고 위험은 현저히 예측가능해졌다. 카운터 밑에는 야구방망이와 소화기가 비치되었고 로비 담당에게는 가스총이 지급되었다. 필요 이상으로 큰 가방을 소지한 사람은 따가운 감시의 눈길 속에서 햄버거를 먹어야 했으며 드라이브 인 카운터로 진입하는 운전자들은 주문에 앞서 터무니없어 보일 정도로 높은 과속방지턱의 환대를 받아야 했다. 반복되는 일상 속에서 위험은 점차 예측가능해지고 계산가능해졌으며 경계는 효율적이고 자동화되었다. 위험마저도 맥도널드화된 것이다.

맥도널드 습격의 연대기가 발견된 지 일주일째 되던 날이었다. 카운터를 맡던 K가 연락도 없이 결근하는 바람에 내가 대신 카운터를 지키게 되었다.

"요즘 젊은 것들은 뭐든 제멋대로야. 도대체 책임감이라고는 티끌만큼도 없다니까."

결근한 사람을 대신해 출근한 사람들이 매니저로부터 훈계를 들어야 했다. 매니저의 훈계는 손님들이 들이닥칠 때까지 계속되었다. 그러잖아도 빠듯한 일손이었다. 부족한 한 명의 몫을 분담하느라 모두들 예민해져 있었다. 그날따라 유난히 손님이 많았다. 햄버거를 반으로 썰어달라 했다가 금세 주문을 취소하고 프렌치프라이를 새로 주문하고는 아무 말도 없이 사라져버린 몰염치한 고객 때문에 나는 기분이 말이 아니었다.

"저거……"

까무잡잡한 얼굴에 구레나룻을 기른 외국인이었다. 동남아시아 쪽 같기도 했고 서남아시아 쪽 같기도 했다. 그는 카운터 너머 천장에 부착되어 있는 메뉴판을 손가락으로 가리키며 어눌하게 말했다. 점퍼 차림의 그는 까만 륙색을 메고 있었다. 내 얼굴이 굳어졌다. 매니저가 마련한 테러방지 매뉴얼에 따르면 그는 요주의 인물에 해당되었던 것이다. 나의 신경은 그가 메고 있는 륙색에 집중됐다. 저 안에는 뭐가 들어 있을까. M16? 수류탄? 아니면 시한폭탄? 불길하고 끔찍한 상상이 스치면서 오금이 저리고 팔이 부들부들 떨렸다.

"햄버거 하나."

끔찍한 상상을 애써 떨쳐내며 나는 주방에 대고 외쳤다. 그가 정확히 무엇을 주문했는지 확인할 여유가 없었다.

"감사합니다. 콜라도 드시겠어요?"

습관이란 참 무서운 것이어서 그 와중에도 내 입에서는 판촉을 위한 판에 박힌 질문이 튀어나왔다. 국적을 짐작할 수 없는 외국인은 잠시 머뭇거리다가 입을 열었다.

"콜라, 오케이."

그 외국인을 주시하는 건 나뿐만이 아니어서 로비를 청소하고 있던 S의 손길이 조심스레 자신의 허리춤을 더듬고 있었다. 매니저의 지시를 따랐다면 그의 허리춤에는 가스총이 준비되어 있을 것이었다. 나와 눈이 마주치자 S는 잔뜩 굳은 얼굴로 고개를 가볍게 끄덕였다. 역시 긴장한 빛이 역력했다. 우리의 주밀한 경계를 아는지 모르는지, 주문한 햄버거를 기다리던 외국인 남자는 주변을 두리번거리며 륙색의 끈을 만지작거렸다. 나는 떨리는 가슴을 애써 진정시키며 햄버거와 콜라를 쟁반에 담아 건넸다. 외국인은 뭔가를 확인하려는 듯 포장지를 벗기고 햄버거빵을 들춰보았다. 갑자기 그의 얼굴이 일그러지는가 싶더니 외마디 소리가 날카롭게 들려왔다.

"노 비프(No beef)! 오 마이 갓(Oh my God)!"

버럭 소리치는 외국인과 안절부절 어찌할 바를 모르는 나를 매장에 있던 모든 사람들이 주목했다. 긴장한 탓에 내 목소리도 덩달아 커졌다.

"왓스 더 프라블럼(What's the problem)?"

그는 햄버거가 담긴 쟁반을 카운터 위에 거칠게 내려놓으며 다시 외쳤다.

"노 비프(No beef)!"

그 다음 말은 알아들을 수 없었다. 국적을 짐작할 수 없는 언어로 무슨 말인가를 거침없이 쏟아냈다. 쏟아내면서 갑자기 륙색을 내려놓고 지퍼를 여는 것이었다. 그의 손길은 다급했다. 그때였다. 매장 전체가 뭔가에 떠밀리듯 진저리를 쳤다. 바로 옆으로 열차가 고속으로 지나가는 것처럼 건물이 진동했다. 빈 의자가 부르르 떨며 자리를 맴돌았고 탁자 위에 있던 종이컵이 넘어져 음료수가 쏟아졌다. 탁자 밑으로 기어들어가는 사람도 있었고 외마디 비명을 지르며 매장 밖으로 뛰쳐나가는 사람도 있었다. 그러나 특별수당을 받은 우리는 매장을 버릴 수 없었다. 크루들은 손에 잡히는 대로 뭔가를 집어 들고 외국인에게 달려들었다. 그들의 손에는 야구방망이, 소화기, 빗자루 심지어 햄버거도 들려 있었다.

"맥도널드를 지켜라!"

매니저의 외침은 급박했다. 호시탐탐 기회를 엿보고 있던 S의 가스총에서 가스가 분사되는가 싶던 순간 나는 정신을 잃고 쓰러졌다. 모든 종말은 그렇게 찾아오는 듯했다. 내가 지켜야 할 것들의 등짝을 감당할 수 없는 소란의 중심으로 매몰차게 떠밀며.

눈을 떴을 때 나는 병원 응급실 침대에 누워 있었다. 병원 창밖에서, 병실의 텔레비전 속에서 세상은 여전했다. 텔레비전은 우리나라도 더 이상 지진의 안전지대일 수 없다고 목소리를 높였다. 일본 후쿠오카에서 발생한 지진이 바다를 건너 한반도에 상륙했다는 것이다. 매장에서 발생한 흔들림의 원인은 테러가 아니라 지진이었단다. 뭔가 속은 느낌이었다.

응급실에서 눈을 떠 내가 알게 된 것은 진동의 원인만이 아니었다. 내가 건넨 햄버거를 보고 화들짝 놀라 항의하던 외국인은 테러리스트도 거동 수상자도 아니었다. 그는 외국계 컴퓨터회사에 근무하는 프로그래머였다.

"아!"

병원에 들른 매니저로부터 그 외국인이 인도사람이라는 말을 듣는 순간 나는 외마디 탄성을 내뱉었다. S가 긴장한 나머지 외국인이 아닌 내 얼굴에 가스총을 분사한 것이 그나마 다행이라는 매니저의 냉정한 말에 나는 아무 대꾸도 할 수 없었다. 나의 침묵을 자책과 반성으로 해석했는지 매니저는 소동의 책임을 물어 내 수당을 깎겠다고 핏대를 올렸다. 해고되지 않는 걸 고마워하란다. 그 외국인이 륙색에서 꺼내려 한 것이 무엇이었냐고 내가 물었다. "폭탄이라도 터뜨리려는 줄 알았어? 사전을 꺼내려 했대."라고 대답하고 나서 매니저는 그리 어수룩한 상황판단력으로 어떻게 저 무지막지한 제3세계 해방전선을 상대할 수 있겠냐며 흥분했다. 이번 소동으로 제3세계해방전선에 대한 매니저의 적의는 돌이킬 수 없을 정도로 깊어진 듯했다. 그들은 어떤 행동도 취하지 않음으로써 오히려 자신들의 존재를 각인시킨 셈이었다.

다음 날 매니저는 특별수당의 액수를 더 올리겠다고 선언했다. 크루들은 약속이라도 한 듯 전날의 소동에 대해 입을 다물고 아무 일 없던 것처럼 맡은 일에 몰두함으로써 매니저의 배려에 화답했다. 무단결근에 대해 매니저에게 한 시간 동안 질책을 받으며 참회의 눈물을 떨어뜨려야 했던 K는 언제 그랬냐는 듯 생글거리며 주문을 받았다. 주문을 받을 때마다 경계의 빛을 애써 감춘 채 고객과 눈을 맞추며 콜라나 세트메뉴를 권했다. S는 분사력이 더 강화된 가스총을 허리춤에 은밀히 찔러넣은 채 바닥을 정성껏 쓸고 닦으며 고객들의 동태를 살폈다.

특별수당 인상 대상에서 유일하게 제외된 나는 쇠고기 패티를 굽다 문득 이런 의문에 사로잡혔다. 버거킹도 아니고 피자헛도 아니고 왜 하필 맥도널드일까. 마닐라도 아니고 방글라데시도 아니고 왜 하필 서울일까. 신촌도 아니고 압구정동도 아니고 왜 하필 이곳일까. 그 점에 대해 여태 한 번도 의문을 품어본 적이 없다는 사실이 나로서는 더욱 놀라웠다.

나는 매장 주변을 주의깊게 둘러보았다. 매장 왼쪽에는 버거킹과 피자헛이, 오른쪽에는 피트니스센터와 스타벅스가, 도로 맞은편에는 도요타와 크라이슬러 매장이 보였다. 다국적기업 특구 같기도 했지만 그것은 서울 도심 어디에서나 맞닥뜨릴 수 있는 풍경이기도 했다. 불현듯 고개를 든 의문은 아무리 주위를 둘러봐도 풀리지 않았고 오히려 증폭되었다. 맥도널드화된 위험에 대처하는 것보다 더 화급한 것은 전혀 맥도널드적이지 않은 바로 그 의문에 대한 답을 구하는 것이었다. 왜 하필 우리인가.

나는 우리를 새삼 둘러보았다. 돈을 모아 배낭여행 가는 것이 꿈인 K, 5백만 화소를 자랑하는 최신 카메라폰에 다운받은 동영상을 수시로 들여다보는 J, 지난 겨울방학 때 받은 쌍꺼풀수술 부작용으로 색안경을 끼고 다니는 H, 합기도 3단이라고 소문난 S, 자동차를 몰고 오는 연예인에게 사인을 받다 매니저에게 주의를 받곤 하는 드라이브 인 카운터의 L. K가 가고 싶어 하는 배낭여행의 목적지는 어디며, J가 5백만 화소의 최신 카메라폰에 다운받는 동영상은 어떤 것들이며, H가 쌍꺼풀 시술을 받은 병원은 어디며, S가 다닌다는 도장은 어디에 있으며, L이 사인을 청한 연예인들은 누구인가. 매일 감자를 튀기고 햄버거를 조립하고 카운터를 지키며 바닥을 닦는 우리는 과연 누구인가.

평양의 맥도널드 매장에 어젯밤 원인 모를 화재가 발생했다. 폐점 시간에 벌어진 일이라 인명피해는 없었다. 여러 정황으로 미루어볼 때 누전 때문일 공산이 크지만 화재의 정확한 원인은 감식반의 조사 결과가 나와야 알 수 있으며, 지난주 개성의 맥도널드 매장에 발생한 화재와의 연관성에 대해서는 아직까지 확인된 바 없다는 것이 소방당국의 공식 입장이었다. 그러나 제3세계해방전선이라는 단체는 일련의 화재가 자신들의 소행이라고 주장했다. ■

## 박민규

# 비치보이스

1968년 울산 출생.
중앙대 문예창작학과 졸업. 2003년 《문학동네》로 등단.
소설집 『카스테라』, 장편소설 『지구영웅전설』 『삼미슈퍼스타즈의 마지막 팬클럽』 등.
〈문학동네신인작가상〉 〈한겨레문학상〉 수상.

# 비치보이스

다큐멘터리하곤 완전 다르네, 재이材吏가 중얼거렸다. 그러게, 에릭도 고개를 끄덕였다. 서핑 같은 건 꿈도 꾸지 말아야겠다고 나는 생각했다. 金은 아무 말도 하지 않았다.

그것이 바다를 본 우리의 소감이다. 터벅터벅, 누가 먼저랄 것도 없이 우리는 차로 돌아왔다. 짧은 거리지만 자갈로 덮인 지표였고, 다들 찡그린 표정이어서 어딘가 모르게 피곤한 느낌이었다. 재이와 나는 담배를 물었다. 에릭의 차는 발아래, 저 짧은 우리의 그림자들이 타기에도 비좁은 소형차다. 찐다 쪄, 생수통의 마개를 따며 에릭이 중얼거렸다. 시동이 걸린 차가 냉각될 때까지, 우리는 그렇게 자외선에 노출되어 있었다.

힘들다.

이렇게 인간이 많을 거라곤 상상조차 하지 않았다. 피서철이잖아. 金이 그런 얘기를 할 때까지 나는 계속 불만을 늘어놓았다. 그러고 보니 피서철이었다. 나만 몰랐나? 했는데 참 그렇지, 라며 재이가 중얼거렸다. 그러게, 물을 벌컥인 에릭까지 고개를 끄덕였으므로, 결국 피서철임을 알았던 건 金뿐이란 사실이 드러났다. 이렇게 산다. 아멘, 하고 주차요금을 받는 아저씨가 팬스 너머에서 큰 소리를 질렀다.

다른 데도 마찬가지겠지? 휙 꽁초를 던지며 재이가 얘기했다. 재이의 성향은 〈강력한 지도자〉인데, 아무튼 - 아무렴, 하고 金이 맞장구를 쳤다. 어딜 가나 마찬가지야. 金은 〈온화한 조정자〉라 그렇다 치지만, 또 〈남다른 몽상가〉인 에릭까지 거드는 바람에 나는 그만 김이 팍 새버렸다. 서핑은 그럼 못하는 거네. 재이가 던진 쪽으로 다시 꽁초를 던지며 내가 중얼거렸다. 나는 스스로를 〈신중한 현실파〉라 여기지만, 아무튼

우리는 차로 들어갔다. 그림자까지 따라 탄 듯 비좁은 느낌이었지만, 그래도 에어컨의 시원함이 더할 나위 없이 좋았다. 살았다, 에릭이 중얼거렸다. 밀폐된 차 속에서 해변을 바라보며, 우리는 대부분 엇비슷한 감정에 잠겨 있었다. 뭐가 대자연大自然이냐? 사람이 훨 많은데. 재이가 키득거렸다. 철망 너머의 백사장에서 순간 눈이 아찔한 정도의 반사反射가 일어 나는 어지러웠다. 다시 아멘, 하는 목소리가 귀를 때렸다. 이런 무더위 속에서 아멘 이라니, 이유야 어쨌건

〈꼼꼼한 노력가〉가 아닐 수 없다고 나는 생각했다.

니들이 크라잉 넛이냐? 소릴 들을 때만 해도, 실은 누구도 바다 같은 데 올 생각은 하지 않았다. 한동안 그 소리에 시달렸는데, 이유는 우리 넷이 한날한시에 영장을 받아서였다. 크라잉 넛이라, 좋지. 金과 에릭은 쉽게 웃어넘겼지만 나는 달랐다. 나는 확, 짜증이 일었다. 세상이란 게 그렇다. 동반입대만 하면 크라잉 넛을 갖다붙인다. 잘 알지도 못하면서, 허구한 날 TV만 보다가, 누가 어쩐다 소리만 들으면 브러브러브러브러.

브러브러브러브러

실은 그래서, 그런 느낌이 들었다. 여지껏 살아온 게 순식간에 브러브러브러브러 해진 느낌. 나도 그래, 재이와 金도 고개를 끄덕였다. 가글을 하던 에릭도 양치한 물을 브러브러브러브러 하고난 다음 표정이 시무룩해졌다. 복잡한 마음을 말로 하자면, 뭐랄까… 우선 군대가 싫다. 조금, 무섭다. 아니 뭐, 다 가는 거지만, 말하자면 집을 떠나본 적이 없다. 거의, 그렇다. 집을 떠나면 학교, 학교를 떠나면 학원, 학원을 떠나면 집… 사는 게 그런 건줄 알았다. 허구한 날 학원만 다니다가, 불쑥, 이렇게 집을 떠나도 되는 걸까? 크라잉 넛은 군생활을 어떻게 견뎠을까? 허구한 날 TV만 볼 수도 없을 텐데. 생체리듬에 변화가 오는 건 아닐까? 그 여파로 호르몬 분비에 문제가 생기는 건 아닐까? 이라크 같은 델 가서 총을 맞는 건 아닐까? 막, 뛰거나 일을 해야 하는 건 아닐까? 강제로 김치를 먹이는 건 아닐까? 흉터가 생기면 어쩌지? 또… 피부가 망가지면, 어쩌지? 아무튼

너무 하잖아

생각이 들었다. 뭔가 하자는 생각이, 그래서 우리를 지배하기 시작했다. 그 느낌은 아주 생소했지만, 또 모두에게 공통된 것이었다. 초 · 중 · 고, 게다가 열여섯 개 학원의 동창인 우리에겐 그런 미묘한 네트워크가 있었다. 아멘, 또다시 버럭 큰 소리가 들려왔다. 나는 찬찬히 철망 너머의 얼굴을 살펴보았다. 조잡한 특수부대의 모자를 눌러쓴 오십대의 얼굴이, 중얼중얼 성경인지 찬송인지를 읽고 있었다. 저게 피부냐? 뭐? 저기 저 인간 말야. 킥킥, 재이와 金이 피식거렸다. 저 모자 가짜야, 에릭이 중얼거렸다.

입대하기 전에 이런 일을 꼭 해보자 - 의논 끝에 결정된 것은 먼저 〈아보가드로 습격〉이었다. 아보가드로는 고등학교 때의 선생인데, 일단 죽이고 법원에서 이유를 설명하면 - 판사에 따라 무죄판결을 받을 수도 있을 만큼 죽일 놈이었다. 왜 아보가드로인지에 대해선 잘 모르겠다. 아무튼 선배들이 그렇게 불렀으므로, 우리도 아보가드로를 아보가드로라고 불렀다. 실은 왜 참고 살았는지도 잘 모르겠다. 아무튼 선배들도 묵묵히 졸업을 했으므로, 우리도 묵묵히 졸업을 했다는 생각이다. 패자. 결론은 만장일치였다.

자존심이 병적으로 강한 변태였기 때문에 절대 고소 같은 걸 할 리 없다고 생각했다. 무릎을 꿇고 우는 모습을 디카로 찍어두자는 얘기도 나왔다. 태엽이라도 감긴 듯 행동반경이 정해진 인간이어서 습격은 결코 어려운 일이 아니었다. 다만 문제가 있다면, 약속 장소에 에릭과 金이 나타나지 않았다, 는 정도다. 둘이서 해치우자, 재이가 얘기했다. 혹 태권도나 그런 걸 배운 건 아닐까? 내가 염려를 하자 그 체격에? 하고 코웃음을 쳤다. 재이의 기세에 자신감이 확 생겼다. 얼마쯤 시간이 지났을까, 어둑한 골목의 끝에서 아보가드로의 냄새가 느껴졌다. 위선과 부패, 교만과 교활, 비굴과 비리가 뒤섞인 지옥의 향香이었다.

니… 들은, 하고 아보가드로가 흠칫했다. 극히 짧은 순간이었는데, 놈의 머릿속에서 쥐 같은 게 빠르게 돌아다니는 소리가 들렸다. 우두둑, 뒷짐을 쥔 상태로 재이가 손가락 마디를 꺾었다. 간사한 놈이 도망칠 때를 대비해 나는 언제라도 뛰쳐나갈 준비를 하고 있었다. 니들, 하고 아보가드로가 헛기침을 큼큼했다. 머릿속을 돌아다니던 쥐 같은 것이 그 순간 자세를 바로잡는 느낌이었다. 놈은 뜻밖에도 뒷짐을 지더니 고압적인 표정으로 이렇게 말했다.

그래, 취직 준비는 잘들 하고 있냐?

그건… 아니고, 갑자기 재이가 고갤 숙였다. 이상하게 그 말을 듣는 순간, 나도 다리에 힘이 쑥 빠지는 느낌이었다. 찾아와줘서 고맙다. 어깨를 치는 아보가드로를 따라 결국 놈의 집까지 가게 되었다. 고마워요, 말씀 많이 들었답니다. 아보가드로의 사모는 이 죽일 놈과 잘도 살아줄 만큼 친절한 여자였다. 함께 밥을 먹고, 하하, 오락프로를 보고, 웬일인지 초등학교 2학년 딸내미의 숙제를 열심히 도와주었다. 그럼 안녕히 계십시오, 하는 우리를 향해 아보가드로는 수제자란 표현을 쓰기도 했다. 지금부터 준비해야 한다, 알겠지? 알겠습니다. 그리고 집으로 돌아왔다. 그 일에 대해 우리는 아무 말도

하지 않았다. 사실

사람을 때리는 건 힘든 일이다.

그래서다. 방학이 시작되면서 누군가 다른 미션을 생각해냈다. 金인지 에릭인지 그것은 모호하지만, 아무튼 뭐 흔한 내용이었다. 군에 가기 전에 해보는 거야, 진짜 〈섹스〉를! 우리는 모두 동정이었으므로 솔깃한 제안이 아닐 수 없었다. 우선 디데이를 잡고 오후부터 술을 마셨다. 여친이 있는 에릭과 재이는 여친들과 시도를, 싱글인 나와 金은 업소 같은 델 이용하기로 했다. 꽤나 활기찬 술자리였다. 뭐야, 클럽 가는 거 아니었어? 에릭의 여친이 갸우뚱 했지만, 모르는 척 손을 흔들고 뿔뿔이 흩어졌다. 두 시간이나 거리를 배회한 끝에 金과 나는 〈24시〉가 유독 강조된 스포츠마사지에 입장했다.

결론을 말하자면 실패였다. 입실을 하고 앉아 있으니 내 또래의 여자애가 들어왔다. 안녕하세요 뭐라뭐라 하더니 안마 같은 걸 실컷 해주었다. 그리고 손으로 마구마구 자위를 해주었다. 절차려니 여겼는데 거의 사정할 지경에 이르고 말았다. 잠깐, 하고 내가 물었다. 삽입은 언제 해요? 고개를 돌린 여자애는 깜짝 놀란 표정을 짓고 있었다. 어머, 여긴 손으로만 하는 곳인데… 몰랐어요? 몰랐다. 몰랐지만, 아 참 그렇지 하는 표정으로 고개를 끄덕였다. 보드랍고 따뜻한 손이 다시 마구 내 성기를 쓰다듬었다. 나는 곧 사정을 했다. 휴

힘들었다.

어렸을 땐 넷이 함께 목욕을 다니곤 했는데, 金은 그때, 목욕을 마치고 나온 꼭 그런 얼굴로 소파에 앉아 있었다. 끝났니? 응. 그리고 서로 아무 말도 하지 않았다. 에릭과 재이도 상황은 비슷했다. 에릭의 여친은 길길이 화를 내고 집으로 돌아갔고, 재이는 함께 모텔을 찾긴 했으나 발기가 되지 않았다. 왜, 왜 그랬는데? 몰라, 상황을 일단 그런 식으로 몰고 갔거든. 나 곧 군대에 갈 거라고, 그래서 정말 처음이다, 정말 간절히 원한다고 하니까 그래? 하는 분위기였어. 샤워를 할 때까지도 잔뜩 흥분해 있었는데, 글쎄 걔가 전에 사귀던 선배 얘길 하는 거야. 그래서 그 선배는 미국 국적을 가졌는데 군대 안 가도 된다더라, 라고 말이야. 제길 그 얘길 들으니 갑자기 자지가 죽지 뭐냐?

그 느낌을

알 것도 같았다. 어렸을 때 이웃 단지의 47평에 초대된 적이 있었다. 단짝의 생일파티였는데 갑자기 배가 아파 화장실을 찾았다. 볼일을 잘 보고 물을 내리는데 아주 기분이 묘했다. 물, 소리가 너무나 달랐던 것이다. 우리 집에선 콰, 하는 소음과 함께 맹렬한 소용돌이가 변기를 훑어내리는데 - 스와, 하는 부드러운 소리와 함께 잔잔히 맴을 돈 물이 고요히 변기를 빠져나갔다. 그 느낌이 너무 묘해 나는 몇 번이고 스와, 를 반복했다. 우와, 탄복을 하며 화장실을 나와서도 그 소리가 귀에서 떠나지 않았다. 그리고 더는 파티를 즐길 수 없었다. 생각할수록, 이상한 일이다.

우리는 〈22평 친구〉들이다. 말하자면 그렇다. 이런 이상한 단어보다는 확실히 어릴 적 친구나 단짝, 동창생 같은 표현이 쉽게 와닿겠지만–굳이 이런 단어를 골라 쓰는 이유가 있다. 그것이 가장 〈정확한〉 표현이기 때문이다. 우리는 같은 단지의 22평 라인에서 함께 살아왔다. 재이의 집이 옆 동네의 36평으로 이사간 게 재작년의 일이니, 실로 어마어마한 시간을 이웃으로 지낸 셈이다. 단지의 아이들은 평수를 기준으로 뭉쳐 놀았다. 게다가 우리에겐 우리 이상으로 뭉쳐 살아온 엄마들이 있다. 함께 시장을 보고, 정보를 교환하고, 머리를 하고, 사우나를 가고, 전화기를 붙들면 기본이 두 시간이던–엄마들이 있었다. 이는 곧 비슷한 옷을 입고, 같은 학습지를 신청하고, 줄곧 같은 학원을 다니고, 우루루 몰려가 같은 병원에서 포경수술을 받는 것을 의미했다. 어디, 누가 제일 잘됐나 보자. 네 명의 엄마 앞에서 넷이 나란히 고추를 내밀던 기억은 아직도 선명하다. 말하자면, 그런데 왜 우리가 크라잉 넛이란 말이냐 이 얘기다.

넌 어쩔 건데?

재이가 물었다. 나는 잠시 입술을 깨물었다. 몹시 불안하고 불편한 질문이다. 뭐가? 돌아갈 건지, 아님 입장入場을 할 건지, 그것도 싫음 다른 바닷가를 찾아볼 건지. 나는, 하고 나는 말문을 열었다. 니들 의견에 따르겠어. 더는 운전 못해, 에릭이 뻗기도 해서 우리는 결국 입장을 결심했다. 예예, 예수 믿고 천국 갑시다, 주차권을 건네주며 아저씨가 중얼거렸다. 북적이는 인파만 없다면–높은 하늘과 바닐라스러운 구름, 원경遠景의 풍부한 마린블루가 그런대로 볼만한 해변이었다. 천국에도 이 정도의 사람들이 건너가 있을까? 그렇다면 비슷한 풍경이 아닐까? 그런 생각이 절로 들었다.

넌 어쩔 건데? 이런 종류의 질문에는 대책이 없다. 재이와 에릭, 金과 나 사이에선 특히 그러하다. 중 2때였나, 캐나다에서 온 이모가 잔뜩 바람을 잡아 아무튼 갑자기 바이링구얼(이중 언어)을 배우게 되었다. 수학 학원을 마치고 다들 게임을 하자는 분위기였는데, 그만 갈 곳이 있다고 얘기해버렸다. 뭐, 넌 어디 가는데? 재이와 에릭과 金이 나란히 쳐다보았다. 응, 이런저런 곳이야. 며칠 후 우리는 나란히 바이링구얼 수업을 듣게 되었다. 가타부타 말들은 하지 않았지만, 다들 바이링구얼로도 표현 못할 복잡한 표정이었다.

동반입대의 배경도 실은 그런 것이다. 군대를 가래, 에릭의 말이 엄마들에게 전해지자 며칠 사이에 난리가 났다. 에릭이 군대를 간다면서요? 전화를 건 엄마에게 에릭의 엄마가 놀랄 만한 얘기들을 늘어놓았다. 두 시간의 통화를 요약하자면 – 취업률은 경기景氣와 밀접한 관계가 있다, 해서 경기의 흐름과 제대 · 졸업 시기의 조합이 취업의 결정적 요소가 된다는 것이었다. 결국 경제학과를 나와 무슨 연구소에 있다는 金의 백부, 또 외국계 컨설팅에서 일한다는 재이의 먼 친척이 엄마들에게 시달려야 했다. 말하자면, 떡하니 金의 백부에게 전화를 걸어 – 안녕하세요. 누구누구 엄마라고 하는데요, 예예, 말씀 들으셨죠? 하는 엄마를 보며 나는 아, 곧 입대를 하겠구나 이미 짐작을 한 상태였다. 나는

힘든 게 싫다.

반론을 제기하고, 싸우고, 그런 건 너무 힘든 일이다. 대체로 재이와 金도, 그런 이유로 입대를 결심했을 것이다. 근처 자판기에서 포

카리를 뽑아 마신 뒤 재이와 나는 담배를 피워물었다. 좋으냐? 그럭저럭. 별생각 없이 나온 대답이었는데, 갑자기 그럭저럭 좋은 기분이 드는 것이었다. 그래도 바다다. 생각해보면 학원과 학교를 오가는 일에 비해 얼마나 그럭저럭 행복한 일인가.

그래서 좀 통통한 애가 들어왔는데 말이야, 팬티는 입지 않고 그물스타킹만 신은 거야. 보기만 하세요, 만지면 사람 부를 거니까. 그러고는 얼굴 바로 앞에 엉덩일 내밀지 뭐냐? 기분은… 아무렇지도 않았어, 괜히 왔다 싶기도 하고… 동영상으로 보는 거랑 똑같이 생겼고, 또 어차피 손으로 해주는 거니까. 그런데 찬찬히 살펴보니 인터넷과는 뭔가 느낌이 다른 거야, 그러니까… 힘을 꽉 주고 있다는 느낌이었어. 왜 잔뜩 오므린 그런 거 있잖아. 그래서 혹시 지금 힘주고 있는 거 아니냐고 물었지. 그걸… 물었냐? 응, 그런데… 대답은 안 했는데 말이야, 깜짝 놀라는 눈치는 확실했어. 왜냐면 그게 한순간 벌어졌다가 화들짝 더 작게 오므라들었거든. 짧은 순간이었지만 그걸 또 캐치했지 뭐냐.

바다에 가자는 생각을 한 것은, 어학스쿨에서 그럭저럭 金의 얘기를 듣고 난 직후였다. 이상하다, 난 왜 그런 서비스를 못 받았지? 뭔가 오므린 마음으로 수업을 시작했는데 그날따라 이런 노래가 교재로 채택되었다. 서핑 유에스에이, 비치보이스. 미국의 광활한 바다 앞에 모두 설 수 있다면 / 우린 누구나 파도타기를 할 텐데 / 캘리포니아에서처럼 말이에요 / 헐렁바지를 입고 프러치샌들을 신고 / 금발의 부시시 흐트러진 머리로 / 유월까지 기다릴 순 없어 / 여름 동안 길을 떠날 거야 / 파도타기 여행을 떠나 돌아오지 않을 거야 / 선

생님께 우린 파도타기 하러 갔다고 얘기해줘 / 서핑으로 미국 전체를 돌 거라고

바로 이거라고

나는 생각했다. 섹스도 못했고 아보가드로 습격에도 실패한 마음이, 뭔가 쾌청하게 개는 기분이었다. 입대를 하기 전에 반드시 해야 할 일이 있다면, 그건 바로 바다를 보고 오는 게 아닐까? 얘길 꺼내면서도 모두의 얼굴이 환해진다는 걸 알 수 있었다. 바다라, 말하자면 바다란 것은 다큐멘터리에서나 보던 세계가 아니던가. 브러브러 브러브러, 여름 동안 길을 떠나야 한다고 우리는 생각했다. 계획은 척척 진행되었다. 무엇보다 엄마들이 쉽게 수긍할 내용이어서 허락을 얻는 데도 별반 어려움이 없었다. 에릭의 차에 짐을 싣기까지 힘든 일은 아무 것도 없었다. 선탠크림도 넣은 거야? 수건 속에 있어, 혹 샐지도 모르잖니. 아, 하고 나는 고개를 끄덕였다. 돌아오면 엄마의 블로그나 하나 만들어줘야지. 성향은 즉 〈친절한 도우미〉, 엄마 엄마 우리 엄마.

바다는 처음이었다. 처음엔 그럴 리가, 싶었지만 – 곧 그럴 수밖에, 라고 고개를 끄덕였다. 지나온 학원과 방학과 학원과 방학과 학원과 방학과 학원과 방학과 학원과 방학을 떠올리면 언제나 함께 학원을 다니던 친구들이 있었다. 수영이라면 팔이 아프도록 배운 적이 있지만 바다는 모두 처음이었던 것이다. 학원과 방학과 학원과 방학과 학원과 방학과 학원과 방학과 학원과 방학을 떠올리며, 우리는 열심히 지도책을 뒤적였다. 파도타기 여행을 떠나 돌아오지 않을 거

야 / 선생님께 우린 파도타기 하러 갔다고 얘기해줘 / 서핑으로 미국 전체를 돌 거라고 - 콧노래를 부르며 나는 서핑을 배우는 내 모습을 상상했다. 자외선이 두렵지 않은 건 아니지만, 캘리포니아에서처럼 그렇게, 그런 기분으로. 고속도로와 국도를, 차는 장장 다섯 시간을 내달렸다.

그리고 바다를 본 것이었다. 대… 실망이다. 다큐멘터리와도, 캘리포니아와도 완전 다른 느낌에 그만 힘이 쑥 빠져버린 것이었다. 경쟁률이 사만삼천 대 일 정도는 되겠는 걸. 어이가 없다는 표정으로 재이가 중얼거렸다. 어쩌겠냐? 텅 빈 포카리 캔을 집어던지며 내가 말했다. 각자의 배낭을 챙겨들고, 그래서 그럭저럭 우리는 걷기 시작했다. 사람과 사람과 사람, 월리가 백 명 정도는 숨어 있을 것처럼 사람이 많았지만 - 높은 하늘과 바닐라스러운 구름, 또 원경의 풍부한 마린블루를 쳐다보며 나는 스스로를 위로했다.

힘들었다. 그래서 숙소를 잡는 데 두 시간, 지금 빈 방이 어딨어요? 반경 일 킬로 내 호텔 다 뒤져봐요. 말도 안 되는 요금을 불렀는데 결국 힘들어 포기, 된통 바가지를 쓰고, 아니 왜 차를 거기다 두셨어요? 그래서 숙소로 차를 옮기겠다는데 선납된 하루치 요금을 환불해주지 않고, 그러면서 자꾸 아멘 아멘 하고, 말도 안 통하고, 짜증이야 포기하고, 식당에선 도무지 이상한 밥을, 파리가 막 반찬에 앉고, 야 파리란 거 멸종되지 않았냐? 젠장 그래서 두 숟갈 뜨고 남기고, 아무튼 돌아와 수영복을 갈아입고 우리는 해변으로 나갔다.

콰

파도가 밀려왔다. 그래도 그 소릴 들으니 그럭저럭 괜찮은 기분이 들기 시작했다. 그래도 바다다, 로션와 오일을 바르며 우리는 몸과 마음을 무장했다. 그래도 바다다, 그래도 바다다. 근경의 인파를 싸그리 무시하자, 멀리 서핑을 해도 좋을 법한 파도의 출렁임을 나는 볼 수 있었다. 매직아이를 할 때의 요령으로 그곳에 시선을 집중한 채 나는 한 발 한 발, 바닷속으로 걸어들어갔다. 이럴 수가. 나는 잠시 온몸이 얼어붙었다. 이건 마치 영하 10도가 아닌가. 으아아아. 재이와 金도 정신없이 괴성을 질러댔다. 춥고, 힘들었다. 그리고 곧 뜻하지 않은 쾌감이 전신을 향해 번지기 시작했다. 집과 학교와 학원과 다른 그 무엇이, 말하자면 해수海水를 공급받은 네 개의 심장 속에 대규모 수력발전소가 들어선 기분이었다. 쿵 쿵 쿵 쿵, 그 박동을 느끼며 에릭과 나도 고함을 지르기 시작했다. 우리는 힘차게 팔을 뻗었고, 조금씩 앞으로 나아갔다. 풀Pool에서처럼 쭉쭉 몸이 나가진 않았지만, 그래도 기분은 최고가 아닐 수 없었다. 나는 계속 팔을 뻗었고, 그리고

힘들었다.

쉬자. 부표가 보이고, 안전구역 표시가 된 곳까지 헤엄을 치자 정말이지 힘이 들었다. 삐익, 보트에 탄 안전요원이 휘슬을 불었다. 크게 몇 번 손을 흔들어 주고 둥실, 나는 몸을 띄웠다. 하늘이 보였다. 비로소 홀로 있게 된 월리처럼, 나는 홀가분한 기분이었다. 멋지지 않냐? 얼굴에 물을 끼얹으며 金이 소리쳤다. 그러게. 쿵쿵거리는 심장의 박동을 느끼며 나는 눈을 감았다. 이 순간만큼은 비치보이스다, 그런 생각을 하자 울컥 뜨거운 눈물이 샘솟는 것이었다. 호흡을

하고, 나는 잠수를 했다. 학교와 학원, 입시와 입학의 지난날들이 몇 장의 스틸로 머릿속에 떠올랐다. 힘들었다, 힘들었다니까. 바다의 자궁 속에 들어가 그렇게 엉엉 울고만 싶었다. 후련했다. 그리고 파, 물 밖으로 고개를 내밀었다. 잠수란, 즉 물 속에서 숨을 참기란, 힘들다, 나는

힘든 게 싫다.

흐악. 그때 재이가 버럭 소리를 질렀다. 이게 뭐야? 입술이 파래진 재이 앞에 아주 이상한 것이 떠 있었다. 그것은 뭐라 형언할 수 없는 괴물이었는데, 흐물흐물한 느낌의 혹 같은, 아무튼 크기가 좀 더 컸다면 당장 기절을 했을 정도로 기분 나쁜 생물체였다. 가만히 있어, 움직이지 마. 金이 소리쳤다. 둥실둥실 놈이 다가왔기 때문에 급기야 재이는 워어우어 하는 이상한 소리를 지르기 시작했다. 이미 누구도 몸을 움직일 수 없었다. 눈앞의 위험과 그 사정권에 들었다는 느낌 – 워어워어 우어, 재이는 완전 제정신이 아니었다. 뭐야 뭐야, 재이의 비명에 사람들이 몰려왔다. 119를 불러야 할 만큼 촉박한 순간이었다.

해파리네.

아저씨 한 사람이 손을 얹더니 휙 손목을 돌려 놈을 건져올렸다. 그리고 별 대수롭잖다는 표정으로 그것을 멀리 던져버렸다. 첨벙, 대수롭잖은 포물선을 그리며 해파리는 작은 물보라와 함께 바다로 스며들었다. 아 씨 뭐야, 해파리가지고. 킥킥, 워어워어 우어. 金과

에릭이 재이의 흉내를 내며 놀렸지만 나는 그럴 기분이 아니었다. 바로 金과 에릭의 옆에 있었는데, 허리 근처의 수온이 갑자기 확 상승했었기 때문이다. 바다 한가운데서 갑자기 온천이 나올 리도 없고 해서, 나는 열심히 친구들의 곁을 벗어났다. 말은 하지 않았지만, 실은 아까 나도 심장이 멎을 만큼 놀란 일이 있었다. 손목에 뭔가 미끄덩한 게 걸렸는데 느낌이 완전 스릴과 서스펜스였다. 그것은 아마도, 미역이었다. 미역은 의외로 길고, 큰 다발과 같은 것이었고 게다가 끈적임이 대단했다. 그 미끈한 거품을 손으로 매만지며

무섭다.

라는 생각을, 나는 했다. 물 밖으로 나오니 모든 것이 따뜻했다. 모래와 자갈이 그랬고 수많은 인간의 훈훈한 체온이 또 그렇게 반가울 수 없었다. 이래서 인간은 모여 사는구나. 뜨거운 모래에 몸을 묻으며 나는 겨우 심신의 안정을 찾을 수 있었다. 여기 있었네? 에릭과 金이 차례로 도착해 우리는 나란히 모래찜질을 시작했다. 재이가 온 것은 한참이나 뒤였지만, 대체로 우리는 한 시간 가량 낮잠을 잤다는 생각이다. 재이는 심하게 코를 골았다.

무섭지 않냐?

에릭이 속삭였다. 뭐가? 군대 가는 거 말이야. 왜? 응, 그냥… 왜 뉴스에도 나잖아, 사고 같은 거. 누가 총을 쏘고 터지고… 그런 거… 재수 없음 강간도 당한대더라. 설마? 예비역들이 그러더라고. 유독 설사가 잦은 예비역은 그걸 당해서 그런 거라고. 그건… 장腸이 나

빠서 그런 게 아닐까? 아무튼 그런 걸 하려드는 놈이 있으면 난 쏴 죽여버릴 거야.

어렴풋이, 논술대비 때 읽은 책의 한토막이 떠올랐다. 이런 해변에서의 일인데 태양이 너무 눈부셔 그만 아랍인을 쏴 죽인다는 내용이었다. 어렴풋한 그 내용을 나는 에릭에게 들려주었다. 잘은 모르겠지만 그 사람도 뭔가 당한 게 있겠지. 그랬던 거 같진 않아. 그런데 그 얘길 왜 하는 거지? 왜 하는지 나도 알 수 없었다. 하지만 그 순간 그럴 수도 있다는 생각이 강하게 들었다. 아랍인들도 군대 가냐? 잘 모르겠어. 유럽인들은? 글쎄… 안 가지 않을까? 안 가, 거의 우리만 가는 거야. 어느새 일어난 金이 안경을 찾아 쓰며 상체를 일으켰다. 이상하게도 그리고 우리는 아무 말도 하지 않았다. 심장 속의 발전시설에서 서서히 해수가 빠져나가는 느낌이었다.

스와

누워 있으니 아까와는 다른 파도소리가 들렸다. 해는 이미 기울어 주위도 많이 한산해진 느낌이었다. 모래에서 나와 우리는 기지개를 켰다. 어둑한 노을을 배경으로, 일렬의 모래더미가 해마다 방수공사를 하는 22평 단지처럼 누추하게 솟아 있었다. 그 더미들을, 나는 차례차례 무너뜨렸다. 참, 재개발 소식 들었냐? 소문만 무성하지 아직 확정된 건 없대더라. 구청도 이랬다저랬다 일괄성이 없나봐. 입대하기 전에 재개발 소식이나 들었음 좋겠다. 그럼 난 충성할 거다. 나도. 웃, 부재중 전화가 열 개나 있네. 전부 집이다, 집. 야야, 빨리 사진이나 찍어 한장 보내주자. 자자, 붙어. 재이야 니 폰으로 찍어서 엄마들한테 다 돌려. 자, 얼굴 각 잡고 하나 둘, 찰칵.

숙소인 모텔에서 샤워를 하고 그나마 깔끔한 식당을 골라 저녁을 시켰다. 밥은, 그래도 열 숟갈 정도는 먹을 만한 것이었고 위생수준도 겉보기엔 괜찮은 편이었다. 식사를 끝낸 우리는 멍하니 뉴스를 보며 커피를 마시거나 종아리의 근육을 풀거나 했다. 동남아에선 진도 7의 강진이 발생했고 중동에선 내전이 일어났다. 수천 명이, 또 수백 명이 사망했다. 팔레스타인에선 폭탄테러가 있었다. 이스라엘은 보복을 다짐했고, 곧 대대적인 반격이 있을 전망이었다. 아프리카에선 흑인폭동이, 이라크에선 미군의 포로학대 문제가 다시 불거졌다. 저런 나라에서 태어나 그냥 죽는 사람들도 많겠지? 그건 재수가 없는 걸까? 글쎄, 그건 개인차가 아닐까 싶어, 미국에서 태어난다고 누구나 서핑을 하는 건 아니잖아. 그래도 가능성이란 게 있지, 편의점도 하나 없는 나라에서 태어나는 것과는 벌써 문제 자체가 다른 거니까. 난 그런 게 싫어, 생각만 해도 끔찍해. 전쟁이 나면 마트나 편의점이나 다 파괴되잖아. 방송제작도 주춤할 거고, 총을 쏘고… 죽고, 그런 건 일도 아니라고 생각해. 진짜 힘든 건 그래서 힘들고 짜증나는 그 후의 생활이 아닐까? 예를 들면 막 땅을 파고 그런 일에 동원된다거나, 아무리 길을 걸어도 자판기가 하나 없다거나. 아, 그런 거 진짜 짜증나. 헤어샵 같은 것도 없을 거고. 아무렴.

식당을 나와서는 마냥 시간을 보냈다. 이상하게, 그랬다. 함께 벤치에 앉아 밤하늘을 보긴 했는데, 실은 이어폰을 꽂고 MP3를 들었으므로 각자의 개인시간을 가졌다고 말 할 수 있다. 1기가, 195곡의 파일을 뒤져 나는 서핑 유에스에이를 들었다. 델마와 벤츄라 카운티, 산타크루즈와 트레슬, 오스트레일의 내러빈, 르돈도 해안과 와이미아 만灣… 노래의 가사에만도 줄잡아 스무 군데의 서핑지역이 나왔다. 우리가 전부 군인이 되어도, 트레슬엔 여전히 비치보이스들이 들끓겠지. 어둡고 잔잔한 바다를 바라보며 나는 생각에 잠겼다.

같이 놀래요?

여자애는 환하게 웃고 있었다. 우리도 넷인데… 말꼬릴 흐리지 않아도 이쪽을 보며 수군대는 세 명의 여자애들이 맞은 편 벤치에 앉아 있었다. 이럴 수가, 마치 트레슬의 모래사장에 서 있는데 툭, 누가 보드를 던져주며 타보시지 하는 느낌이었다. 이거 혹시 보이 헌팅이란 거 아닐까? 金이 속삭였지만 그래서 보이 헌팅이면, 또 뭐가 어떻단 말인가? 해파리도 미역도 아닌 여자애들이, 지금 같이 놀자는데. 여자애들은 아무튼 당찬 구석이 있었다. 우리는 곧 어울렸고, 주변의 카페를 돌아 단체석을 찾아내고, 둘러앉아 이런저런 얘기들을 늘어놓았다. 그래서 다 함께 입대를 하는 것입니다.

어머, 완전 크라잉 넛이다.

그런 셈이죠. 재이가 법석을 떨었다. 크라잉 넛이라니. 다소 불편한 감이 없지 않아 있었지만, 별 다른 내색은 하지 않았다. 아마 네 명이 함께 입대하는 건 크라잉 넛에 이어 우리가 두 번째일 겁니다. 멋있다, 우리도 크라잉 넛 왕팬이데. 왜 이름이 에릭이에요? 미국서 살다온 건가? 실은 영어스쿨에서 만든 이름이지만, 또 생활화니 뭐니 에릭의 엄마가 그렇게 불러주렴, 해서 부르는 이름이지만-잠깐 살았었죠, 하고 미역 같은 느낌으로 에릭이 대답했다. 다소 그 느낌도 불편했지만, 나는 역시 내색하지 않았다. 아이, 뭐야? 이제 말 좀 트자 우리! 지수인가, 처음 말을 걸었던 여자애가 소리쳤다. 야야, 그래 너! 그리고 곧 편한 분위기가 되어 개인기 같은 걸 열심히 선보이게 되었다. 재이의 모창과 金의 성대묘사에 여자애들은 배를 잡았고, 에릭의 동전쇼에도 와 환호를 쏟아주었다. 나는 마리아 샤라포바의 서브동작과 괴성을 흉내냈는데 반응이 정말 심상치 않았다. 네 명의 여자애들이 비너스 윌리엄스 같은 눈빛으로 나를 쳐다보았던 것이다.

망가진 것은 노래방을 가서였다. 아주 맥주를 뒤집어쓰며 난리가 아니었다. 특히 크라잉 넛의 말달리자를 합창할 때가 피크였는데, 날뛰던 에릭이 넘어지면서 마이크와 테이블을 부숴버렸다. 종업원들이 달려왔고, 결국 수리비조로 사십만 원을 물어주었다. 사십만 원, 까지는 안 나갈 것 같았지만 사장의 생김새도 조폭인데다, 무엇보다 힘들고 해서 돈을 건네는 걸로 쉽게 마무리를 지었다. 깬다, 깨. 자금에 뻥 구멍이 뚫리고, 그래서 그만 서먹한 분위기였는데 여자애 하나가 춤으로 기분을 풀자고 했다. 나이트 어때? 지수가 물었는데 면전에서 金이 해파리처럼 쏘아붙였다. 니들이 돈 낼 거야? 돈 낼 거냐고? 밤공기가 한순간에 얼어붙는 느낌이었다. 미안해, 이건 정말 아니야. 네 명의 얼음여왕에게 손사래를 치며 나는 근처의 건물 뒤로 질질 金을 끌고 갔다.

너 왜 그래 임마?
하는 짓들이 그렇잖아, 돈도 안 내고.

나 참… 야, 金!

왜?

넌 샤라포바가 좋으냐 윌리엄스가 좋으냐?

샤라포바.

그래, 잘하자.

잘하자.

맥주를 사온 것은 여자애들이었다. 모래사장에 앉아 우리는 맥주를 마셨고 미안합니다, 죄송합니다, 金이 사과를 했다. 어머 귀여워. 지수가 그것을 받아주었다. 그래서 계속 오므리니까… 왜 힘을 주냐 이 말이었어, 내 말은. 세상이 그렇게, 응? 그럴 필요는 없지 않느냐, 구요. 그리고 金이 울기 시작했다. 뭔 소리야? 그게… 사실을 도무지 말할 수 없어 나는 지수에게 거짓말을 둘러댔다. 취업의 문이 그만큼 좁다는 얘기야. 金이 쓰러져 잠들자 지수는 말없이 金의 머리를 쓰다듬어주었다. 이 머리도 곧 자르겠네? 잘라야지. 요크셔테리어 같아. 오렌지 브릿지가 들어간 金의 머릿결이, 곧, 착한 강아지처럼 몸을 뉘었다.

펑.

그 순간 여자애들이 탄성을 질렀다. 폭죽이었다. 화려한 불꽃놀이는 아니었지만, 그럭저럭 지방의 자치단체가 부담 없이 쏠 만한 수수하고 단출한 폭죽이었다. 불꽃은 22평 정도의 허공을 아주 잠깐 점유한 후 시들, 한 모습으로 어둠 속에 용해되었다. 펑. 재이가 담배를 물었다. 나도 한 대 줘. 펑. 보희란 애도 담배를 빌려 물었다.

펑. 에릭의 어깨에 기댄 현정이가 지그시 눈을 감았다. 펑. 국립묘지에 영원히 묻히느니 나이트에서 하루를 살겠다고 나는 생각했다. 펑. 유희라는 아이는 마치 가슴을 보듬듯 지수를 뒤에서 끌어안고 있었다. 펑. 그리고 그것이 마지막 폭죽이었다.

갑자기 다가온 그 고요를 나는 견딜 수 없었다. 나는 뛰쳐나갔고, 바닷속으로 뛰어들었다. 몸은 물에 잠겨 있었지만, 서핑 보드와 같은 그 무엇에 올라선 느낌이었다. 애릭과 재이가 고함을 지르며 따라들어왔다. 그럭저럭, 그래서 몸이 둥둥 뜬 채 나는 행복하다고 말 할 정도의 기분이 되었다. 달빛을 받은 22평 면적의 플랑크톤이 되어, 이대로 흘러 훈련소까지 가고 싶은 심정이었다. 나는 눈을 감았다.

눈을 떴다. 머리가 아팠다. 여자애들은 보이지 않았다. 시간은 정오를 넘어 있었고, 비록 누워 있는 재이와, 에릭과, 金이 있긴 했어도 나는 고아가 된 느낌이었다. 다시 머리가 아팠다. 숙소까지 어떻게 왔는지는, 아무리 생각해도 기억나지 않았다. 다만 이곳에서 두런거리던 목소리와 누군가 흥얼거리던 노랫소리, 그런 것들이 떠오를 뿐이었다. 우선 소지품을 확인한 후 나는 샤워를 했다. 폰의 액정이 나간 것과 옆구리의 멍을 제외하곤 다른 이상이 없어 보였다. 나는 담배를 물었다.

담배를 껐다. 어떻게 된 거야? 재이도 에릭도 기억이 없기는 마찬가지였다. 나쁘진 않았어. 재이가 중얼거렸다. 토론, 같은 걸 했던 기억이 난다고 에릭은 애기했다. 토론이라고? 응, 그런데 말도 안 되는 그런 거야. 여자들도 군대를 가야 한다, 왜? 우리는 대신 출산의 고통을 겪지 않느냐, 출산의 고통 같은 거 포경수술의 고통에 비하면 아무 것도 아니다 - 특히 재이가 흥분했다니까, 그건 창자를 꺼내서 달고 다니는 것과 같다고.

창자라, 숙소로 배달시킨 밥을 먹고 나서야 다들 조금씩 기운을 차릴 수 있었다. 우리는 멍하니 담배를 피고, 여자애들에게 전화를 걸었지만 받지 않았고, 해서 기지개를 켠 후 밖으로 나왔다. 아주, 아주 아주 아주 무더운 날이었다. 이런 날 수영을 해도 괜찮을까? 눈을 거의 뜨지도 못한 채 재이가 소리쳤다. 그런 걱정이 절로 들 만큼 아주, 아주 아주 아주 뜨거운 볕이었다. 무작정 길 위에 서 있으면 〈켄터키 프라이드 인간〉 같은 게 될 것 같은 기분이었다. 아주, 아주 아주 아주 그래서, 우리는 바다로 갔다.

첨벙, 우리는 바다를 향해 뛰어들었다. 그리고 나란히 부표가 있는 곳까지 헤엄쳐갔다. 좋은 기분이었다. 계속 가면 어디가 나올까? 글쎄 해류에 따라 제주도나 중국이, 일본이 나올 수도 있겠지. 뉴질랜드가 나올 수도 있어. 뉴질랜드, 그거 좋다. 그런 농담을 하고, 부표와 부표 사이를 경주하고, 또 얼마나 시간을 보냈는지 모르겠다. 무슨 일이지? 金이 중얼거렸다. 돌아보니 멀리 해변에서 큰 소동이 일고 있었다. 거대한 물결을, 해변을 메우고 있던 인파가 집단으로 도망치는 물결을, 우리는 볼 수 있었다. 바람에 쓸리는 모래언덕처럼, 그렇게 급격히 인파는 사라지고 있었다. 무슨 일이지? 글쎄. 그러고 보니 안전요원들도 보이지 않네? 결국 가위바위보를 한 끝에 에릭이 해안을 다녀왔다. 에릭은 계속 손짓을 하더니, 헤엄을 치면서도 열심히 뭐라 외치더니, 결국 포기하고 우리에게 돌아왔다. 하아, 하아, 몇 번이나 숨을 고른 에릭이 새파란 입술을 떨며 얘기했다.

전쟁이 났대.

우리는 서로 얼굴을 쳐다보았다. 어디랑? 몰라, 일단 전쟁이 났다며 피하란 얘기 밖에 못 들었어. 하아, 하, 이제 어쩌지? 선뜻 아무도 입을 열지 않았다. 아무튼, 빨리 돌아가자. 땀과 눈물이 섞인 얼굴로 에릭이 소리쳤다. 아아 귀찮아… 고개를 숙인 채 재이가 중얼거렸다. 정말 짜증이라니까. 불쾌한 낯으로 金도 침을 뱉었다. 그 순간 나는 이상하게도 포카리스웨트가 마시고 싶어졌다. 어쩔 거야? 새하얀-마트도 편의점도, 자판기와 헤어샵도 사라진 길거리 같은 표정으로 에릭이 물었다. 대답 대신 재이가 바다를 향해 헤엄치기 시작했다. 우리는 다시 서로의 얼굴을 쳐다보았다. 어쩔려고? 에릭이 소리쳤다.

몰라, 고등어라도 되겠지 뭐.

고개를 돌려 재이가 대답했다. 나와 金도 그 뒤를 따르기 시작했다. 몸 밖으로 삐져나온 창자처럼, 온몸이 뜨겁게 화끈거렸다. 별다른 힘도 들지 않고, 해서 나는 그 느낌이 좋은 것이었다. 우리는 뒤돌아보지 않았다. ■

**이응준**

# 약혼

1970년 서울 출생. 한양대 독어독문학과 및 동대학원 국문과 수료.
1990년 《문학과 비평》(시), 1994년 《상상》(소설)으로 등단.
소설집 『달의 뒤편으로 가는 자전거 여행』 『내 여자친구의 장례식』 『무정한 짐승의 연애』,
중편소설 『전갈자리에서 생긴 일』, 장편소설 『느릅나무 아래 숨긴 천국』 등.

# 약혼

저 여자와 저 남자는 아까부터 단둘이 마주 보고 술을 마시면서도 아무런 대화가 없다. 그래서 그들은 서로의 연인이다.

여기 비좁고 허름한 카페 '자서전'의 주인인 해원은 지금 지리산 남쪽 자락의 선찰禪刹 천은사에서 홀로 요양중이다. 그곳으로 떠날 때 이미 그녀의 병세는 호전될 가망이 없었다. 나는 지난 늦가을부터 해원 대신 이렇게 조명이 침침한 카운터에 죽치고 앉아 소설을 읽거나 맥주를 홀짝대고 있다. 어제는 서울에 사반세기 만의 봄눈이 내렸다.

해원은 육손이였다고 한다. 이 말은 내가 아직 그녀를 모르던 세월 동안 그녀의 왼손 손가락이 여섯 개에서 다섯 개로 줄어들었다는 것을 의미한다. 고아인 해원이 제 심장처럼 여기던 적금통장을 헐어 종합병원 정형외과를 찾아간 나이가 스물넷. 동갑에 생일까지 같은 우리는 막 서른 살을 넘기고 병우 덕분으로 처음 만났던 것이다. 고해원, 당시 그녀가 내 절친한 벗 민병우의 약혼녀였다.

흔히 육손으로 불리는 다지증은 양손보다는 한쪽 손에서, 그중 유독 엄지손가락에 많이 발생한다. 해원의 왼손 새끼손가락 곁에 붙어 있던 또 다른 새끼손가락은 그저 살덩이로만 이루어진 것이 아니라 뼈와 관절, 힘줄과 인대, 성장판 및 신경까지 온전히 갖춘 최악의 경우였기에 세 차례의 대수술을 거친 다음에야 겨우 제거될 수 있었다.

"생후 십팔 개월을 전후해 수술시켜주면 상처가 깨끗하게 아물고 장차 아이가 받을 정신적인 충격도 훨씬 덜 수가 있다는데, 나야 어디 그런 애틋한 호강이 가당키나 한 팔자였어야지. 내 힘으로 밥 벌어먹으며 엄청난 수술비 모으느라 인생에서 가장 예뻤을 시기 내내 참 우울했어요. 도대체가 이 왼손을 끝까지 감출 방법이 없는 거야. 누구라도 상처는 가지기 마련이겠지만 관리를 잘해주면 나처럼 흉터가 남진 않지. 불우하다는 것과 불우하지 않다는 것의 차이가 바로 그거 아니겠어요? 내 이름, 고아원에서 붙여준 촌스러운 이름을 버리고 바꾼 거예요. 점쟁이가 불우해지지 않을 수 있다고 해서. 내가 원래 그래."

해원은 바지만을 고집한다. 본능으로 굳어진 그녀의 절박한 습관이랄 수 있겠는데, 바지 호주머니 속에 손가락이 여섯 개 달린 왼손을 숨기고 싶었기 때문이다. 그러나 이로 인한 오해는 종종 봉변을 불러와, 노처녀 음악선생은 다른 학생들 앞에서 왼손을 바지 호주머니 안에 찔러넣고 오른손으로는 악보를 비스듬히 든 채 성악시험을 치르는 해원의 뺨을 후려친 뒤 그녀의 왼손을 바지 호주머니에서 강제로 빼내 보고는 곧장 졸도했던 것이다. 해원은 여자고등학교를 3개월 만에 자퇴하고 다시는 여럿이 한꺼번에 비명을 지르는 곳에 가지 않는 독학자가 되었다.

한데 육손이의 진화론이 일그러지기 시작한 것은 정작 해원이 스스로에게 인위도태를 감행하고 나서부터였다. 그녀의 왼손은 정형외과 수술을 받아 다섯 개의 손가락을 지니게 된 이후에도 여전히 깜깜한 바지 호주머니 속을 벗어나지 못하고 있었다. 가령 어느 날 갑자기 기린은 높은 나뭇가지 위의 열매라든가 잎사귀를 따먹을 필요가 사라졌지만 향후 수만 년 동안 추운 나라에서 움츠리고 살지 않는 이상은 긴 목이 도로 짧아질 수 없는 것이다.

"나는 형광펜으로 씌어진 글씨는 제대로 읽지 못해요. 색맹에 색약이거든. 이모들이 전부 보인자야. 여자들은 남자들에 비해 색맹이 현저히 드물어요. 외가 쪽 사촌형들과 거리를 돌아다니다보면 동일한 간판이라든가 사물을 쳐다보고 떠드는 소리들이 제각기 달라. 얼마나 골때리는데요. 순식간에 길 한복판에서 내가 맞다 니가 맞다 일대 소동이 벌어지는 거야. 요즘은 한의원에서 침을 놓아 치료가 가능하다지만, 관심 없죠. 색깔은 내게 별 의미가 없거든."

"사람이란 것들이 외다리, 외팔이는 웬만함 동정해주지. 신체가 훼손된 장애인에게는 싫다는 감정 이전에 일단 측은한 마음이 먼저 드는가봐. 그치만 기형 장애인인 육손이를 접하면 구역질 같은 혐오가 알량한 동정마저 휩쓸어버린다구요. 손가락이 하나 없으면 사고를 당한 인간이지만, 손가락이 하나 더 있으면 잘못 태어난 괴물인 거야. 육손이의 고통이 고작 색맹이나 색약 따위와 비교될 순 없어요."

"난 그런 뜻이 아니었는데,"

완곡한 핀잔에 이어서 해원은 희한한 이야길 덧붙였다. 가끔씩 그녀는 존재하지 않는 왼손 여섯 번째 손가락에서 심한 통증을 느낀다는 것이다. 흉터로 남아 있는 수술자국 위에 버젓이 제2의 새끼손가락이 달려 있는 듯하고 또 종종 그것이 마구 시리고 쑤셔대 참을 수가 없단다. 의사들이 이른바 환상통幻想痛이라 명명하는 이 증상이 몸의 일부분을 절단한 장애인들 사이에서는 감기만큼 흔하다는 사실이 좀체 믿기지 않았다.

나중에 더 친해지고 나서 알게 됐는데, 해원은 일란성 쌍둥이이다. 내가 그녀의 육손이 시절을 모르는 것처럼 그녀는 자기의 쌍둥이 시절을 모른다. 해원보다 3분 늦게 세상에 나온 동생은 육손이가 아니었으며 첫돌 무렵에 네덜란드로 입양되었다고 한다.

"백방으로 노력해서 찾아낸 정보가 그게 다야. ……없는 손가락이 아파오면 그 아이가 보고 싶어서 거울을 봐요. 걔는 나와 똑같이 생겼지만 나와는 전혀 다른 어른이 되어 있을 거야. 행복한 가정에서 성장해서가 아니라, 육손이로서의 어두운 삶을 경험하지 않았기 때문에. 나는 상처에 찌들지 않은 나를 동생을 통해 만나보고 싶어요. 걔는 기분 좋을 땐 환하게 웃고 그럴 거야."

어째서 다이아몬드가 모든 보석들 가운데서 최고로 값비쌀까? 무엇이 보석의 우열을 가리는 것일까? 싱겁다고 할는지 모르지만 나는 늘 그것이 궁금하였다. 그리고 지구에서 50광년 떨어진 반인반마伴人半馬 자리에 직경 1500km의 다이아몬드가 찬란히 빛나고 있는 것이다. 정식 명칭은 BPM37093이지만 천문학자들은 비틀즈의 노래 〈Lucy in the sky with diamond〉를 기려 이 도도한 여인을 루시라 부른다. 지구에서 제일 큰 다이아몬드래봤자 3100캐럿짜리 원석을 가공한 530캐럿의 '아프리카의 별'이 고작인데 루시는 대충 계산해도 10의 34제곱 캐럿 이상이다. 핵융합반응이 소진되어 탄소결정체로 생을 마감한 백색왜성白色矮星 루시는 죽음 자체가 곧 다이아몬드인 셈이다. 허구한 날 우리의 머리 위에 떠 있는 저 태양도 50억 년 후에는 수명이 다하고 20억 년쯤 더 흐르면 우주 최대의 다이아몬드별로 거듭난다. 물론 아무나 죽는다고 다이아몬드가 되는 것은 아니다.

병우는 해원에게 루시를 소개하면서 사랑을 고백했다 한다. 루시야말로 가난한 독립영화 감독인 그가 가난한 독립영화 배우인 그녀와 나누고 싶은 가장 낭만적인 약혼반지였던 것이다. 해원이 대답했다.

"내 손이, 반지 끼기에는 왼손이, 좀 이상해서."

처음에 병우는 이를 거절의 의사로 판단하고는 낙심하였다. 능력도 없는 놈이 괜히 유치한 분위기 잡다가 망신만 당했구나 싶어서 안면이 후끈 달아올랐다. 근데 가만 보니까 해원은 흉터가 있는 왼손을 정말 미안해하고 있더라는 것이다. 평소의 당찬 그녀는 온데간데없고 잔뜩 주눅든 음성으로 스물네 살에 왼손 손가락이 여섯 개에서 다섯 개로 줄었음을 애써 밝히더라는 것이다. 또 해원은 자기는 결혼한들 엄마가 될 수 없는 처지라고 고개를 저었다. 초음파검사로 태아가 육손이의 표징을 가진 것이 드러날 땐 인공유산시킬 수 있을 테지만 설사 겉이 멀쩡하다손 치더라도 엄연히 속에 똬리 틀고 있을 육손이의 유전자를, 그 소외와 멸시의 씨앗을 아예 용인 못하겠다며 울먹였다. 기실 육손이는 의외로 흔해서 400명 중 한 명꼴로 발생하는데 부모가 신생아의 손가락, 발가락 수부터 세어본다는 말이 그래서 있는 거라고. 에스파냐에서는 3대에 걸쳐 40여 명의 육손이가 태어났다는 기록이 있다고. 일주일 뒤 병우는 부디 루시 따위는 잊어달라며 해원의 오른손 무명지에 금반지를 끼워줬다.

이제 저기 마주 앉아 술을 마시면서도 아무런 대화가 없는 여자와 남자에게 그만 일어나달라고 독촉해야겠다. 해원과 나도 단둘이 마주하고 술을 마시면서 아무런 대화가 없던 적이 많았다. 오늘 밤 이

것으로서 자서전은 영원히 문을 닫는다.

인생은 감히 어느 누구도 장담할 수가 없다. 나와는 아홉 살 터울이 지는 형님의 사례만 보더라도 그렇다. 그는 '재고는 경영의 적이다' 라는 좌우명을 딱풀의 특허권과 함께 부친에게서 상속했다. 형님은 현금 전환능력이 자동차회사보다 탁월한 이 사업을 십수 년 간 일곱 배 가까이 성장시켰다. 어차피 끊임없이 인류는 종이와 종이를 딱풀로 붙이게 돼 있는 것이다. 형님은 부지런한 만큼은 정직하였다. 죄를 짓지 않을 수야 없었겠지만 그것이 그의 명성과 선량한 이미지를 훼손시키지는 못했다. 형님은 똘망똘망한 아들을 둘씩이나 둔 뿌듯함을 술기운에 이렇게 표현했다. 자식이 둘이니 하나가 없어져도 나머지 하나가 있어 든든하지. 그로부터 불과 일주일도 못 돼 형님의 두 아들은 친할아버지 농장의 꽁꽁 얼어붙은 저수지 위에서 썰매를 지치다가 갑자기 나타난 빙판의 균열 속에 빠져버렸다. 아이 둘이 다. 자동차 안에서 신문을 읽다가 우지끈, 첨벙, 소리에 놀란 내 아버지는 사태를 파악하자마자 허겁지겁 저수지로 뛰어들어 시멘트블록처럼 단단한 얼음장들을 팔꿈치로 으깨며 손자들을 구해내려 발버둥쳤으나 그들은 벌써 익사해 새하얘진 다음이었다. 제정신이 아닌 상태에서 초인적으로 악을 썼던 칠순 늙은이의 살과 뼈는 곳곳이 벌어지고 바수어져 있었다. 삶이 살벌한 것은 내가 뭘 추구했는지도 쉽사리 까먹는다는 데에 있다. 의지가 강력한 인간일수록 운명을 좌우명대로 수정하지만 그때 좌우명은 신념이 아니라 신이 된다. 재고는 경영의 적이다. 형님과 아버지는 무의식중에 각자의 어떠한 재고를 처분했던 것이다. 두 아이는 제로가 되었다. 민병우는 우리 집안을 쓸고 지나간 저 비극이 꽤 인상 깊었던지 언제가 꼭

영화로 그려보고 싶다며 내게 허락까지 받았다. 삶은 항시 의외의 방향으로 나아가기 마련이라는 생각이 영상예술가 민병우를 자극했다. 그러나 녀석은 그 애매모호한 철학의 단초가 되는 일화를 제공한 나로 인해 훗날 자신에게 어떤 황당한 일이 벌어질 것인지는 전혀 예상치 못하고 있었다. 하긴 그게 또 인생이니까. 영화학과에서 병우는 나보다 두 학번이 위였지만 등록금을 대는 게 어려워 휴학을 세 차례 했기에 학년은 나와 같았으며 나이는 우여곡절이 많았던 내가 두 살이 위였다. 우리는 반말을 트고 친구로 지냈지만 이미 미완의 대기大器로 시선을 모으던 그가 매사에 서툴고 주저하는 나를 주도하는 편이었다. 남해의 작은 섬에서 자란 병우는 열두 살 때 잘 따르던 중학생 사촌형이 광견병에 걸려 죽는 것을 지켜봤다고 했다. 광견병 예방접종은 미리 백신주사를 맞아두는 것이 아니라 광견병이 의심되는 개에게 물렸을 적에 비로소 수행하는 치료적 예방법인데 깡어촌인지라 그게 늦었던 모양이다. 짐승의 이빨자국이 선명한 상처로부터 중추를 향하여 방산하는 신경통, 동공확대, 심한 불안감, 발한, 식욕부진, 고열, 수액의 과다분비, 흥분상태, 바람과 빛과 음향에 대한 민감한 반응, 의식상실, 그리고 무엇보다 광견병은 환자가 물을 삼키면 목에서 가슴 쪽으로 경련을 일으켜서 나중에는 물컵만 봐도 발작하기 때문에 일명 공수병恐水病이라고도 한다. 바다소년이 바다가 무서워 미친 뒤 침울해져 죽어가는 모습은 그보다 더 어린 민병우에게 대단한 충격을 주었던 것 같다. 그는 그 경험 때문에 예술을 하게 됐다고 단언했다. 병우는 사람의 상처에 대해 관심이 지대했다. 아마도 그것이 그로 하여금 해원을 사랑하게 하였는지도 모른다. 병우는 영화감독이 안 되었더라면 성직자가 되었을 것이다. 예술과 종교는 피차 장점이기도 하고 단점이기도 하다. 그는 온

혈동물들만이 공수병에 걸린다고 했다. 인생은 감히 어느 누구도 장담할 수가 없다.

문짝이 없는 화두의 문, 일주문一柱門 안으로 발을 들여놓자, 계곡의 물소리, 바람 소리, 풀벌레 소리, 새떼의 날갯짓 소리, 나뭇잎 흩어지는 소리, 풍경風磬 소리, 꽃봉오리 터지는 소리, 스님들의 쑤군거리는 소리, 공양 뒤 바리 닦는 소리, 독경 소리, 어느 여자가 아주 작게 아이고, 아이고 하는 소리, 뭐 그런 착란하는 주문呪文들이 사방에서 한꺼번에 육박해와 여독에 지친 나를 막막하고도 나른한 피안에 가두었다. 결국 나는 양손으로 두 귀를 틀어막고는 내 심장 뛰는 소리를 경청하고 있었다.

신라시대에 창건됐다는 천은사는 향기로운 노송들에 둘러싸여 있었다. 소나무, 특히 씁쓸한 사연이 많은 소나무에 관해서라면 내 업보의 무게가 만만치 않다.

내 첫 대학교는 한적한 바닷가에 있었다. 지명도에 비해 캠퍼스가 턱없이 커다래서 학생들은 오히려 실의에 빠지곤 했다. 나는 북향의 창밖으로 교문이 성냥갑만 하게 내다보이는 연립주택 옥탑방에서 자취를 했는데 삼수 끝에 부모의 강권에 의해 서울에서 복날 개 막다른 골목에 몰리듯 쫓겨내려간 곳이었으므로 잘난 학창생활이 제대로 될 리가 만무했다. 돌이켜보건대 내 깜냥에는 그만도 벅찬 학벌이 아니었던가 싶은 것이, 대체 어떻게 그런 시건방이 가능했는지 사뭇 대견할 뿐이다.

그리고 거기에 해송海松의 숲이 있었다. 그 속을 배회하다 눈을 감으면 아득히 치는 파도 소리가 머리카락을 적시어 낮에는 무릎 꿇고 싶고 밤에는 자살하고 싶었다. 종일 마루에 드러누워 끙끙 앓던 중년의 이모가 해가 지자 짙은 화장을 하고 부둣가로 나가 붉은 전등불 아래 젓가락 장단 맞추는 작부가 되는 것처럼 해송은 낮과 밤의 존재감이 극과 극이었다.

보통 나는 강의실에는 없었고 버스를 타고 강릉 시내로 나가 후줄근하고 케케묵은 동시상영관에서 내 청춘마냥 말발도 서지 않는 방화邦畵들을 연거푸 보며 소주병을 입에 물기 일쑤였다. 요즘 대학가에서 예술 취향이 있다고 자부하는 녀석들에게 장래희망을 물어보면 십중팔구 영화계를 들먹이는 것과 마찬가지로 내 이십대에는 개나 소나 닭이나 돼지나 심지어는 바퀴벌레마저 시인 행세를 했다. 나 역시 그 시절 시 비슷한 것들을 남몰래 쓰고 있었는데 아마도 그건 혹시 이러다간 불한당조차 못 되는 게 아닌가 하는 두려움의 소치였을 것이다.

게다가 나는 한술 더 떠 같은 과 4학년 여자선배와 동거까지 하고 있었다. 아담한 키와 몸매에 무덤덤한 얼굴이었는데 그 대학교에 적을 두게 된 과정이 나와 비슷해서 집은 인천이었다. 나는 예나 지금이나 사랑이란 유령을 믿지 않아 그녀와 나 사이가 사랑이었다 아니었다 감히 감정 못하겠지만 우리는 곁에 붙어 있으면서도 기억에 남을 만한 대화란 게 도통 없었다. 내가 그녀의 몸을 통해 위안받고 있었다면 그녀는 나의 무엇에 기대어 나를 견뎠던 것일까?

1980년대 중반까지만 하더라도 캠퍼스커플의 동거가 흔치 않았고 따라서 우리를 대하는 구멍가게 주인의 시선조차 곱지가 않았다. 하물며 두 학번 위 두 살 연상의 여자선배를 마누라처럼 데리고 지내는 병역 미필 2학년생의 학과 내 평판이 사창가 포주보다 나을 수 없었다. 특히 마초 예비역 선배들에게 나는 형수님을 건드린 패륜아쯤으로 비춰졌으리라.

나는 방학 중 서울로 올라와서는 저간의 사정들을 주변에 철저히 숨겼다. 겁이 나거나 떳떳치 못해서가 아니라 그런 곳에서 그런 여자와 그러고 있는 것이 쪽팔렸기 때문이다. 하지만 학기가 시작되어 그 바닷가에만 내려가면 나는 어김없이 똑같은 늪에 빠져 허우적거렸다. 어쩌다가 서울에서 대학교 동기나 선후배를 해후했을 땐 갖은 핑계와 수단을 동원해 자리를 피했고 그녀에게는 전화 한 통 걸지 않았으며 점차 그것은 일방적인 묵계로 자리잡았다. 어느 여름엔가는 종로에서 친구들과 술을 마시다가 그녀와 마주친 적이 있었는데 그녀는 자신을 허공 대하듯 외면하는 내게 섭섭한 표정조차 짓지 않았다. 그리고 불과 며칠 뒤 북향의 창밖으로 교문이 성냥갑만 하게 내다보이는 연립주택 옥탑방에서는 마치 아무 일이 없었다는 양 그녀 속으로 스며들었고 귀를 막은 채 혼자 해송의 숲을 거닐며 멀리 파도치는 소리 대신 내 심장 뛰는 소리를 들었다. 나는 살바도르 달리의 그림들은 감상하길 꺼리는데 왜인지 자꾸 그 해송의 숲이 생각나 고통스럽기 때문이다. 그 시절과 그 해송의 숲 안을 서성이는 내 모습이 현기증으로 가득 찬 초현실주의처럼 여겨지고 내가 아주 잘게 부서져 바람에 날아갈 듯한 공포가 엄습하기 때문이다.

지리산 계곡과 절간을 잇는 무지개다리에 세워진 수홍루 밑에는 월척이 훨씬 넘는 비단잉어들이 과자 부스러기를 던지는 시늉만 하여도 요동을 쳐 소심한 행자들을 기겁시켰다. 노고단에서 흘러내린 차갑고 깨끗한 물을 일순 부글부글 무간지옥으로 끓어오르게 만드는 그 비단잉어들은 비늘이 빛나고 무늬가 화려한 물고기들이 아니라 기갈이 들어 음식에 달려들지만 막상 먹으려는 찰나 그것이 불길로 변해버려 지랄발광하는 아귀들 같았다. 나는 수홍루 근처 바위 위 홈통에 고인 감로수로 목을 축였다.

천은사의 명칭에는 재미있는 유래가 있다. 조선 숙종 때 단유선사가 사찰을 중수할 무렵 큰 구렁이가 샘가에 나타나 인부들이 벌벌 떨며 일손을 놓는 고로 한 스님이 용기를 내어 잡아죽였다. 한데 이후로는 샘이 말라버리니, 본래의 감은사에서 샘이 숨었다는 뜻의 천은사泉隱寺로 이름이 바뀌게 된 것이다. 또한 절의 수기水氣를 지켜주는 이무기를 해친 탓인지 천은사에는 원인 모를 화재가 빈번하였는데 조선 4대 명필 중 하나인 이광사가 물 흐르는 듯한 글씨체로 일주문의 현판을 세로로 써서 내걸자 다시는 화마가 설치지 않았다고 한다.

"마취에서 깨어나자마자 담당의사더러 잘라낸 손가락을 보여달라고 그랬거든. 나이 든 고등학교 체육선생님처럼 생긴 아저씨였는데, 한참 침묵하다가 이러더라. 그걸 처분해주는 것까지가 내 수술이야. 네 머릿속에서 지워버리는 건 하나님께서 하실 일이고. 그 의사선생님한테 감사하고 있어요. 만약 내가 그걸 가져다 어디다가 손가락 무덤이라도 만들었다면 훨씬 피곤했을 거야. 안 좋을 적마다 가서 들여다보고. 그게 뭐 대단한 재난이라고. 이마에 뿔이 돋는 병이 있다면 사람들은 어떻게 반응할까?"

"용어를 짓고, 제거수술을 하고, 그래도 힘들어했겠지."

"경치 좋지? 올라오면서 봤는지 몰라. 연못에 삼백 년이 넘은 연산홍과 자산홍이 있어. 주지스님이 그러시는데, 병이 들어 화사한 꽃을 피우지 못한대요. 혀 없는 것들이 아파할 때 더 연민하게 돼."

"생일 축하해."

"은조 씨도."

나는 선방禪房 안에 있는 해원과 창호지 발린 빗살문을 사이에 두고 문지방에 걸터앉아 있었다. 그녀는 내게 간이 썩어 새파랗게 타버린 얼굴로 추억되는 것을 거부했다. 피골이 상접한 해원의 그림자가 내게 말했다.

"자서전 정리해주느라 고생했어요. 시주하고 좀 남겨놨어. 장례식 비용으로. 휴우—. 과거가 신기루 같아. 병우 씨가 우리 관계를 알았을 때도 나는 내가 저지른 짓 같지가 않았어. 못됐어. 내가 원래 그래."

"……"

"내가 죽는 날도 이렇게 화창했으면."

"귀를 막아. 니 심장이 뛰는 걸 들을 수 있어."

"……"

"……"

"그러네."

"자살하지 않으려고 내가 즐겨 쓰던 비법이지. 살아 있음을 까먹었을 때 삶을 포기하려 드는 거야. 억지로라도 살아 있다는 사실을 감각하면 살고 싶어져."

"소원은 동생을 만나고 싶다는 것뿐이에요. 어젯밤에 환상통이 찾아왔었어. 이 방에는 거울이 없어서 수홍루에 나가 달빛 어린 물에 내 얼굴을 비춰봤어요. 흉한 얼굴이 그 애의 얼굴이면 절대 안 되지. 이제는 나를 봐도 동생을 볼 수가 없었어요. 징그러운 잉어놈들이 물 위에 어린 내 얼굴을 지워줘서 다행이야."

다음 달에 또 오겠다는 맥 빠진 소릴 남기고 일주문을 빠져나와 주차장 쪽으로 걸어내려가던 나는 내 눈을 의심하지 않을 수 없었다. 노을이 뒤덮인 천은사의 노송들이 불현듯, 무릎 꿇은 내 스물두 살에게 어서 일어나서 저 높은 가지에 목매달라고 속삭이던 그 해송의 숲으로 둔갑해 있었던 것이다. 입술이 부르튼 그녀가 초현실주의의 화풍 속에서 내게 임신했다고 고백했다. 나는 이거야말로 고전적인 수순이라고 생각하며 한숨을 내쉬었다. 보름 뒤 군입대할 나는 그녀를 산부인과로 이끌었다. 그녀는 병원 유리문 앞에 서서 나를 무표정하게 응시했다.

"있잖아, 나는 너 같은 애가 무너지는 게 자존심 상했어. 그거 알아?"

"……"

"너 말이야."

"……"

"너 나 없이 살 수 있어?"

나는 아무런 대꾸도 하지 않았다. 그녀에게 그것은 결별의 종지부였다.

"아기 가졌다는 거 거짓말이다. 잘 가."

그녀는 곧장 등을 돌려 한적한 차도를 가로질렀고 그것이 우리의 마지막이었다. 나는 공수특전단을 사병 제대하고서 서울에 소재한 어느 예술대학교 영화학과로 용케 편입했다. 그녀는 나와 헤어지며 그 바닷가 대학교를 자퇴한 모양이었고 나는 삼 년 전 누군가로부터 로스앤젤레스 코리아타운의 한 대형 할인점에서 그녀와 마주쳤는데 아들과 단둘이 있더라는 얘기를 전해들었다. 그제서야 나는 내가 그 시절 사창가 포주 취급받는 것이 싫었다면 그녀가 감당했을 치욕은 과연 얼마나 혹독한 것이었던가를 처음으로 헤아렸다. 더불어 나는 내가 그녀의 육체만을 위안삼았던 것이 아니었음을, 앞으로 계속 살아가기 위해선 더욱더 심하게 망가질 수밖에 없으리라는 것을 깨달았다. 그리고 제발 그녀의 아들에게 색깔 따위는 별 의미가 없기를 바랐다.

병우가 내 방 안을 서성이는 꿈에 가위눌리다 식은땀에 흠뻑 젖어 깨어났다. 그가 머물다 물러갔다는 것 말고는 혼돈 그 자체인 꿈이었다. 이 무슨 세월의 기묘한 자기방어인가. 이제는 눈을 감아도 그의 얼굴이 잘 떠오르지 않는다.

—기존 독일영화의 붕괴는 바람직하지 못한 영화제작 환경들 역시 제거해버렸다. 그로 인해 새로운 영화가 싹트기 시작했다. 젊은 작가, 젊은 감독, 젊은 제작자들이 의기투합해 만든 독일 단편영화들은 최근 수년 간 여러 세계영화제에서 많은 상을 받으며 국제비평가들로부터 인정받았다. 이러한 작업과 그 결과 들은 독일영화의 미래가 새로운 영화언어를 추구하는 이들에게 있음을 입증한다. 독일의 단편영화는 장편극영화의 학교이자 실험실이 되었다. 우리는 새로운 독일영화 창조를 향한 우리의 요구를 외친다. 새로운 영화는 새로운 자유를 필요로 한다. 고리타분한 영화제작 관례로부터의 자유. 상업자본의 영향으로부터의 자유. 특정 이익집단의 간섭으로부터의 자유. 우리는 새로운 독일영화에 적합한 정신과 그 형식의 구체적 개념들을 확보하고 있다. 우리는 경제적인 실패가 두렵지 않다. 낡은 영화는 죽었다. 우리는 새것을 믿는다.

1962년 독일 노르트라인베스트팔렌주의 오버하우젠. 제8차 서독단편영화제에서 스물여섯 명의 신예 영화감독들이 연대해 위와 같은 요지의 선언을 했다. 뉴저먼시네마의 출발을 알리는 문화사적인 장면이었다. 이로써 일약 유명해진 서독단편영화제는 1991년 현재의 오버하우젠 국제단편영화제로 개명된다. 세계에서 제일 먼저 생긴 단편영화제로서 프랑스의 클레르몽페랑 국제단편영화제, 핀란드의 탐페레 국제단편영화제와 더불어 세계 3대 단편영화제로 꼽힌다.

비상업 경쟁 영화제이며 실험적이고 전위적인 작품들을 선호한다. 감은사가 천은사가 되고 고아원에서 지어준 어떤 촌스러운 이름에서 해원이 되고 서독단편영화제가 오버하우젠 국제단편영화제가 되고 이제 나는 나의 이름을 무엇으로 바꾸어야 하는가? 해원, 너는 왜 너의 새로운 이름을 가지고서도 불우를 극복하지 못했다지?

민병우 감독의 〈자서전〉은 우리나라 최초로 독일 오버하우젠 국제단편영화제 경쟁부문에 진출해 심사위원특별상을 받은 작품이다. 이 영화에는 포르노에 중독된 비디오대여점 아르바이트 청년, 어릴 적 광견병으로 죽은 사촌오빠를 목도한 충격에서 헤어나오지 못하는 우체국 여직원, 얼어붙은 저수지에서 썰매를 타던 손자 둘을 졸지에 익사사고로 잃은 갑부 할아버지가 등장한다. 병우는 〈자서전〉의 성공을 발판으로 충무로에서 장편영화 입봉을 기획하고 있었다. 그는 영화제 참석 후 북유럽으로 여행을 떠나려는 와중에 베를린의 한 호텔방에서 내게 장문의 편지를 띄웠더랬다. 아주 정교한 글씨체로 또박또박 씌어진 횡설수설을 읽어본 적이 있는가? 그는 공수병에 걸린 사람이 망망대해 앞에서 경련을 일으키고 있다고 했다. 그리고 온혈동물만이 환각이 있고 우울이 있고 목이 타도 물을 마시지 못하는 죽음이 있다고, 다이아몬드가 다이아몬드인 것은 아름다우면서도 단단하기 때문이고 또한 그런 것들은 희귀하기 때문이라고 강조했다. 그는 내 뜨거운 피의 죄에 관해 이야기하고 있었다. 그러며 인생은 의외의 방향으로 나아가기 마련이라는 것을 담담하게 기술하고 있었다. 나는 그를 잘 알기에 편지를 적고 있는 그가 미쳤다는 것을 감지했다. 장점과 단점의 차이는 뭘까? 이곳에서는 장점인 것이 선 하나만 넘어가면 저곳에서는 단점일 수 있고 그 반대도 가능하다. 하지만 비열함처럼 완벽한 단점은 어디에서건 단점일 뿐이다. 나의 과오들은 호환이 불가하였다.

해원이 이른 새벽 숨진 채 발견되었던 바로 그 선방에 한 달 간 묵으며 그녀의 49재를 돌본 나는 사반세기 만의 봄눈이 전부 녹아 사라져버린 서울로 귀환하고 있었다. 칠 일마다 일곱 번 불경을 외면서 재齋를 올려 고인이 지옥과 아귀와 축생과 아수라의 어둠을 뚫고 유복한 사람으로 환생하기를 기원하는 것은 이 중음中陰의 시간 동안 생전의 궤적을 따라 내세가 결정된다고 믿는 까닭이다. 나는 나처럼 어리석고 간특한 자를 감싸주었던 해원의 극락왕생을 빌고 또 빌었다.

헬싱키 외곽 침엽수림에서 병우가 스스로에게 했던 것과 똑같은 방법으로 그녀가 죽은 날은 아침부터 적지 않은 비가 내내 왔고 상좌스님의 전화를 받은 나는 불과 나흘 전 다녀갔던 천은사에 초저녁 무렵 다시 도착하였다. 나는 해원이 그토록 보이길 꺼려하던 얼굴을 일부러 보지 않았다. 대신 여섯 번째 손가락이 잘려나간 흉터가 뚜렷한 그녀의 왼손을 흰 천 밑으로 잠시 잡아주었을 뿐이다. 해원은 그 모멸의 손으로 금반지 하나를 꼭 쥐고 있었다.

나는 유언대로 아무에게도 연락하지 않았으며 그녀의 시신을 광주로 데려가 화장시킨 뒤 수홍루가 서 있는 무지개다리 아래에 뼛가루를 뿌렸다. 내 손바닥에서 흘러내린 봄눈이 달빛 먹은 수면에 스미자 신라 여왕의 영혼 같은 비단잉어들이 몰려들고 튀어올라 캄캄한 산사山寺의 적막을 괴롭혔다. 나는 내 모든 감정의 토대가 무너지고 있음을 알았다. 지금을 영영 잊을 수 없을 것이 끔찍해 두 눈을 질끈 감았다. 예수는 일곱 번씩 일흔일곱 번 용서하라고 가르쳤으나 그녀의 명복을 칠 일마다 일곱 번 간구하였던 나는 여린 것들이 저

주받는 이 세계와 사악한 나 자신을 단 한 번 용서해주기가 어려워 숨이 막혔다.

그리고 다섯 해가 지나 내가 무기력한 마흔 살로 살아가고 있던 어느 일요일, 그다지 붐비지 않는 지하철 2호선 경로석에 버티고 앉아서 한참 졸다가 깨어났는데, 한강 철새들은 봄비에 젖은 하늘을 자우룩이 수놓고 있었고 내 왼편 대각선으로는 해원이 삐딱하게 서 있었다. 색맹 겸 색약 주제로는 분간키 힘든 염색의 단발머리, 마직麻織 티셔츠와 무릎을 살짝 가린 청치마 차림에 일렉트릭 기타 케이스를 둘러멘 그녀는 양복 정장을 입은 앳된 남자와 억양이 강한 영어로 담소하고 있었다. 나는 전철 손잡이를 잡고 있는 그녀의 오른손과 골반 아래께로 늘어뜨려져 있는 왼손을 번갈아 주목했다. 상처에 찌들지 않은 귀하고 섬세한 손. 해원이 그리워했던 맑은 손이었다.

나는 자리에서 천천히 일어나 그녀에게로 다가갔다. 그녀가 나를 엉뚱하다는 표정이 되어 쳐다보았다. 나는 그녀의 눈동자를 깊이깊이 가슴에 새겼다. 우리는 이렇게 단둘이 마주하면서도 아무런 대화가 없던 적이 많았지. 서로의 연인이었던 거야. 해원의 어깨 너머로 철새들이 날아가는 늦은 하오의 하늘이 개이고 있었다. 내가 눈물 글썽한 미소를 지을 수밖에 없었을 때, 그녀는 왼손을 부드럽게 들어올리며 나에게 무슨 말인가를 건네려 하고 있었다. ▪

**정지아**

# 풍경

1965년 전남 구례 출생.
중앙대 대학원 문예창작과 박사과정 수료.
1990년 장편소설 『빨치산의 딸』을 발표하며 등단.
1996년 《조선일보》 소설 당선. 소설집 『행복』 등.

# 풍경

아침 안개가 걷히면서 봄빛에 젖은 골짜기가 모습을 드러냈다. 습기를 듬뿍 머금은 골짜기로 햇살이 폭탄처럼 퍼붓고 있었다. 시시각각 해는 높아지고 새순을 막 피워낸 초목들이 앞다투어 봄빛을 빨아들였다. 산중턱에 위치한 그의 집으로도 새순처럼 보들보들한 햇살이 발을 딛기 시작했다. 나무 울타리조차 없는 집 둘레에 어느샌가 새싹들이 뼘 가웃 자라 있었다. 기억조차 흐릿한 아주 오래전 누이들이 심어놓은 과꽃이며 봉숭아였다. 누가 돌보지 않았건만 꽃은 누이들이 이 집에 떨구고 간 한 조각 마음처럼 해마다 점점 더 무성히 자라났다. 다섯 명의 누이와 세 명의 형들이 아직 이 집에 머물고 있던 시절에는 마을에서 근 십 리나 떨어진 외딴 산집에도 떠들썩한 활기가 넘쳐흘렀다. 누이와 형들이 집을 떠나기 시작했을 때 그는 막내누이의 등을 오줌으로 적시던 어린 아이였다. 그 시절의 기억이 실제로 있었던 일인지 아니면 평생 이 집을 떠난 적 없는 그가 한줌의 기억을 이리저리 매만지고 궁굴린 끝에 빚어낸 환상인지는 분명치 않았다. 다 큰누이와 형들이 어느 여름 오후 소낙비 끝의 초목처럼 싱싱한 몸뚱이를 벌거숭이로 드러낸 채 집 바로 옆을 굽이져 흐르는 계곡으로 풍덩풍덩 뛰어들던 장면은 사실이라기엔 아무래도 민망했지만 물 속으로 뛰어들 때 출렁이던 큰누이의 사발만한 희디흰 가슴은 환상이라기엔 또 너무나 생생했다. 앵두만 하던 분홍빛 유두며 젖판에 돋아 있던 소름 같은 작은 알갱이까지 눈앞인양 생생한데 그것이 누이의 것이 아니라면 그는 도대체 여자의 알몸을 사진으로라도 본 적이 없었다. 그리하여 한창 때의 그가 밤마다 눈앞에 떠올리며 용두질친 것도 저 젊은날의 누이의 모습이었으며, 사정 끝의 허탈보다 더 무서운 죄책감으로 멍석 깔린 방바닥에 이마를 짓이기다가 끝내는 조금의 욕정도 담겨 있지 않은 누이에 대한 순전한 그리움으로 긴 밤을 지새우곤 했던 것이다. 깊어진 그리움은 많지도 않은 몇 개의 기억에 끈끈히 달라붙어 기억을 괴물처럼 부풀리고는 기억 그 자체로 화했다. 평생을 하루 같이 해가 뜨고 해가 지고 때로는 비가 내리고 바람이 불고 순환하는 사계 속에서 기억만이 계절의 순환을 이탈하여 저 홀로 종유석처럼 자라났다. 태고의 정적을 먹고 자라는 깊은 동굴 속 종유석처럼 그 또한 기억을 먹으며 늙어가고 있었다.

겨우내 뒤안에서 바싹 마른 장작은 고작 낙엽송 몇 줌으로 쉽게 불이 붙어 이내 기세 좋게 타올랐다. 활활 타오른 불길이 아궁이 안팎으로 넘실거렸다. 아이, 참말 이상하지야. 아궁지 속을 들에다보고 있으면 세상 근심이 다 없어져야. 옛날 어른들이 눈보라가 사램을 홀린다등만 불도 그런갑서. 아궁지 앞에 앉아 있으면 시간이 훨

훨 날아간당께. 꼭 멋에 홀린 것맨치로. 어머니는 눈 가득 불길을 담은 채 어린 그에게 속삭이곤 했다. 그럴 때의 어머니는 화전밭에서 돌멩이를 치마폭에 담아 나르거나 형과 누이들을 떠나보내며 옷고름으로 눈물을 찍던 어머니와는 사뭇 달랐다. 발그레 상기된 얼굴로 불에 홀린 어머니는 어쩐지 옛날 얘기 속에 나오는 꼬리 아홉 달린 여우 같기도 했고, 아홉 폭 치맛자락 고운 손에 거머쥐고 궁둥이를 실룩실룩, 큰형이 읍내 장터에서 보았다는 화월옥 기생 같기도 했다. 어머니의 겨드랑이 밑에 곧 날개가 돋아 하늘로 날아갈 것만 같아서 어린 그는 야가 성가시럽게 왜 이란다냐, 얼둥 애기맨치로, 다정한 타박을 들으면서도 어머니의 치맛자락을 꼭 붙든 채 아궁이 앞을 떠나지 않았다. 홀린 듯 아궁이 속을 들여다보는 어머니 옆에서 애를 태우던 어린 아이는 여전히 어머니의 치맛자락을 휘어잡은 채 죽음 같은 시간의 강을 건너는 중이었다.

그는 활활 타오르는 장작 두어 개비를 끄집어내고 물을 끼얹었다. 치지직, 솔향기가 피어오르며 붉은 혀를 날름거리던 불길이 잦아들었다. 가마솥에 뜸이 들기를 기다리는 동안 그는 숯불을 아궁이 앞으로 끌어냈다. 숯은 발갛게 불이 붙어 투명할 지경이었다. 제 몸의 속까지 드러낸 채 사위어가는 숯을 볼 때마다 그는 뜬금없이 가슴이 먹먹해지곤 했다. 그는 숯불을 동그랗게 모두어 그 위에 검게 그을은 스테인리스 밥주발을 얹었다. 짠 된장내가 부엌 그득히 퍼졌다. 지난겨울 내내 어머니는 강된장에만 밥을 먹었다. 그가 기억하는 한 겨울 동안 그의 집에서 강된장이 떨어진 적이 없었다. 강된장은 일종의 양념처럼 긴 겨우내내 밥상 위에 올려져 있었다. 매일 물을 조금 더 붓고 된장을 풀어 다시 끓여낸 강된장은 봄이 다가올 즈음이면 아무리 솜씨 좋은 사람도 솜씨만으로는 흉내 낼 수 없는 깊은 맛이 났다. 모든 기억을 다 잃어버린 뒤에도 어머니의 몸은 강된장의 그 맛만은 잊어버릴 수 없는 듯했다. 어쩌면 어머니는 온 식구가 밥상 앞에 둘러앉아 강된장에 꽁보리밥을 비벼 먹던 그 시간을 살고 있는지도 몰랐다.

삼십 년 전, 어머니가 맨 처음으로 잃은 기억은 바로 그였다. 욕정처럼 온몸에 그득 고인 세상에 대한 그리움을 어쩌지 못해 밤봇짐을 몇 번이나 쌌던 그를, 읍내를 목전에 둔 채 강 건너 휘황한 불빛을 훔쳐보며 애꿎은 담배만 몇 대 축내고 새벽이슬 축축이 젖은 신작로를 되짚어 돌아왔던 그를, 홀로 남은 어미를 끝내 버리지 못한 그를, 어머니는 가장 먼저 잊어버렸다. 늦은 밤 요의를 느낀 그가 마당에서 시원하게 물줄기를 뿜어내고 돌아섰을 때 기척도 없이 뒤에 서 있던 어머니가 불안한 눈동자로 사방을 휘 둘러보며 그의 손을 끄집었던 그날 밤을 그는 아직도 선연히 기억한다. 호롱불도 켜지 않아 달빛 한 점 스며들지 않은 어둔 방 안에서 그의 손등을 어루만지며 어머니는 말했다.

밥은…… 묵었냐? 쪼깨 지둘려라. 쪼깨만. 그만헌 시간은 있지야?

엄니. 왜 그요? 먼 소리요?

그의 목청이 터무니없이 높았던 것인지 어머니는 화들짝 놀라며 그의 입을 틀어막았다. 칠순의 나이를 믿을 수 없는 다부진 힘이었다.

암만 산중이래도 이런 밤중에는 소리가 십 리를 간단다. 아랫말에 순사가 와 있는디 야가 시방 잽혀 가먼 어쩔라고.

뭔가 심상치 않은 기색에 그는 꿀 먹은 벙어리로 앉아 있었고, 어머니는 치맛자락을 휘날리며 식은 보리밥 한 덩이를 내왔다. 봄이

다가올 무렵이라 그때도 찬이라고는 강된장에 묵은 김치뿐이었다. 밥상 앞에 묵묵히 앉아 있는 그의 등을 자꾸만 어루만지며 어머니는 눈물을 찍어냈다.

어쩌끄나. 묵을 것이라고는 요것뻬끼다. 어쩌끄나, 내 새끼.

어머니는 그날 쌀 두어 되와 곶감, 계란 등속을 책보에 싸 기어이 등에 묶어주며 어둔 산길로 그의 등을 떠밀었다. 그날 이후 걸핏하면 어머니는 그를 여수 14연대를 따라 입산한 큰형이나 작은형으로 착각하곤 했다. 정신을 놓아버린 어머니에 대한 안타까움이나 그때 겨우 서른줄에 들어섰던 자기 미래의 암담함 따위보다 그는 어머니가 가장 먼저 잃은 기억이 하필이면 가장 오래 어머니의 곁을 지킨 자신이라는 사실에 가슴이 홧홧하게 달아올랐다. 참담이라기보다 분노에 가까웠던 감정은 시간이 지나면서 숙어들었지만 그의 얼굴을 어루만지는 어머니의 손길이, 그 손끝의 다정함이, 그가 아니라 고작 열여덟, 열다섯에 집을 떠난 큰형이거나 작은형을 향한 것임을 느끼는 순간마다 눈코입은 말할 것도 없고 몸에 뚫린 온갖 구멍으로 찬바람이 스며들어 뼛속까지 시리는 것은, 오래도록 어쩌지 못했다.

두어 해 전부터 밥을 찾지 않게 된 어머니는 오늘도 밥 몇 숟가락을 겨우 받아먹고는 여느 때와 다름없이 마루 끝에 나와 앉았다. 산중턱을 휩쓰는 북풍이 처마 밑에 긴 고드름을 맺거나 뚝뚝 낙숫물 듣는 소리가 춘정을 돋우거나 사시사철 어머니는 마루 끝에 나앉아 신작로를 보았다. 마루 깊숙이 스며든 봄햇살에 눈이 부신지 갸르스름 눈을 뜨고 먼 신작로를 바라보는 어머니는 반쯤 졸고 있는 듯도 했다. 여자의 손길이 미치지 않아 부연 먼지때가 켜켜이 앉은 마룻장은 새치처럼 탁한 회색빛을 뒤집어쓰고 있었다.

연 이틀 봄비가 내려 마당 한구석에 내던져놓은 고추모종이 햇볕에 말라가고 있었지만 그는 도무지 일할 마음이 나지 않았다. 자라등처럼 딱딱해진 늙은네의 가슴으로도 봄바람은 스며드는 모양이었다. 그는 양반다리를 하고 어머니 곁에 앉았다. 햇볕이 노곤노곤, 그의 늙은 몸뚱아리를 간지럽혔다. 여인의 손길 한 번 닿은 적 없는 순결한, 제 안으로 욕망을 삼키고 이제 그 서푼어치의 욕망마저 잃어버린, 순결하다하여 두고 볼 것도 없는, 그저 어쩔 수 없는 세월을 견뎌온, 고목처럼 볼품없는 몸이었다. 살갑게 어루만지는 햇살에 그는 무심히 제 몸을 내맡겼다.

구불구불 이어진 길이 문득 끊기고 나면 제법 폭이 넓은 계곡이었다. 너나할 것 없이 나무를 때던 시절에는 집 마루에 앉으면 계곡의 물거품까지 보일 듯했다. 언제부턴지 산에 나무가 늘고 이제 계곡은 보이지 않았다. 평지랄 게 없는 산중 마을이라 아랫마을의 집들은 언덕바지에 빼곡히 들어차 있었고, 그곳은 마치 길이 끊겨 다시는 갈 수 없는 곳처럼 보였다. 두어 장 건너 한 번씩은 다니러가는 곳인데도 마을은 멀기만 했고, 계곡에 삼켜진 길은 아무런 욕망도 불러일으키지 않았다. 몸의 욕망, 혹은 알 수 없는 무엇에 대한 욕망이 아직도 그를 사로잡고 있던 시절에는 제 안에서 치밀어 오르는 불덩이 같은 것을 삭이지 못해 노망든 어머니를 남겨둔 채 저 길을 달려가곤 했었다. 숨이 턱에 닿도록 달려간들 30여 호 남짓의 작은 마을, 제 안의 욕망이 무엇인지도 잘 몰랐던 그가 할 수 있는 일이라곤 고작 친구라고도 할 수 없는, 그러나 간간이 얼굴을 보고 자란 비슷한 연배의 집을 찾아들어 막걸리 몇 사발로 급한 불길을 추스르고, 반가울 것 없는 손님 시중에 짜증이 역력한 친구 아내에게나 슬금슬금 능구렁이 혓바닥 같은 시선을 보내고 있는 자신에 화들짝 놀라, 내려올 때보다 더한, 뭐라 말할 수 없는 꿉꿉하고 서글픈 심정으로 왔던 길을 밟아 되돌아오는 것뿐이었다. 돌아오는 길, 그는 술이 아니라 아낙의 등에 업힌 어린것의 젖비린내 혹은, 빗자국 선명한 곱게 쓸린 마당이나 반들반들 윤이 나는 검은 마루 같은 것들에 취해 길바닥의 질경이보다 나을 것 없는 제 인생을 짓밟듯 달빛을 밟았다. 때로 울기도 했을런가. 그러나 그런 기억은 남아 있지 않다. 마을을 그렇게 오가는 동안 그의 한 생을 산중턱 외딴집에 붙든 어머니나 학교 문턱도 밟아보지 못하게 한 가난, 자신의 볼품없는 삶을 아홉 자식에게 똑같이 남겨준 채 일찍 세상을 떠난 아버지, 제 꿈을 향해 달려가버린 형들, 미련만 이곳에 남겨 두고 제 삶에 붙들린 누이들도 그가 그 길에 흩뿌린 시간과 땀방울처럼 아득해졌다. 원망도 미움도 그리움도 죄 시간과 더불어 흘러가버린 것이다. 그의 평생은 이 집과 마을을 오가는 길에 오롯이 순정하게 고여 있었다. 마음을 길바닥에 점점이 떨궈놓은 채 그는 허깨비가 된 것 같기도 하고 때로는 바람이나 되어버린 것 같기도 하였다.

한때는 젊은 그나 나무꾼들이 바삐 오가던 길에 이제는 잡초만 무성했다. 늘 그 길을 다니지 않은 사람이라면 잠시 한눈을 팔았다가는 산중으로 접어들 지경이었다. 그 길에 작은 점만 한 무엇이 느릿느릿 집을 향해 다가오는 것을, 그는 길을 보고 있으면서도 오래도록 눈치채지 못했다. 숨을 거두기 직전의 동물이나 내뱉을 만한 가쁜 숨소리가 가까워진 후에야 그는 초점을 모았다. 상수리숲에 가려 사람은 보이지 않았지만 누군가 오고 있는 것이 분명했다.

가뭄에 콩 나듯 드문드문 그의 집을 찾는 것은 면사무소 사회과 직원들뿐이었다. 생활보호대상자라 나라에서 무상으로 배급하는 쌀자루를 짊어지고 산중턱 외딴집을 찾은 그들은 냉수 한 사발을 들이키고는 휭하니 산을 내려갔다. 산중턱, 다 쓰러져가는 귀신 나올 것 같은 집에 발조차 딛고 싶지 않은 모양이었다. 백 살을 바라보는 노망든 할망구와 벌써 환갑을 지난, 세상과 섞여본 일 없는 늙다리 아들이라니, 기이하기도 했을 것이다. 시키지도 않았건만 걸레를 들고 온 집을 헤집어놓은 착한 친구도 없지 않았다. 그 친구는 언젠가 제 아내를 데리고 와 이불까지 죄 빨아놓고, 김치며 나물이며 부엌을 그득 채워놓기도 했다.

근처의 큰 바위에 이불을 널며 아낙은 물었다.

할아버지, 평생 여그서 살았담서요? 외롭지 않으셔요?

일곱 살 때부터 그의 옆에 있었던 것은 어머니뿐이었다. 다섯 살 차이 나는 막내형이 있었지만, 형은 홀연히 집을 떠났다가 돌아와 잠시 머물렀고, 그럴 때도 집에 있는 시간보다는 마을에 내려가 있는 시간이 더 많았다. 어머니가 밭일을 하면 어린 그는 밭 가장자리에서 꼬물거리는 벌레와 놀았고, 어머니가 밥을 하면 치맛자락을 붙들고 아궁이 속을 들여다보았으며, 몸이 여물기 시작하면서는 어머니와 함께 일을 했다. 그리고 늙은 뒤로는 그가 일을 하는 동안 노망든 어머니가 밭 가장자리에 멍하니 앉아 그를 기다렸다. 어머니는 늘 곁에 있었고, 외롭지는 않았다. 그렇다면 젊은날 그는 무엇을 찾아 밤길을 내달리곤 했던 것일까. 어둔 강둑에 앉아 읍내의 불빛을 바라보면서 무슨 생각을 했었는지 아낙이 빨래를 너는 내내 기억해내려 애썼지만 별 다른 것은 떠오르지 않았다. 다정하고 따스한 주황색 불빛의 느낌만이 손에 잡히도록 생생할 뿐이었다. 대답 없는 그를 바라보는, 어머니와 함께 마루에 나앉은 그를 바라보는 아낙의 눈이 촉촉이 젖어들었고, 그것은 그가 평생 본 중에서 가장 기이한 것이었다.

그가 아무리 빨아도 지워지지 않던 늙은내, 노망든 어머니의 오줌

내를 어찌한 것인지 아낙이 빨아놓고 간 이불에서는 이상한 향기가 났다. 가을볕에 바삭바삭하게 마른 이불은 평소와 달리 사각거렸고, 몸을 뒤챌 때마다 낯선 향기를 피워올렸다. 며칠 밤 그는 잠을 설쳤다. 어머니 또한 마찬가지였다. 지린 오줌이 영역표시라도 됐던 것인지 다시 자기 냄새가 밸 때까지 이불을 거들떠도 보지 않았다.

낯선 냄새를 끌고 몇 차례 집을 찾았던 그들은 어느 순간 뚝 발길을 끊었다. 근무지를 옮긴 것인지, 자비를 베풀어도 고맙다는 말 한마디 하지 않는, 구원의 손을 내밀어도 감사히 그 손을 잡지 않는 그에게 오만정이 떨어진 것인지는 분명치 않았다. 어느 쪽이든 상관없었다. 그들이 잠시 휘저었던 그와 어머니의 삶은 오래된 일상으로 편안히 복귀했다.

숨소리는 잦아들었다 커졌다 하면서 점점 가까워졌고, 상수리숲을 통과해 모습을 드러낸 것은 뜻밖에 하우댁이었다. 뜻밖일 것은 없었다. 하위라는 마을에서 이곳으로 시집왔다는 하우댁은 그가 어린시절 옆집에 살던, 그러니까 유일한 이웃이었다. 하우댁의 집은 진작 허물어져 기둥이며 문짝은 그의 아궁이 속에서 한줌의 재가 되었고, 집터는 텃밭으로 바뀐 지 오래였다.

여든쯤 되었을 하우댁은 집 바로 가까이까지 와서는 가쁜 숨을 몰아쉬며 털썩 주저앉았다. 그는 그제야 고무신을 찾아 신었다. 하우댁의 겨드랑이 밑에 손을 집어넣고 힘을 주어 일으켰을 때 물컹한 살집이 느껴졌다. 앙상한 뼈만 남은 어머니에게는 오래도록 느껴본 적 없는 이상한 감촉이었다. 그건 살이라기보다 생명의 감촉인 듯했다. 탄력이 없긴 했으나 손에 감겨드는 살의 느낌에 그는 왠지 눈시울이 뜨끈거렸다.

하우댁이 마루에 엉덩이를 걸칠 때까지 어머니는 미동도 하지 않았다. 어머니의 시선은 여전히 먼 신작로를 향해 있었다.

인자 산송장이 되부렀그마이. 그때게는 날 붙들고 좋아서 어쩔 중 모르등만. 그거이 폴세 한 십 년 됐능가? 우리 큰아 갔을 땐께.

그때만 해도 정정했던 하우댁이 산길에 모습을 드러내자 어머니는 신발도 신지 않은 채 달려나갔다. 이미 말을 잃었던 어머니는 하우댁을 끌어안고 눈물을 한바탕 쏟고 나더니 햇살 환한 마루를 두고 기어이 어두침침한 방으로 손을 끄집었다. 하우댁이 갈 때까지 어머니는 하염없이 하우댁의 얼굴과 머리와 등을 쓸어내렸다.

하이고, 성님. 그래도 나는 안 잊어부렀소? 고깟놈의 정이 뭐라고이.

하우댁은 어머니가 자신을 알아본다고 생각한 모양이었지만 어머니는 큰형이나 둘째형을 만나고 있는 것이었다. 그 무렵 어머니는 누군가 나타나기만 하면 맨발로 뛰쳐나가 안방으로 데려왔다. 어머니에게 손 잡혀 안방으로 끌려온 사람 중에는 마을에 다니러갔던 그도 있고, 약초꾼도 있고, 나물 캐러온 타지 아낙네도 있었다. 그렇게라도 세상을 향해 열려 있던 어머니의 마음이 완전히 닫히게 된 게 언제인지는 기억나지 않는다. 어느 겨울을 지나고 난 후 어머니는 더 이상 맨발로 달려나가지 않았다.

하우댁이 어머니의 손을 부여잡았다. 손등의 살집만큼이나 두툼한 눈물이 두어 방울 뚝 떨어졌다.

성님, 암만해도 이것이 마지막인성 불르요. 그래 인사라도 할라고 왔소.

지난번과 달리 하우댁의 눈물은 이내 그쳤다. 십 년의 세월이 몸 안의 수분을 죄 증발시키기라도 한 것처럼, 두어 방울의 눈물이 마지막 수분이기라도 한 것처럼. 시간이 지났는데도 하우댁은 여전히 숨을 헐떡이고 있었다.

워디가 아프신게라?

하우댁은 눈물 떨어진 살진 손등으로 이마의 땀을 훔치며 고개를 흔들었다.

모리제. 이래놓고도 자네 어무이맨치 백 년을 채울랑가 모리제만 올 봄을 못 넘길 것 같그마. 그냥 그럴 것맨치여.

힘드실 텐디 멀라고 오셨어라.

글씨 말이여. 인자 다시는 못 오겄네. 아침밥 묵고 바로 나섰는디도 시방잉마. 폴세 점심때가 다 돼가제이?

하우댁이 마루에 걸린 시계를 보았지만 시계는 아홉시에서 멈춰 있었다. 언제 멈춘 것인지 모르겠으나 해 뜨면 일어나 아침 먹고 해 지면 자리에 눕는 생활이라 굳이 시계를 볼 이유도 없었다. 달력조차 보지 않은 지 오래였다. 날이 풀리고 개구리가 뛰어다니면 곡식을 심었고, 그것이 쑥쑥 자라 땡볕에 열매가 익으면 따 먹었으며, 날이 추우면 군불을 지피고 방에 들앉았다. 평생을 그렇게 살았다. 삼면이 산으로 둘러싸인 궁벽한 산촌, 그중에서도 마을과 동떨어진 외딴집에서 하늘과 바람과 태양과 비와 안개와 더불어. 어머니와 함께 세상을 향해 열린 한 줄기 신작로를 바라보며.

가쁜 숨소리가 차츰 잦아들더니 하우댁은 폭 한숨을 내쉬었다.

긍께 그때게 마을로 내려갔어야 하는 것이여. 그랬으면 험헌 일도 다 비켜갔을랑가 모리제.

그가 두어 살 무렵 아랫마을 최씨 집에서 그의 아버지를 머슴으로 데려가려 한 적이 있었다. 아버지의 사냥 솜씨를 높이 사서 열이나 되는 식구를 다 먹여주겠다는 꿈같은 조건을 내걸었는데도 아버지는 기어이 마다한 모양이었다. 얼마 뒤 아버지는 멧돼지에 받혀 세상을 떠났다. 느그 압씨가 씰데없는 고집을 부리등만 기언치 목심을 잃었다고, 어머니는 두고두고 원망이 많았다. 날짐승을 잡아 생계를 연명했던 아버지와 달리 어머니는 제비들이 안방에까지 집을 지어도 그것들을 내쫓지 않았다. 제비들이 돌아오지 않으면 한밤중까지 방문을 활짝 열어놓고 기다렸다. 다 살라고 태어난 목심 아니냐. 느그 앱씨가 고로코롬 일찌그니 시상을 뜬 것도 이녁 손에 죽은 목심들의 원이 맺혀서 그란 것이여. 개미 새끼 한나라도 그냥 볿아뿔지 말그라이. 그래야 내 새끼는 복받고 오래오래 살제. 그 복을 스스로 다 받아 어머니는 백 살을 바라보고 있었다.

개명천지에 자석새끼꺼정 종놈으로 맹글 수는 없다고 자네 아부지가 일언지하에 짤라뿐 모양인디, 성님이 나를 붙잡고 종놈이든 뭣이든 굶게 죽이는 것보담은 안 낫으냐고, 울메불메 하등 것이 눈에 선하그만은, 자석들 종 안 맹글라다가 겔국은 산사람 맹글어서 다 죽인 꼴이 되부렀으니 자네 아부지, 저승서도 편틀 안 헐 것이여.

그때 그는 다섯 살이었다. 그날 그와 막내누이를 제외한 가족들은 모두 남의 집 가을걷이에 품을 팔러갔다가 해가 저문 뒤에야 집에 돌아왔다. 어머니는 품에서 식은 고추전 서너 장을 꺼냈고 형은 막걸리 한 통을 호기롭게 마당에 쿵 내려놓았다. 큰형이 그 술을 막 사발에 따르려 했을 때 소리도 없이 군복을 입은 청년 몇이 어깨에 긴 총을 멘 채 마당으로 들어섰다. 큰형과 속닥이며 무슨 이야기를 나눈 끝에 그들은 다시 산으로 돌아갔고, 잠시 후 백 명도 넘어 보이는 군인들이 집으로 몰려왔다. 큰형과 어머니는 닭을 잡는다, 마당에 가마솥을 내건다 부산을 떨었다. 가마솥에 물 끓는 소리, 닭 우는 소리, 군인들의 웃음소리, 얼굴을 발갛게 물들인 누이들이 쫑쫑 달리던 소리, 달그락거리며 부딪는 총소리. 그는 괜히 흥이 나 고래고래

소리를 지르며 마당을 뛰어다녔다. 그날 큰형과 작은형은 군인들 틈에 끼여 무슨 이야긴가를 열심히 주고받았고, 누이들과 어머니는 종종거리며 전을 지져 날랐으며, 어린 그도 밤늦도록 잠들지 못했다. 다음 날 아침 일찌감치 밥을 먹은 그들은 어머니에게 두 끼 밥값으로 적지 않은 돈다발을 안기고 떠났다. 그 행렬의 마지막에 큰형과 작은형도 끼여 있었다. 세상일을 잘 알지 못했던 그의 가족들은 큰형과 작은형이 무슨 좋은 구경이라도 가는 줄 아는 양 웃으며 손짓해 보냈다. 그것이 큰형과 작은형을 본 마지막이었고, 외딴집이 세상의 중심처럼 활기찼던 유일한 날이었다. 형님들이 왜 산사람들을 따라갔는지 그는 알지 못했다. 산사람을 따라간 두 형이나 세상으로 날아가버린 막내형이나 어쩌면 날이 새도록 읍내의 따스한 불빛을 바라보던 젊은날의 그와 같은 심정이었는지 모른다고 막연하게 짐작할 뿐이었다.

성님들 제사는 어짜고 있는가?

아부지 제삿날 항꾼에 모시고 있구마요.

노망들기 전까지 어머니는 두 형의 제사를 지내지 않았다. 그가 제삿밥이라도 먹게 해주자고 하면 어머니는 불덩이가 이글거리는 눈으로 그를 노려보았다. 그 불덩이가 어머니의 몸을 여기저기 기웃거리고 다니다 끝내 머릿속을 새까맣게 태워버린 것이다. 노망든 어머니가 이십 년 넘게 붙들고 있던 집 떠난 자식들의 기억조차 이제는 까맣게 태워졌기를 그는 간절히 바랐다.

막둥이성은?

그는 고개를 흔들었다.

거그 제사도 지내줘야제. 테레비를 보믄 지 이름 석자도 모리는 사램도 부모헹제 잘만 찾아쌓대. 요로코롬 소식이 깜깜헌 것은 필시 죽었다는 뜻이여. 서른 넘어 집 나간 사램이 동네를 몰라서 못 찾아오겄능가 머시 맺힌 것이 있다고 역부로 안 찾아오겄능가. 배운 것 읎고 가진 것 읎이 승질만 고약헌 놈이 승질 부리다 고약헌 일이라도 당했지맹.

철든 후로 걸핏하면 집을 나가 바람처럼 세상을 떠돌던 막내형과 연락이 끊긴 것은 어머니가 정신을 놓기 몇 년 전이었다. 여느 때처럼 아랫마을에 내려가 청년들과 노름을 하던 형은 그 무렵 걸핏하면 노름단속을 나오던 공무원들에게 걸려 한바탕 싸움을 하고는 집을 나갔다. 나라서 나한테 해준 것이 멋이 있가니 노름꺼정 허라마라 허냐고 대들었던 형은 즈그 허는 짓거리는 생각도 않고 꺼떡허면 나라 핑계부텀 댄 것봉께 역시 뿔갱이 피는 못 속인갑다고 받아친 한 공무원의 머리통을 돌멩이로 내리치고는 내뺀 것이었다. 삼 년이 지나도 사 년이 지나도 형은 돌아오지 않았다. 동네 누구 집으로 잘 있다는 편지 한 장 보낼 법도 하건만 일체 연락이 없었다. 그렇게 삼십몇 년이 흘렀다. 그러나 그는 막내형이 예전처럼 얼큰히 술에 취한 채 비틀거리며 지금이라도 나타날 것만 같았다. 찌든 담배냄새와 술냄새, 그리고 뭐라 설명할 수 없는 바깥세상의 공기가 섞인 기묘한 막내형의 냄새가 아직도 코끝에 맴도는 듯했다.

태양이 벌써 집 바로 위를 지나고 있었다. 두어 시쯤 된 듯했다. 골이 좁은 이곳에는 느지막이 해가 떠서 일찌감치 해가 졌다. 한 뼘 하늘에서 비추는 짧은 햇빛으로도 사람이 살고 나무가 살고 온갖 산 짐승들이 그 볕에 기대어 살아가고 있었다. 마루를 비춘 햇살도 짧아지기 시작했다. 하루해는 짧아도 세월은 길었다. 그날이 그날 같은 세월이 벌써 육십 년, 살았달 것도 없는 인생이 그리 편하지는 않았다. 그렇다고 어려웠던가. 휘영청 달빛 아래 꿈틀거리며 읍내로 이어진 신작로가 젊은날에는 그를 손짓해 부르는 듯도 하였지만 언젠가부터 그저 굽이진 길로밖에 보이지 않았고, 밤마다 죄책감에 베갯잇를 적시게 하던 욕정도 점차 뜸해지더니 다시 찾지 않은 지 오래였다. 숲도 계곡도 때로는 땡볕에 마르고 폭우에 젖으며 살아가는 것이다. 편하기로 하자면야 낡고 외딴집일망정 집을 지키고 살아온 그가 형제자매들 중 개중 편했으리라. 어머니는 곁에 있는 그 때문에 운 적은 없어도 누이들과 형들 때문에 노망들기 전까지 날이면 날마다 옷고름을 적시고 살았다.

하마 그때가 원젤랑가. 성님이랑 용허다는 무당을 찾아갔제. 멋이라고 입을 떼도 안 했는디 방에 들어선 당장 무당이 글드라고. 다 살아 있어. 두 놈은 북쪽에 있고 한 놈은 서울에 있구마. 원젠가는 다 돌아올 것잉께 두 발 쭉 뻗고 자드라고이. 성님은 그 말을 참말로 믿었서야. 안즉도 그 무당 말을 믿고 있을 것잉마. 그랑께 저라고 안 죽고 있는 것이여. 자석 새끼들 지달리니라고.

처음에는 그도 그런 줄 알았다. 하우댁의 말대로 기다림이 원怨이 되어 어머니의 발목을 붙들고 있는 것이라고. 그러나 십여 년 전부터 어머니는 기다림마저 버린 듯했다. 그를 형들로 착각하여 어루만지지도 않았고 집에 찾아든 손님을 형들인 양 반기지도 않았다. 그리움도 원망도 모두 잊고 어머니의 머릿속은 백지처럼 하얗게 비었다. 마지막까지 버리지 못했던 먹을 것에 대한 탐도, 배설의 본능도 어머니는 잊었다. 그런 어머니의 목숨줄을 질기게 붙들고 있는 것이 대체 무엇인지 그는 때로 궁금하기도 하였다. 어쩌면 그것은 하나의 습관이리라. 먹고 싸는 본능마저 사라진 후에조차 버릴 수 없는, 기다림이라는, 평생의 서러운 습관. 노망든 어머니의 삼십 년은 기억을 쌓아가는 시간이 아니라 잃어가는 시간이었다. 먹고 자고 싸는 몸의 습관을 모두 잊은 어머니는 기다림이라는, 마음의 습관마저 모두 버린 어느 날, 비로소 이승의 문턱을 넘어 한 생 빌어 입은 고단한 육신을 편히 누일 수 있을 터였다.

끊임없이 주절거리는 하우댁의 말이 바람처럼 귓가를 스쳐 사라졌다. 하우댁의 젊어 별명은 벙어리였다. 어쩌다 그가 마을에 내려가면 자기 집에 데려가 기어이 따뜻한 밥을 한 끼 지어 먹이고는, 성님은 잘 계시제, 라는 한 마디 말조차 끝내지 못하여 성님은, 하고 말끝을 사리던, 아들 연배의 그를 보고도 내외를 하며 수줍어하던, 머리에 희끗한 새치가 생기도록 새댁 같던, 고운 사람이었다. 쉬지 않고 말을 쏟아내는 늙은 하우댁이 그는 노망든 어미보다 더 낯설었다.

앞마당에서 햇살이 반 넘게 빠져나간 후에야 하우댁은 굼뜨게 엉덩이를 일으켰다. 불어난 몸집 때문에 숨이 차 그렇지 걷는 것은 아직 정정해 보였다. 그러니 여기까지 와볼 생각도 했으리라.

성님. 잘 계시씨요. 성님이나 나나 빨리 가야 쓸 것인디…… 펭상을 살믄서 멋 하나도 내 마음대로 되는 것이 없등만은 죽는 것도 맘대로 안 돼요이. 인자 저 세상에나 가서 보겄소, 성님. 원제가 될랑가는 몰라도 잘 계시씨요이.

하우댁은 소맷자락으로 눈물을 훔쳤고, 어머니의 시선은 제 것이 아닌 양 여전히 먼 신작로에 던져져 있었다. 인자 가실라냐는 인사도 없이 그는 하우댁의 뒤를 따라나섰다. 그냥 들어가라고 손짓을 하던 하우댁이 길에 우뚝 서 계곡을 굽어보았다. 이틀 연이어 내린 봄비 탓에 제법 실한 물이 계곡을 감돌아 흐르고 있었다. 흰 속살을 드러낸 채 부서지는 달빛에 밤 미역 감던 젊은 어느 한때로 하우댁은 잠시 돌아간 듯했다. 아랫마을 계곡은 10여 년 전부터 거의 말랐지만 집 옆 계곡은 산에 나무가 들어차면서 외려 물이 불었다. 형들과 누이들이 미역 감던 너럭바위 옆의 소도 여전히 시퍼렇게 깊었다. 불 지핀 아랫목처럼 따끈따끈 데워진 너럭바위 위에서 소의 물이 밴 듯 입술이 퍼렇게 변한 아홉 남매가 빨래처럼 몸을 말리곤 했었다. 모두가 아직 이 집을 떠나지 않았던 시절에는. 아침나절 햇살을 콩 볶듯 튀겨냈을 너럭바위는 오후의 시든 햇살을 삼키며 검은, 제 본래의 색으로 되돌아가고 있었다.

지난 시절의 기억이 잠시 젊은 하우댁을 불러낸 것일까. 고개를 왼쪽으로 살짝 돌린 채 두어 번 끄덕이는 것으로 인사를 대신한 하우댁은 분명 수줍음 많던 저 젊은날의 그녀였다. 하우댁은 젊은 그의 마음인 양 산길을 따라 무성히 돋아난 질경이를 밟아 내려갔다. 내려가는 길은 올라온 길보다 훨씬 힘들 터였다. 하우댁은 상수리숲을 돌아 사라졌다.

아직 해는 중천에 떠 있었지만 아침나절의 온기는 느껴지지 않았다. 산골의 밤은 빨리도 찾아올 것이다. 어두워지기 전에 저녁밥을 지어야 했다. 그는 해가 뜨면 일어나 밥을 짓고 밥을 먹고 곡식을 심고 거두고 해가 서산에 걸리면 밥을 짓고 밥을 먹고 그리고 잠을 잤다. 어머니가 노망든 이후 그의 삼십 년은 하루 같이 그러했다. 그 전이라고 크게 다르지도 않았다. 다른 사람과 똑같은 시간을 보냈으나 그의 시간을 압축하면 고작 몇 줄에 불과할 것이다. 먹고 자고 농사를 짓는 것 외에 그는 다른 삶을 알지 못했다. 읍내의 주황색 불빛 속으로 끝내 발을 딛지 못한 것은 홀로 남은 어머니가 뒷덜미를 당긴 탓이 아니었다. 강나루에서 끝나는 신작로까지가 어머니의 품이며 그의 세계였던 것이다. 다른 삶을 기웃거렸던 형들은 죽고, 외딴집에 머문 그만 살아남았다. 다행일 것도 불행일 것도 없었다. 집 앞

상수리숲이 큰 바람을 껴안고 요동칠 때 질경이는 땅바닥에 납작 엎드려 죽은 듯 바람을 피했고, 키 큰 포플러가 환희에 들떠 온몸으로 햇살을 튕겨낼 때 민들레는 한줌의 햇살로 그 빛을 닮은 샛노란 꽃을 피워냈다. 길바닥의 질경이도, 키 큰 주목도, 아름드리 느티나무도 꼭 저만큼의 바람과 햇볕과 비를 끌어안고 태어나 죽는 것이다. 어머니와 반평생을 마루에 나앉아 그가 본 것은 세상이 아니라 그런 것이었다.

긴 세월을 견뎌온 낡은 집이 제 키보다 큰 긴 그림자를 앞마당에 드리웠다. 골 굵은 주름마다 세상의 그늘을 죄 끌어안은 듯 어두운, 그래 더 이상의 어둠을 끌어안을 수 없을 것 같은 어머니의 얼굴에도 그림자는 어김없이 덮여 있었다. 미동조차 없이 그늘과 하나가 된 어머니는 집을 버티는 낡은 기둥 같기도 하였다. 살랑살랑 노곤하던 봄바람도 그늘을 품어 제법 선뜩하였다. 담요라도 걸쳐주려고 어머니를 향해 다가가던 그는 너무 어두운 탓이었는지, 아니면 그의 소망이 빚어낸 환상이었는지, 가면처럼 굳어 있던 어머니의 얼굴이 기이하게 움직이며 하나의 형상을 만들어내는 것을, 보았다. 얼굴 전면을 뒤덮은 주름 때문에 명확하지 않았으나 그것은 웃음인 것이 분명했다. 어머니가 그를 향해 마지막으로 웃어 보인 것이 언제인지 기억조차 가물거렸다. 어머니는 웃음을 아주 빨리 잊어버렸던 것이다. 말보다 먼저.

내 새끼, 그래 한 시상 재미났는가?

그의 귀에 와 닿은 것은 분명 어머니의 음성이었는데, 순간 놀랄 시간도 없이 묵은 기억 하나가 기억의 어두운 심해에서 전기뱀장어처럼 하얀 불빛을 반짝이며 의식의 표면으로 꿈틀꿈틀 솟아나왔다.

어매, 나가 왜 세상에 나왔는중 안가?

바삭바삭, 경쾌한 소리가 좋아 멍석에 깔린 콩대 위를 팔짝팔짝 뛰어다니던 그가 어머니에게 물었다. 어머니는 멍석 한켠에서 콩대를 두드리는 중이었다. 낭자한 머리에 허옇게 먼지를 뒤집어쓴 어머니는 일손을 놓고 그를 바라보았다.

왜 나왔는디?

어매 뱃속에 있는디 되게 심심허잖애. 시상에 나가면 먼 재밌는 일이 있능가 글고 얼릉 나와부렀제.

아직 젊었던 어머니는 땡볕에 까맣게 그을긴 했으나 지금과 달리 윤기 흐르는 얼굴 가득 웃음을 피워올리며 물었다.

내 새끼, 그래 시상에 나와봉께 재미난가?

이.

그는 자글자글 타오르는 한여름 태양처럼 숨이 넘어갈 듯 웃어젖히며 땀에 젖은 채 마른 콩대 위를 팔짝팔짝 뛰었던 것이다. 그래, 한 세상 재미났는가, 하고 어머니는 물었다. 혹은 그의 마음이 물었는지도 모를 일이었다. 아궁이 속의 불길에 홀린 듯 한 세상이 훨훨 날았으니, 재미있었다고 할 수 있을 것인가. 정신을 차리고 다시 본 어머니는 언제나처럼 가면 같은 얼굴이었고, 좀 전의 기이한 미소는 흔적조차 남아 있지 않았다.

그는 담요 한 장을 어머니의 어깨에 덮어주었다. 얇은 담요조차 이겨낼까 싶게 어머니의 어깨는 앙상했다. 그림자는 시시각각 짙어지는데 그는 밥할 생각도 잊고 어머니 곁에 다시 앉았다. 노망든 어머니가 하루 빨리 가기를 바란 적도 없었고, 오래 살기를 바란 적도 없었다. 해가 뜨면 새로 주어진 하루를 살아내듯 곁에 있는 어머니와 함께 살아왔을 뿐이다. 어머니는 어머니였고 세상이었으며 유일한 동무였다.

영원처럼 느리게 그러나 쏜살같이 빠르게 시간이 흘렀다. 아랫마을부터 기어올라온 어둠이 어머니와 그를 집어삼키고 산 정상을 향해 달려갔다. 낡아 부스러질 듯한 두 개의 기둥처럼 어머니와 그는 세월을 버티고 있었다. 아직 달은 떠오르지 않았다. 잠시 후면 손톱끝만 한 그믐달이 어둠 속으로 스며들 것이었다. ■

## 한창훈

# 나는 여기가 좋다

1963년 전남 여수 출생.
한남대 지역개발학과 졸업. 1992년 《대전일보》로 등단.
소설집 『바다가 아름다운 이유』 『가던 새 본다』 『세상의 끝으로 간 사람』
『청춘가를 불러요』, 장편소설 『홍합』 『섬, 나는 세상 끝을 산다』 등.
〈한겨레문학상〉 수상.

# 나는 여기가 좋다

저쪽에는 좀 남았구나 싶던 붉은 기운이 순간 사라지자 사방은 분간이 어려운 칠흑 같은 어둠이다. 섬에서 일직선으로 달려온 배는, 그사이 엷은 노을이 지고 어두워졌기에, 어둠을 목표로 항해를 한 듯하다. 멀고 가까운 가늠이 사라져버린 곳에 밤의 혼령이 함빡 쏟아져내려 뭐라 설명하기 어려운 질감이 들어찬다. 바다나 허공이나 하늘이나 온통 한 색깔로 뒤섞이자 이번에는 마치 세상이 뒤집혀 바닷물이 하늘을 향해 쏟아진 것 같다. 바닷물이 허공을 적시고 구름과 별을 물들인 것이다.

터져 부서지고 말 것처럼 달아오른 엔진 소음 때문에 배는 공동묘지 가운데를 울면서 뛰어가는 아이처럼 급하기 짝이 없다. 그 탓에 뱃부리는 편할 틈이 없다. 끊임없이 치솟아올라 허공과 멈칫, 부딪친 다음 급한 원을 그리며 떨어지다가 부르르 떨면서 다시 솟구쳐오른다. 거기에서 날아온 물방울이 조타실 창문에 총알처럼 부딪친다. 배가 운다.

GPS 화면을 들여다보는 사내의 얼굴은 푸른빛이 옮아와 혼령의 그것처럼 변한다. 해저 수심이 50에서 60, 70, 급하게 꺾여간다.

"멀미 난가?"

사내는 조타실 구석을 바라보며 묻는다. 아내는 대답 대신 고개만 끄덕인다. 그는 그제야 생각났다는 듯 항해등을 켠다. 어둠 속에 숨어 있던 갑판이 달려들 듯 확 밝아지고 갑판이 밝아지자 배를 중심으로 빛의 우산이 만들어진다. 퍽, 튀어오른 물방울이 한순간 반짝 빛난다. 우산 속으로 은빛 비가 내린다.

뱃전에서 부서지는 물보라도 빛을 받아 몸통은 바다 깊은 곳에 숨기고 긴 혀만 날름거리는 괴물의 그것처럼 변했다. 항해등 불빛은 아내의 머리칼에도 찾아왔다. 끝이 흰색으로 변해 마치 머리카락부터 늙는 병에 걸린 듯 보인다.

머리칼뿐만이 아니다. 크림 바른 곳이 빛나기는 하지만 주름과 거친 피부를 애써 감추려는 표시 같아 처량맞아 보이기까지 한다. 그녀는 그와 떨어져 문에 몸을 기대고 있는데 바닷물이 창을 덮칠 때마다 움찔거린다. 늙었다. 하긴 곧 쉰이다. 눈자위는 처지고 손에 근육도 생겼다. 사내한테 시집와 자식 낳고 이십오 년을 살았다. 그 시간이면 팔팔한 처녀가 염색약 사러다니는 아줌마로 변하는 데 충분하다. 가슴속에서 울컥 치솟는 열정 식혀 반듯하게 누이고도 남을 시간이다. 그런데 그 시간을 다 보내고 나서야 아내는 떠나겠단다. 영영 가겠단다. 왜, 어디로.

"이제 다 왔으니 조금만 참소."

하긴 어둠을 도착 항으로 삼았으니, 어두워졌다는 것은 도착할 때가 됐다는 소리이기도 하다. 아내 입에는 불만이 들어 있다.

"파도가 너무 치요. 그냥 돌아갑시다. 사람 죽겠구만."

"주의보 내린 것도 아닌디 이 정도 파도에."

GPS에 도착지점 표시가 나타난다. 엔진을 다운시키자 거친 폭발음이 사라진다. 곤두박질과 솟구치기를 되풀이하며 거칠게 돌진하던 배는 순간 어쩔 줄 몰라 한다. 남아 있는 관성과 파도의 저항이 뒤엉켜 갈피를 못 잡고 좌우로 급하게 요동을 친다. 휘청, 아내는 선반 모서리를 붙잡고 쓰러지는 것을 간신히 모면한다. 안절부절못하는 것이 납치되어 끌려온 모습이다. 하긴 싫다는 것을 억지로 끌고 왔기는 했다.

사내는 고개를 뽑아 주변을 살핀다. 보이는 것이라곤 제가 밝혀놓은 등불뿐이다. 먹물 한점 떨어져 무색의 수면에 검은 방울 만들듯, 바다 위의 불빛은 어디로 가지도 못하고 여전히 주변 서너 발 정도만 비추고 있다. 그 빛은, 당장 눈앞은 밝았지만 결국 어둠을 더욱 짙게 만들고 있을 뿐이다. 그러니 보이는 것은 없다. 빛의 장막 너머 파도 일렁이는, 무한대의 바다만 있을 뿐이다. 근처를 떠도는 혼령이 본다면 감히 사람의 눈으로 어둠의 깊이를 측정하고 있다고 타박할 것이다. 하지만 배를 멈추면 좌우를 살피는 것이 그의, 어부의, 오랜 습관이다.

이 자리는 그가 살고 있는 섬과 제주도 중간쯤으로 갈치어장이 형성되는 곳이다. 그러나 최근 몇 년 간 어장이 죽어버린데다 그나마 철이 지나 아무도 없다. 망망한 밤바다 한가운데 불빛 하나 정지하고, 한 시간 넘게 맹렬하게 달려온 배는 비로소 숨을 몰아쉰다.

배는 이 년 어장을 다니다 삼 년 내리 선착장에 묶여 있었다. 어장이 죽고 나자 선원들 인건비와 기름값이 안 빠졌다. 놀면 손해가, 움직이면 손해가 되었다가 가지고 있으면 있을수록 손해로 바뀌었다. 그는 끝내 배를 내놓았다. 그 기간 동안 욕심 부려 큰 배를 장만한 걸 후회하기도 했다. 말리는 아내 말을 들을 걸, 했다.

이 행보는 혼자 작정하고 있었던 것이다. 며칠 전 제주도 사람이 와서 배를 보고 갔다. 팔리기 전에, 이제 내 배를 가지고 어장에 나갈 수 있을 것 같지가 않기에, 마지막으로 낚시 한번 가보자, 했던 것이다. 철은 지났지만 그래도 식구들 한동안 먹을 것은 낚아놓을 수 있겠지, 싶었다.

배는 결국 어제 팔렸다. 이틀 뒤 잔금 들고 와서 가지고 가겠다고 했으니 그게 내일이다. 오늘이 지나면 그는 선주도, 선장도 아니다. 그냥 섬사람인 것이다. 선장을 처음 맡았던 스무 살 이래, 몇 년 간의 상선商船 선원 생활을 빼고는, 선장 명함을 내놓은 적이 한 번도 없었다. 선장으로서 첫 행보 때 동중국해 거친 파도 뚫고 나가 배 가라앉을 정도로 민어와 농어를 잡아 만선滿船으로 돌아오던 그 기억은 이제 배 잃은 섬 중년의 아련한 추억으로만 남을 것이다. 계약서에 도장을 찍을 때 그는 몸에서 피가 빠져나간 것 같았다. 배가 팔렸다고 하자 아내가 말했다.

하고 싶은 말이 있소. 하소. 난 이제 섬을 떠날 거요. 가서 두번 다시 돌아오지 않을 거요.

아침에 일어나 수협으로 갔다. 그는 그곳에서 갚을 돈을 헤아려보았다. 뱃값을 모두 주어도, 잔금에 연체이자 더해 한 척은 더 팔아야 하는 액수가 남아 있었다.

친구가 하는 양식장에 들러 시간 보내다가 들어오자 아내는 방 청소를, 분명하게 말해보면 짐을 싸고 있었다. 지금 뭐 하는 건가? 떠난다니, 택도 읎는 소리지. 난 진심이요, 오래오래 생각한 것이니 흘려들지 마시오.

아내는 또박또박 말을 이었다. 그는 아내가 정말 간다는 것을 눈빛 보고 알았다. 눈을 만났을 때 그 속에는 수평선 같은 것이 들어 있었다. 고개를 돌리지도 않았고 애원도, 원망도 없었다.

세상일이 어디 맘대로 돼집디여. 하루하루 성실하게 살다보믄 분명 좋은 날이 있을 것이요. 그러니께, 영화 아부지, 속상하다고 성질내지 말고, 안 있소, 어쨌든 가족 울타리 안에서는 화목해야 안 되겠소. 이렇게 애원하던 눈빛은 딸아이의 것을 닮았었다. 그런 눈빛을 할 때면 찌개를 끓이고 숟가락을 가지런히 놓았다.

원망과 분노의 눈빛도 있었다. 그것은 그를 노려보던 아들의 눈빛과 같았다. 아부지가 어장도 안 되고 빚만 자꾸 늘어나고 그래서 나도 모르게 그래부렀다, 미안하다. 만약에 한 번만 더 그러면 아부지가 물에 빠져 죽어불란다, 하면 어쩔 수 없이 순해지던 눈빛까지도. 모두 그가 상심에 지쳐 취해버린 그 다음 날이었다.

그동안 수평선 같은 눈빛은 한 번도 본 적 없었다.

나는 내일 섬을 뜰 것이요. 자꾸 뭔 소리여. 영화랑 살 거요, 영식이 제대하믄 영화는 졸업하니께. 무슨 수로 살어? 뭔 일을 해서든 아그들 굶기지는 않을 것이요. 어허 이 사람이, 꼭 배 팔리기 기다렸단 듯이. 그렇소, 배 팔리기 기다렸소. 진짜 갈란가? 말했잖소.

"누워 있으소."

"바람이라도 쐬게 나갈라요. 무섭기도 하고."

무섭기도 하고, 소리가 작다. 어둠 속으로 들어와버린 배. 뒤집힐 듯 출렁이는 바다. 지나가는 배 한 척 눈을 씻고 봐도 없는 고립. 아내는 무서운 것이다. 그는 집어등도 켠다. 엔진을 약하게 해놓은 탓에 보통의 백열등을 켜놓은 것만 하다. 갑판이 조금 더 밝아지고 어둠의 혼령들은 반 뼘 정도 뒤로 물러난다. 물러나서 혀를 내밀고 춤을 춘다.

"오다 생각했는디 말이여."

그는 갑판 어창에서 낚싯줄을 꺼내며 입을 연다.

섬 하나 없는 난바다이지만 한여름 갈치어장이 시작되면 이곳은 야경만으로 하나의 도시가 만들어지곤 했다. 그가 살고 있는 섬과 제주도에서, 소식 듣고 서해나 동해에서까지 배가 몰려와 집어등을 켰다. 집터 고르고 골목 만들 듯 일정한 거리를 두고 떠 있는 집어등 불빛은 바다 수면에 용접을 하는 듯도 하고 보석가게 하나 새로 개업한 듯도 했다.

하지만 연이은 폐업으로 끝내 그 기능을 잃어버린 시장처럼, 용접공도 철수해버리고 보석가게도 문닫고 잠수해버렸다. 그는 그곳으로 낚시를 던진다. 파도치는 와중에도, 풍덩, 추 떨어지는 소리가 들린다. 이제 집어등 불빛에 멸치가 모이고 멸치를 주식으로 삼는 것들이 따라와 빛을 반사하는 바늘을 무는 게 순서다.

"당신도 늙었구나 이런 생각이 들었네."

"간 세월이 얼만디……"

아내 말에는 힘이 없다. 당장의 멀미 때문이겠지만 더 이상 의욕이 없는 사람의 특징 같아도 보인다. 미련을 버리면 말이 담담하게 나오는 법이니까. 그녀는 몸을 약간 틀어 밤바다 속을 물끄러미 바라본다.

"당신 정말 이뻤는디."

사라진 것 유독 아깝듯이 떠나는 사람 새삼 정드는 법인가. 그의 눈에는 파도와 어둠이 잠시 사라지고 작은 입술을 한일자로 앙다물고 있던 처녀가 떠오른다. 다방 탁자의 밀크잔도, 유행하는 여배우처럼 화려하게 파마를 한 머리카락도 보인다.

그는 왼쪽 팔에 짓눌려 튀어나와 있는, 예전에는 처녀였던 아내의 가슴을 훔쳐보듯 바라본다. 저 품에 기대어 얼마나 많은 잠을 잤나. 오랜 항해와 작업의 피곤은 바다에서 쌓인 것이라 바다가 풀어주지는 않았다. 천근만근 맨살이 찢어질 것 같던 그 피로를 저 몸이 맡았다. 수협에 생선 위판을 하고 돌아오면 저 몸은 늘 집에 있었다. 고생했소. 집은 별일 읎었는가. 예, 파도는 심하지 않았소? 흑산도 지날 때 고생 좀 했구만. 좀 잡히기는 했소? 늘 그 정도지 뭐. 그리고 아내 위에 몸을 실었다. 젖가슴과 아랫도리도 어디 가지 않고 늘 그곳에 붙어 있었다. 가슴에 얼굴을 묻고 몸을 밀고 들어가면 돌풍 만난 배처럼 떨렸고 이윽고 깊고 진한 피곤이 바람처럼 빠져나갔다. 그렇게 살았다.

아내는 피식 웃는다.

"그런 소리로 날 잡으요?"

"글쎄, 가버린다는 말 자체가 워낙 느닷없는 거여서."

"하긴 당신도 정말 잘난 사내였소이. 크고 딱 벌어진 몸에 스무 살에 마이구리(만선)한 소년 선장으로 유명했으니께. 당신 아니었으믄 죽어도 이 섬에서는 결혼 안 했을 거요."

사내도 슬쩍 웃음이 난다. 그러자 이 상황이 무슨 연극 한 대목처럼 아무런 실감이 나지 않는다. 에이, 자꾸 장난하지 마, 툭 치면 아내도 배도, 알았어 알아, 농담이었어, 이러며 배시시 웃을 것 같다.

입질이 없다. 그는 다시 줄을 끌어올린 다음 던진다. 막연한 희망과 충동의 분노가 이 배와 함께했다. 잘살고 싶었다. 우리나라 바다의 생선을 몽땅 독차지해서라도 잘살고 싶었다. 배에 돈다발을 가득 실어 아내와 자식들에게 안겨주고 싶었다. 어장도 첨단화의 경쟁. 크고 좋은 배에 좋은 장비가 돈을 벌어들였다. 그래서 욕심을 냈고 그리고 마침내 도끼로 자근자근 조각내버리고도 싶었다. 이젠 그 배가 없어진다. 섬에서 배가 없다는 것은 괭이 없이 갱도에 들어간 광부와 같은 것. 총 없이 전투에 나가는 군인과 다를 바 없는 것. 이제 그 꼴이 된다.

"난 전생에 뭔가 큰 죄를 졌어라우."

그녀는 깊은 밤바다를 바라보며 말을 잇는다.

"뭔 말인가."

"섬에서 태어났응께."

"난 좋기만 하구만."

"그래서 사내들은 몰르요. 여자한테 바다와 섬이 뭔지. 한 번도 내색을 안 했응게 모를 것이요."

"……"

"옛날에, 언젠가 배에서 나 오줌 마렵다고 했을 때 당신이 뭐라고 했는지 기억나요?"

"그냥 대충 누라고 했겠지. 배에 변소가 어딨다고."

"섬에서 여자란 게 그것 같은 것이요."

"배가 다 그렇지. 그럼 어쩌다 마지못해 타는 당신 위해 변소를 만드라고? 다른 여자들은 그냥 대충 잘도 처리하등만."

아내는 머리를 팔꿈치에 묻는다. 가슴이 더욱 도드라진다.

"그게 그 소리요. 나는 그런 여자들처럼 못한단 말이요. 탔다 하믄 꼭 멀미하는 것 보고도 모르요? 배뿐만 아니요. 여기 섬이란 것은 몇 발짝만 걸으면 바다, 뒤로 걸어도 바다, 옆으로 걸어도 바다. 길 아닌 곳은 모두 밭 아니믄 산…… 이렇게 갈 곳 몇 개만 정해져 있는 것이 섬 여자요."

파도 하나가 배를 높이 들었다가 툭 떨어뜨렸다. 사내 몸 휘청거리고 아내는 갑판에 달라붙는다.

"다 마찬가지지. 그냥 사는 거지 뭐."

"그냥 사는 것은 육지에서도 할 수 있소."

"……"

"내 평생 생각한 것이, 내가 왜 섬에서 태어났을까 하는 것이요. 죄를 지어 벌을 받았다는 것 말고는 해답이 안 나왔소."

"그러면 여기에서 죄 갚음 한다고 생각하고 사소."

"그 죄가 기억이 나믄 좋겠소. 기억에 읎으니 억울하요."

그때 입질이 왔고 그는 반사적으로 줄을 낚아챈다. 다행히 물었다. 올라온 놈은 갈치. 놈은 무지갯빛 몸뚱이를 거칠게 털다가 바닥에 눕는다. 등지느러미가 날렵하면서도 우아하게 물결을 탄다. 수정처럼 눈이 맑다. 깊은 바닷속을 제멋대로 헤엄치다 한순간에 사내의 손아귀에 들어온 것. 소유권이 저 스스로에서 사내에게 옮겨온 것. 불빛 찬란하게 반사되는 놈을 보며 그는 잠깐 아득해진다.

바로 이 맛에 어장을 해왔다. 이것으로 먹고살았고, 이것 때문에 빚을 졌다. 이것 때문에 즐거웠고 이것 때문에 불안했다. 그러자 마치 독약으로 빚어놓은 고운 구슬 하나 보는 듯하다. 연이어 한 마리 더 올라온다. 휑하던 갑판 위에 소박한 활기가 돈다.

아내는 엉거주춤한 자세로 도마와 칼을 집어온다. 아무 말 없이, 그중 한 녀석 은색 가루를 벗겨내고 칼끝으로 지느러미 끊어낸 다음 포를 뜬다. 그가 평생 어부로 살아왔듯이 그녀도 어부의 아내로 살아온 것이다. 싫든 좋든, 산골이 싫어 뛰쳐나온 사람이 결국 나무하고 불 때는 짓을 제일 잘하듯, 그녀는 노련하게 칼질을 한다. 갈치는 제 살이 발라지는 것을 빤히 바라보다가 등뼈와 꼬리만 쥔 채 풍덩, 고향으로 돌아간다. 접시에 가지런한 살점만 남는다.

"잡수시오."

양념장 찍어 한점 씹으며 그는 무겁게 입을 연다.

"정말 갈 건가?"

"내 마음은 이미 정해졌다고 했잖소. 당신이 어떻게 할 건가만 정하시오."

"내가 안 따라가겠다믄 어떡할란가."

"이혼합시다."

어쩌면 아내는 마지막 상을 차려준 것인지도 몰랐다.

"이혼이 동네 개 이름이여? 그렇게 쉽게 내뱉게."

"세상을 당신 혼자만 산 거 아니요. 당신 말대로 나도 늙어가는 사람이요."

"아 그래, 좋은 시절 다 보내고 나서 인자사 뭐 한다고."

"당신 소원이 이런 배 하나 가지는 거였소. 그때 말리는 나한테 뭐랬는지 기억하요? 어장 안 돼 빚더미에 올라앉아도 좋다고, 이런 배 하나 못 부려보면 죽어서도 후회할 거라고 했소. 내 심정이 그러요."

그는 그 달던 갈치살 맛을 잘 모르겠다. 어둠 속에서 바람이 몰려와 접시를 기웃거리다가 반대편으로 휭 사라진다. 바닷물에 젖은 먹장구름이 바람 따라 흘러가는데 워낙 층층 두터워 하늘이 통째로 움직이는 듯하다. 아내가 바라보며 묻는다.

"당신은 바다가 좋지라우?"

바다가 좋다. 동료 어부들과 술 한잔 하면 흔히들 떠드는 소리가 그거였다. 관광객이 지나다 물어도 그 대답. 그런데 바다가 좋은 걸까. 정말로 바다를 사랑하는 걸까? 그런 생각을 구체적으로 한 번이라도 해보지 않았다는 것을 그는 오래지 않아 깨닫는다.

새벽 검푸른 바다 위로 솟아오르는 붉은 해. 그곳을 향해 배를 몰고 나갈 때, 브이자로 퍼지는 흰 물결. 그물에 가득 잡힌 생선. 만선으로 돌아올 때의 기쁨. 수평선 너머로 퍼지는 노을. 밤바다를 장식하는 집어등의 빛. 고된 어장을 끝내고 나서의 달콤한 휴식. 그래, 다들 아름답다. 근데 그걸 좋아하는 걸까.

아버지는 왼쪽 엄지발가락이 없었다. 발가락 관절 아래 발톱 부분이 깨끗하게 깎여나간 채 굳어 있었다. 아부지, 발 왜 이러요? 어린 그가 물었다. 쥐가 묵은 거다. 쥐가 묵어요? 남태평양 갔을 때여, 나흘을 내리 다랑어를 잡다가 잠이 들었는디 일어나보니 이만한 쥐가 갉아묵고 있드라, 살 갉아묵고 피를 싹싹 핥는디 얼매나 무서운지 아픈 줄도 모르겄드라, 부식이 다 떨어져서 묵을 것이 읎은께 사람 살한테 달려든 거여.

아버지는 이빨자국 그대로 살이 굳은 발가락을, 마치 새로 심은 씨앗에 물 주듯, 씻고 또 씻었다. 그러나 그 작은 발가락 하나 끝내 새로 만들어내지 못했다.

꼭 훌륭한 선장이 되거라.

그것은 아버지가 발가락 하나 쥐 뱃속에 남겨두고 저세상으로 돌아가면서 그에게 남겨둔 말이다. 선원으로만 살았던 아버지는 쥐에게 먹히지 않을 방법으로 선장이 되는 것을 꼽았던 것이다.

유언이 아니라도 그는 뱃사람이, 바다가 좋았다. 너는 울다가도 뱃소리만 들으면 울음을 그쳐부렀어, 바다에만 나가면 해가 저물어도 돌아올 줄을 몰랐다니께. 그가 기억 못하는 그의 과거는 그런 것이었다. 증언은 틀리지 않았다. 어린 그는 학교 가서도 유리창 너머로 들리는 통통통 기계 소리 미세한 차이로 누구네 배라는 것을 알아맞히곤 했다. 학교 파하면 동네 배마다 건드려보고 다녔다. 엔진을 만져보고 소음기를 들여다보느라 얼굴이나 손바닥이나 검댕이 가실 날 없었다. 공부 안 하고 딴짓 한다는 어른도 있었지만, 바다에 관한 호기심과 배에 대한 관심을 누구보다도 흐뭇해한 이는 아버지였다.

또래들 중에 그를 따라올 사람이 없었다. 수영도 제일 잘했고 바다에 관한 지식과 물때 알아맞히는 데도 최고였다. 스무 살 되던 해 그는 가장 어린 나이로 고깃배 선장이 되었다. 넓은 대양을 마음껏 활개치고 다니고 싶어 상선을 타고 태평양 인도양 대서양을 다니기도 했다.

훌륭한 선장. 어쩌면 그것은 훌륭한 남편이 되는 것만큼이나 어려운 것인지 모른다. 어떻게 해야 훌륭한 남편이, 아버지가 되는지 알듯하면서도 번번이 잘 모르듯, 그는 자신이 훌륭한 선장이 되는 법을 전혀 모르고 있다는 생각이 든다. 생선 잘 잡는 선장? 파도 잘 타는 선장? 풍랑에 겁 안 먹는 선장? 배를 잘 관리하는 선장? 안방에 하루 누워 있는 것보다 파도치는 바다 한가운데 열흘 떠 있는 것을 선택하는 선장?

물론 그는 늘 그랬다. 그 모든 것에서 남들보다 나았다. 그런데 훌륭한 선장은 못된 듯하다. 훌륭한 선장은 끝까지 제 배를 포기하지 않는 이 아닌가.

"잘 모르겠어. 내가 바다를 좋아하는지."

"습관이요."

"그러겠지. 배 타는 것 말고는 하나도 안 해봤으니까."

"그랬소, 당신은. 늘 바다와 배만 보고 살았소. 그러다 이렇게 된 거요. 인자 여기서 뭘 어떻게 하겄소?"
"흐음."
"사실 옛날부터 이 말이 하고 싶었소이. 그런데 바다와 배를 쳐다보는 당신 눈빛이 불타는 것 같어서 미루고 또 미루었소. 이 배 지을 때, 내 말 안 듣고 빚 얻어 이렇게 크게 지을 때, 그때는 혼자 밤도망이라도 치고 싶었소. 근데, 차마 못했소, 내가 먼저 판은 깨지 말아야겠어서."
"그랬는가?"
"배 내놓았을 때도 참았소. 배만 팔리면, 배만 팔리면 빚도 좀 줄어들 테고 그때 말하자, 했었소."
"그래, 그랬을 것 같네. 고생 너무 시켜 미안하네."
"지금이 그때요. 인자는 이렇게는 못 살겄소. 난 갈 거요."
수평선 같은 눈을 들여다보기 버거워 눈을 돌린 것이기는 하지만, 그는 배를 한번 살펴본다. 너울을 타 위로 치솟았다가 곤두박질을 치는 앞부리가 먼저 들어온다. 배는 어떤 눈을 하고 있을까. 아내처럼 수평선 같은 것을 하고 저 어두운 밤바다를 바라보고 있을까. 곤두박질을 칠 때마다 뱃전에서는 물보라가 튕겨나오는데, 언뜻 보아 왈칵 왈칵 우는 듯도 싶다.
거대한 닻이 양옆으로 누워 있고 각단지게 밧줄이 묶여 있다. 저 닻줄을 풀어본 게 언제던가. 쿠르릉, 바닥을 향해 닻 풀던 소리가 갑자기 귀에 선하다. 따져볼 것도 없이, 저 배를 어선중개센터와 저 멀리 제주도 '교차로'에 내놓은 이래, 삼 년 동안 늘 저 자리였다. 그 아래 갑판도 마찬가지다. 타원형의 외곽 가운데 차례대로 창고 어창 물칸이 있다. 물론 지금은 다 비어 있고 맨 위쪽의 창고 칸에 쓰다만 그물이나 장화나 장갑 따위가 가지런하게, 그러나 오래도록 움직임

없이 퀴퀴하게 누워 있을 것이다.

그사이 고등어 갈치 섞여 몇 마리 더 올라온다. 아내는 슬그머니 몸을 일으키더니 파도에 몸을 가누지 못하고 쓰러지듯 다시 앉는다. 얼굴빛이 푸르스름한 게 멀미 기운이 올라온 게 완연하다.

"소주 한잔 먹어버리소."

대답이 없다. 대신 물보라만 다시 왈칵 올라온다. 그는 갑판 어창에 싣고 온 얼음봉지를 뜯는다. 잡아놓은 것을 얼음조각으로 채우고 나서 소주병을 따고 따른다.

"한잔 묵어버리라니께."

"싫소. 그만 갑시다."

"한 상자는 채워야지."

"한 상자 채워서 뭐할라고."

"당신이랑 아그들이랑 묵으라고."

"내가 고기 잡아달랍디까? 잡아주믄 좋아서 춤이라도 출 줄 알았소?"

"그래도 잡아노면 누가 묵어도 묵지."

"이제 새끼들하고 어떡해서든 살 궁리 해봐야 할 판국에 이 고기 한 상자 어디다 쓰겄소."

"내가 해줄 것이 뭐 있간디."

글쎄, 좀 뜬금없기는 하지만 이런 밤, 어찌되었든 그는 이 짓 말고는 할 게 없기는 했다.

"뭘, 해주고 싶소?"

"……"

"그럼 여기 깨끗하게 정리하고 같이 가자니깐."

"가서 난 뭘 하고."

"영화 아부지. 당신 아직 안 늙었소."

"안 늙어서 그래, 뭘 하라고."

"요즘은 환갑도 너무 젊어 잔치 안 하요이. 근디 인자 오십이요. 당신 근력이믄 육지 가서 뭘 못 하겠소."

"나보고 노가다 하라 그 말인가?"

"나도 당신이 노가다 같은 것 하믄 싫지만, 그렇지만, 노가다라도 해볼 생각을 해야지. 이 섬에서 뭘로 산다고 미련을 못 버리요. 인자 배도 읎는 사람이."

그러는데 입질이 그중 무거웠고 올라온 것은 어른 뼘 굵기의 갈치이다.

"굵소."

아내의 그 말이 아니라도 그는 잠시 복잡한 심정에서 빠져나온다. 이 정도 굵기는 모처럼 만이다. 그는 흐뭇하여 강렬하게 반사되는 무지갯빛만 바라본다.

"지져묵으라고 영화한테 보내믄 쓰겠네."

"아그들이 당신이 보낸 생선은 입도 안 댄단 거 아시오? 이건 좀 팔았으믄 좋겄다."

그새 바람이 좀 모질게 불었나보다. 깊이를 알 수 없는 먹구름 한 쪽이 터지면서 아스라이 별 무더기가 뜬다. 떴다 해도 날이 갠 것은 아니라서 바람은 여전하다, 바람이 문질러 별은 발버둥치는 듯 아른거린다.

"윽."

끝내 아내는 탈이 나고 만다. 비틀비틀 일어서는데 창백한 얼굴이 아예 사색이 된다. 머잖아 고물 쪽에서 토하는 소리가 들려온다. 그는 가볼까 말까 망설인다. 멀미 때문에 싫다는 것을 억지로 태운 것이 후회도 된다. 허나, 이런 밤 이런 낚시 말고는 딱히 할 일 없듯이, 떠나겠다는 아내를 방에 두고 혼자 나오지도 못할 일이었다.

육지에서 배를 타러 들어온 신참들이 종종 있었다. 선원인력관리소를 통해서 들어온 그애들은, 눈이 째졌거나 광대뼈가 튀어나왔거나 팔목에 문신을 했거나 이를 악물고 있거나 곧 싸울 것 같은 자세거나 좀 멍하니 얼이 빠져 있거나 했다. 도망쳐왔든 사람들에게 내밀렸든 가족 생계를 책임지러 왔든 무작정 호기심에 왔든 그것은 물어볼 게 못됐다.

밧줄 한번 당겨보지 못한 애들이지만 그나마 없으면 출항조차 못했다. 그애들을 데리고 제주해 중국해까지 갔다. 첫 날부터 멀미를 했다. 제아무리 눈에 힘준들, 문신이 꿈틀대든 말든 얼굴이 샛노래지면서 토하기 시작했다. 그러면 소주를 먹였다. 플라스틱 바가지에 가득 소주를 따라주면 보는 것만으로도 구역질을 하며 두 손을 저었다.

먹을래, 아니면 저 바닷속으로 들어갈래.

그 말 하나에 두 눈 질끈 감고 마시는데, 입 떼믄 죽어, 끝까지 묵어, 이렇게 억지로 먹이면, 열에 아홉은 마침내 얼굴에 화색이 돌고 멀미가 멈췄다. 일은 비로소 시작된다. 그것은 괴롭힘이 아니었다. 이미 무덤으로 들어가버린 어부들의 시대부터 내려온, 더 이상 좋은 방법을 찾아낼 수 없는 방법이었다.

하긴 그랬다. 그도 맨 처음 어선에 올랐던 사춘기부터 잠을 생선과 바꾸었던 숱한 조업과 태평양 대서양 넘던 상선의 시절에도 그 방법을 썼다. 몸이 아프면 소주, 외로움이 사무치면 소주, 작업 중에 잠이 쏟아지면 소주, 일할 기운이 안 나면 소주, 다쳐 피가 철철 흘러도 소주.

그러고 보니 함께 배를 탔던 사람들은 어디에 있을까. 스무 살 선장 시절 경남 어디에서 왔던, 어린 선장이 기분 나빠 한사코 입을 안 열던 기관장은, 송출선(외국 선주의 상선) 함께 탔던 사람들은, 제주 바다에서 소주 바가지를 던지고 바다로 몸을 던져버린, 덕분에 그가 뛰어들어 끌어올렸던, 서울에서 왔던 그놈은, 지금쯤 어디에서 뭐 할까.

갑자기 모든 것이 약속이나 한 듯 떠나버린 것 같다.

그는 아내 토하는 소리를 들으며 자신이 섬에서 태어난 이유가 무엇일까를 잠깐 생각한다. 한 번도 불만을 품어본 적은 없었지만, 이렇게 모두 사라지는 날을 앞두고 있자니 혹 자신도 아내처럼 무슨 죄 때문에 태어난 것은 아닐까 싶기도 하다.

새끼까지 싹쓸이를 해야 돼. 아주 씨새끼까지 다 훑어 잡아묵어부러 바다가 망해야 된당게. 씨팔, 피티병 이런 거 바로 던져야 돼. 마구 오염을 시켜야 돼. 그래야 미련을 끊고 여기를 떠날 수가 있어. 그래야 새끼한테 이 일을 안 물려줄 수가 있는 거여.

이렇게 주정하던 오 선장은 이곳을 뜬 지가 이미 오 년째이다. 서울 인근 어디에서 살았는데 지금은 모르겠다는 풍문이 얼핏 들려오기도 했다. 무엇을 하고 있는지는 모르지만 최소한 자식에게 뱃일을 안 물려준 것만은 확실하다.

그러나 고향 떠난 이가 소식이 없다는 것은, 찾아오지 않는다는 것은 사람들 볼 낯짝이 없다는 표시라는 것을 그는 오랜 경험으로 알고 있다.

사내 나이 오십. 워낙 튼튼한 몸이라 근력도 괜찮은 편이다. 뱃일 자체가 가장 힘든 일이므로 다른 일이 겁나는 게 아니다. 문제는 새로운 일이나 기술을 배울 시기가 지나도 한참이나 지났다는 것이다. 배는 도사지만 차 운전조차 할 줄 모른다. 그런데 아내는 나가자고 한다.

상자가 거의 차간다. 파르르거리던 놈들은 얼음 사이에 반듯하게 누워 있다. 이것으로 이곳에서의 볼일도 슬슬 마친 것이다. 돌아갈 일만 남았다. 그런데, 돌아갈 마음이 생기지 않는다. 섬으로 돌아가는 순간, 꿈꾼 듯이, 배와 아내가 훌쩍 사라질 것 같다. 오래전부터 그랬던 것처럼 빈손으로 홀로 방에 앉아 있는 풍경 속으로 빨려들 것만 같다. 그래, 모처럼 옛날 마누라랑, 배랑 잘 만나봤느냐, 이런 말이 하늘에서 들려올 것도 같다.

돌아온 아내는 그사이 더 상해 있다. 멀미 난 얼굴이 아니라 오십 년 동안 형벌지에서 감옥생활을 한 수인囚人의 모습이다.

"소주 한잔 넣어버리라니까."

"사람이 이런디 돌아갈 생각은 안 하고 뭔 소주요. 소주가 약이요?"

아내는 새된 소리로 악을 지른다.

"도대체 바다가 뭐요? 뭐냐고 당신한테."

그래놓고 몸을 획 돌려 울컥, 쓴물 한 모금을 또 토해낸다. 신음이 목구멍이 아니라 뼈와 뼈가 잇대어 있는 곳에서 나오는 것 같다. 하필 그때 입질이 와서 그는 고등어 한 마리를 낚아올릴 수밖에 없다.

"알았네. 간다니께."

"대답해보시요, 바다가 뭐냐고."

"……"

"당신이야 바다가 좋겠지만 우린 아니여."

그러면서 바다를 향해 입 안에 괸 것을 뱉는다. 경멸과 저주의 침이 있다면 저런 형태일 것이다.

"당신 몇 년 동안 상선 타고 외국 나가 있을 때도 영화 낳아 기르면서 여기서 시집살이 내색 한번 안 하고 당신 기다렸소."

입질이 왔고 챘으나 놓친다. 그는 놓친 게 다행이라고 생각한다.

"하긴, 어쩌면 상선 탈 때나 귀국해서 남의 배 선장으로 다닐 때가 더 나았소."

"……"

"이 배 지어놓고 선주 되고 나서는 그놈의 빚 때문에 기도 못 피고, 사람들 만날 때마다 주눅이 들어서 말 한마디 제대로 못하고."

빚과 보증인 눈빛에 눌려 살았던 지난 몇 년이 그의 뇌리를 스친다.

"맞소, 나도 내가 내조를 잘해서 이 지긋지긋한 가난에서 탈출했으면 좋겠소. 인생역전 할 수만 있다면, 내조 아니라 내조 할애비라도 할 생각이었소. 당신이 치킨 장사를 한다믄 치킨 들고 동네방네 다리 부러져라 댕길 수도 있고 슈퍼를 한다믄 스물네 시간 슈퍼를 지키고 앉을 수도 있겄소. 근디 뭐요. 어장도 못하고 있는 어부의 마누라는 뭘 해야 돼요? 그나마 그 배마저 달아매놓고 팔리기만 기다리고 있었는디 내가 뭘 해야 돼요?"

가슴이 막혔는지 아내는 말을 멈추고 주먹으로 목을 누른다. 눈물에 마스카라가 번진다. 입질이 다시 왔고 이번에는 물린다. 그는 아내 바라보느라 손을 쉬었고 갈치가 목을 돌려 물려는 것을 반사적으로 느끼고 낚싯바늘 걸린 상태로 목줄을 잡아당겨 목뼈를 부러뜨려 논다. 곧바로 놈은 얌전해진다.

"당신은 결국 뱃놈이요."

순간 그는 발끈한다.

"그래 나 뱃놈인 거 몰랐어, 모르고 시집왔어?"

"내가 한 말은 그런 뜻이 아니요."

목에 무언가 걸린 목소리다.

"그럼 뭐여."

"당신은 육지를 무서워하고 있소."

그 말에 발끈한 게 한순간에 발목 잡힌다.

"여기서는 모두 잘났다고 추켜세워주는디, 육지 가믄 그렇지를 못 하니께, 그게 겁나서 못 가는 것 아니요?"

"……"

"결국 바다가 당신을 망친다는 것을 모르요? 생각해보시요. 이 배 때문에 빚더미에 올라앉기 전에는 당신 이러지 않았소. 술 취해 행패 부리지 않았단 말이요…… 사람 사는 곳은 여기가 아니고 육지란 말이요. 거길 놔두고 뭐가 좋다고 바다 한가운데 이 판때기 위에서만 살라고 그러요."

그는 다시 눈앞이 아득해진다. 하긴 표주박처럼 살았다. 바다 한가운데 몇 뼘 땅일 뿐인 섬과 몇 발자국 나무판자인 배에 떠서 살았던 것이다. 아주 넓게, 거치적거리는 것 없이 살았다고 생각했는데. 가슴이 막힌다.

"아버님이 당신한테 했던 것처럼 영식이한테도 그렇게 말할라요?"

아내 목소리는 가라앉았는데, 노쇠한 모습이었고 그게 보는 사람으로 하여금 짠한 마음을 일으킨다. 어찌 보면 우는 대신 늙어버리는 것을 택한 듯도 하다. 그러자 사내는 공연히 한바탕 울어버리고도 싶다. 그는 고개를 젓는다. 훌륭한 선장이 되거라. 그 말을 아들한테 할 생각은 물론 없다.

“그렇다면 애들한테 보여주시오. 육지에서 사는 방법을.”

그녀는 관자놀이를 누르다가 다시 토한다. 아무것도 나오지 않는다. 때문에 아내의 헛구역질은 가슴 깊숙이 박힌 무언가를 뽑아내는 것처럼 보인다. 평생 도리질하고 의심하고 원망하던 것을 기어이 내팽개치려는 모습이 거기에 있었다. 그리고 쓰러질 듯 조타실로 들어간다.

잠시 파도와 바람과 어둠 속에 앉아 있다가 고기 상자를 내려다본다. 얼음 뒤집어쓴 갈치와 고등어는 푸른 눈동자로 그를 올려다본다. 날 버리고 갈 건가요? 이렇게 묻는 것 같다.

자취하는 딸아이 좀 보내주고 한동안 반찬거리라도 할 생각이었는디, 결국 니들은 섬을 버리고 떠나는 나의 길양식이 되거나 혼자 길을 나서는 마누라의 보따리가 되겄구나이. 그는 그 말을 속으로 했는지 바깥으로 내놓았는지 스스로도 분간이 안 된다.

그러자니 몸속에서 심장이나 간이나 콩팥 따위가, 마치 생선 칼질할 때처럼, 한 쾌에 묶여 주르륵 빠져나가는 것만 같다. 횟집 수족관의 참돔처럼, 호흡 가쁜 허공에서 아가미와 내장 뜯겨나가고, 피가 흐르고, 척추를 흔들며 마지막 숨을 가까스로 내보내고 있는 것 같다. 결국 바다가 당신을 망친다는 것을 모르요? 아내 사라진 빈 갑판에 혼령 하나 척 하니 들어앉아 말을 흉내내고 있다. 당신은 육지를 겁내고 있소. 그래 그럴지도 모른다. 바다가 좋아서가 아니라 여기를 벗어나는 게 무섭고 싫은 것일 게다. 쥐똥이 된 아버지 발가락은 어느 구석에서 구르고 있을까.

그는 보공 채워둔 얼음 사이에서 아직도 처연히 올려다보는 생선을 관 덮듯 천 대어 묶어놓고 상주처럼 무겁게 조타실로 들어간다.

“금방 갈 테니께 조금만 참소.”

구부린 채 누운 아내는 중환자실 환자처럼 신음만 내뱉는다. GPS는 목표점에서 2km 벗어났다고 반짝거리고 있다. 그는 집어등을 끈다. 불빛 우산이 확 줄어들면서 제 세상 만난 어둠이 배를 휘감는다.

손때가 묻은 운전대를 그는 한번 쓸어본다. 잘 가라. 좋은 주인 만나라. 그릉그릉 엔진을 올리며 대답을 하고는 배는 이윽고 속도를 높인다. 바람을 등에 업은 탓에 롤링이 심하다. 고르게 파도를 타지 못하고 좌우 함부로 쏠리며 거칠게 질주를 한다. 물보라가 거듭 조타실 창문을 때린다. 그는 그게 제 마음만 같다고 생각한다. ■

## 역대수상작가 최근작

태평양의 끝
윤후명

* * *

어느 찬란한 오후
김인숙

* * *

달걀
조경란

**윤 후 명**

# 태평양의 끝

1946년 강원도 강릉 출생. 연세대 철학과 졸업.
1967년 《경향신문》(시), 1979년 《한국일보》(소설)로 등단.
소설집 『돈황의 사랑』 『여우사냥』 『가장 멀리 있는 나』 『모든 별들은 음악소리를 낸다』,
장편소설 『협궤열차』 『약속 없는 세대』 『삼국유사 읽는 호텔』 등.
〈현대문학상〉 〈이상문학상〉 수상.

# 태평양의 끝

마침내 우리는 그녀들과 어울려 바다를 향해 떠났다. 몇 번 약속이 어긋난 끝에 이루어진 소풍이었다. 오랫동안 미뤄진 나들이였다. 포장마차 주인인 J가 코란도를 몰고 나왔고, 나는 앞자리에, 두 여자는 뒷자리에 올라앉아 우리는 서울을 벗어났다.

내가 그녀들을 처음 만난 건 그의 포장마차에서였다. 그 포장마차는 예전에는 그냥 부르기 좋게 '술을 찾아서'라는 이름을 써붙여놓고 있었는데, 어느 날 내가 술김에 '카타르시스'라고 붙이는 게 어떠냐고 농담 겸 말한 것이 빌미가 되어 정말 그렇게 되고 말았다. 다음에 가보니 어느새 포장 바깥에 검은 글씨로 '카타르시스'가 큼직하게 씌어 있어서 나를 놀라게 했던 것이다. 그리스어로 배설이나 쾌감을 뜻하고 있다고 배운 이 낱말은 한국의 포장마차에는 전혀 어울리지 않았지만, 젊은 주인 J는 그래도 대학에서 인문학에 먹물이

들었다고 좋아라 했다.

"카타르시스가 뭐야요?"

그녀들 중에 먼저 포장마차 일을 거들던 중국 조선족 여자 계순桂順이 물음을 던진 건 당연한 일이었다. 아무리 옌벤 땅에서 한국 실정을 손바닥 들여다보듯 한다고 해도 '카타르시스'는 무리였다. J는 빙글빙글 웃음만 흘렸다. 어디 한번 알아봐라, 하는 투였다. 뒤늦게 그녀가 새로 일하러 온 조선족 여자임을 안 나는 어디서 왔느냐고 물었다.

"훈춘琿春이야요. 훈춘 알아요?"

나는 안다고 대답했다. 그리고 내가 단골이라고 하자, 그녀는 자기 이름을 밝혔다. 계수이입니다. '산뿌라치' 합금으로 감싼 어금니가 입 속에 감춰져 있었다. 잘못 알아듣는 내게 그녀는 한자를 손바닥에 써보였다. 성씨는 지池씨고요. 역시 한자가 손바닥에 씌였다.

훈춘이라면…… 여러 해 전에 그곳으로 가려다 못 간 적이 있는 게 전부였다. 그때만 해도 중국이나 러시아가 이른바 개방은 되었으나 아직 어정쩡한 시절이었다. 여행객에게는 그만큼 제약이 많았다. 우리 일행은 러시아의 블라디보스토크로 가서 그곳에서 북한과 러시아 국경까지 가본다는 계획을 세우고, 될 수 있다면 중국의 훈춘까지 간다는 야심을 품었다. 블라디보스토크에서 우수리스크까지는 그래도 순조로웠다. 우수리스크는 예로부터 우리와는 관계가 깊은 곳으로, 중앙아시아의 나라들이 새로 독립한 뒤 그들 나라에 쫓겨가 살던 우리 민족이 이제 다시 돌아와 새 터전을 닦고 있는 중이었다. 눈물겨운 역사 회귀回歸가 아닐 수 없었다.

포장마차에 앉아 오뎅 국물과 꽁치구이를 안주로 술 한잔을 들이켜며 민족이니 역사니 들먹이는 것도 내게는 지난 세월의 여파일 테지만, 우수리스크의 장터에서 마주친 우리 사람들의 모습이 눈에 선했다. 한국산 라면을 땅바닥에 벌여놓고 팔고 있는 사람은 좀 나아 보였다. 도대체 어린애 조막만한 사과 몇 알을 신문지 위에 놓고 쪼그려앉은 아낙네의 모습은 어떠했는가. 하기야 러시아 사람들도 별 수없었다. 시골 간이역에서 열차가 떠나갈 때, 토마토 바구니를 든 아낙네가 한 알 팔지 못하고 쓸쓸히 되돌아서는 모습을 나는 차창 밖으로 몇 번이나 보았던가.

어쨌든 우수리스크에서부터는 쉽지 않았다. 운전자도 길을 몰라 차를 되돌리고 되돌리고 하다가, 잠시 쉬어가자던 냇가에서는 어마어마한 모기떼의 습격을 받기도 했다. 일본 것을 베낀 여행책에 '위험하다' 고까지 적혀 있는 바로 그 모기떼였다. 그리고 메마른 비포장길은 끝없이 계속되었고, 마침내 도착한 작은 검문소에서 우리의 길은 막혔다. 지키고 있던 군인들은 막무가내였다. 여행허가 서류도 소용이 없었다. 국경 도시로 가서 두만강을 본다던 꿈은 무참하게 막을 내렸다. 훈춘은 더 먼 신기루였다.

어느 날 J가 포장마차의 이름을 지어 달라고 새삼 말을 꺼내자마자 내가 맨 처음 떠올린 것은 '목로주점' 이었다. 그러나 그는 마음에 들어하지 않았다. 직접 영화는 못 보고 겨우 영화잡지에서 본 그 제목은 프랑스 소설가 에밀 졸라의 소설을 원작으로 하여 만들어졌다고 읽은 기억이 났다. 잡지를 같이 보던 누군가가, 에미를 얼마나 졸라댔으면 이름이 그렇겠느냐고 희떠운 소리를 하고 키득거리던 기억도 났다. 목로란 서민들이 주로 찾는 선술집 같은 데에 만들어놓은, 널빤지로 만든 좁고 긴 상을 말했다. 내가 오래전부터 헤매다니며 찾아들곤 했던 술집의 원형이 목로주점이었기에 나는 그 이름을 권했음에 틀림없었다. 한때 나는 나보다 더 목로주점을 애용하는 사람은 이

세상에는 없을 거라고 자부심마저 가졌었다. 우스꽝스럽기 짝이 없고 몹쓸 자부심이었다. 그러나 지금에 와서 돌아보면, 그 자부심으로 비록 몸은 망가졌을지 몰라도 그것마저 없었더라면 몸은 물론 마음까지 망가지지 않았을까, 위로받고 싶은 구석이 없지 않다.

서울로 올라오기 전의 몇 년 동안 나는 거의 매일 포장마차에서 밤을 지샜다. 어찌어찌하여 혼잣몸이 된 때문이기도 했겠지만, 꼭 그래서만은 아니었다. 나는 밤과 술을 아울러 내 것으로 하고 싶었다. 심야의 목로주점이야말로 내 안식처였다. 그 몇 년 동안 내 몸은 극도로 망가졌고, 급기야 서울의 병원 신세를 지기에 이르렀던 것이다. 그랬으면서도 여전히 못 버린 게 밤에 목로주점을 찾아나서는 버릇이었다. 어느 날 밤 도무지 못 견디겠어서 집을 나선 나는 드디어 '술을 찾아서'로 기어들기에 이르렀다. 그때는 J가 아니라 그 이모가 운영하고 있던 시절이었다.

비바람마저 몰아치는 밤이었다. 나는 이모 부부가 비바람에 포장 한쪽이 기울어지는 걸 바로 세우려고 애쓰는 광경을 보고 그곳으로 들어간 것이었다. 나는 그들 부부의 일을 돕고 나서 목로 앞에 앉았고, 그로부터 단골손님으로서의 인연을 맺었다. 그리고 포장마차 이름이 뭐가 그러냐는 내 말에 좋은 걸로 지어달라는 부탁을 몇 번이나 받았다. 막상 내가 제안했으면서도 그때마다 나는 어물거렸을 따름이었다. 경기도 땅에서 내가 다니던 포장마차 이름은 광주집이었다. 전라도 광주나 경기도 광주나 관계가 전혀 없는데 그냥 지었다고 했다. 어디에나 흔한, 아무렇게나 지은 듯한 이름을 지어주고 싶지는 않았다. 그러자 프랑스 파리에 가서 들렀던 작은 술집의 이름이 떠올랐다. 관광객들이 즐겨 찾는 몽마르트르 언덕을 거의 다 올라가서 자리잡고 있는, 목로주점이라고 하기에는 허름한 카페에 가까운 그 술집의 이름은 티르부숑tire-bouchon이었다. 포도주 병마개 따개라는 뜻이라고 했다. 그러나 그런 투는 역시 포도주의 나라 프랑스에나 어울릴 이름이었다. 살바도르 달리의 초상 포스터를 벽에 붙여놓고 앞쪽 골목길을 향해 와플을 구워 팔며, 때맞춰 미국 작곡가 조지 거쉰의 〈파리의 아메리카인〉을 피아노 연주로 들려주는 곳이었다. 프랑스는 이제 샹송의 나라가 아니라 재즈의 나라였다. 나는 종종 티르부숑에 들러 에디트 피아프의 노래를 꿈꾸며 맥주를 시켜놓고, 와플을 공중에 던져 뒤집는 묘기를 바라보곤 했다. 옆에 아무도 없는 이방에서의 나른함에 퍼뜩 소스라쳐 놀라기까지 나는 무엇인가 기다리고 있었을 것이다. 그럴 때면 삶으로부터 버림받았음을 내가 즐기고 있다는 확신마저 들었다.

이모 부부가 '술을 찾아서'를 운영한 기간은 그리 길지 않았다. 남편의 몸이 아파 강원도로 요양을 가지 않으면 안 된 때문이었다. 주인 자리를 이어받은 게 J였다. 대학을 나온 뒤 집에서 놀고 있던 그는 이모의 제의를 받고 흔쾌히 맡았다고 하면서 나중에 조그만 카페를 하겠다는 포부를 밝혔다. 한때 나도 카페를 차리고 살고 싶었었다. 그러면 뭔가 감미롭고 서글픈 인생의 맛을 느낄 수 있을 것 같았다.

"이름 지어준다는 거 어떻게 됐어요?"

J는 이모보다 집요했다.

"그보다 주인이 갈렸으니 안주도 좀 갈아보시지."

포장마차 안주라야 어디든 그게 그거련만 다른 데에 비해 훨씬 못하다고 나는 투덜거렸다. 아닌게아니라 오뎅에 꽁치, 주꾸미, 대합, 닭발 따위로 사시사철 버티고 있는 형편이었다. 오뎅 대신에 홍합이라도 올려놓으면 어떠냐는 게 내 뜻이었다.

"가을 전어도 좋은데 말야."

나는 가을에 전어 굽는 냄새에 집 나갔던 며느리가 돌아온다더라는 말까지 들먹였다. 그만큼 별미라고 신문에 씌어 있었다.

"안주가 안 되면 강화도에 전어회나 먹으러 가지."

"좋아요. 저도 강화도에 가서 전어 구경을 좀 하고 와야겠네요."

애초에 소풍은 그런 식으로 계획되었다. 이왕이면 계순이도 데려가자고 나는 덧붙였다. 아직 한 번도 바다를 본 적이 없다는 그녀의 말이 마음에 걸려서였을 것이다. 태어나서 한 번도 바다를 본 적이 없는 사람을 나는 상상할 수 없었다. 그것은 내게는 일종의 충격이었다. 주 5일제 근무를 하는 회사가 늘어나면서 J도 토요일은 아예 쉬고 있어서 시간이 난다고 신바람을 냈다.

그러다가 나도 모르게 내 입에서 튀어나온 이름이 '카타르시스'였다. 배설 혹은 쾌감. 나는 아마도 쾌감보다는 배설 쪽에 더 무게를 두고 장난 삼아 꺼냈던 듯도 싶었다. 거기서는 화장실 사용이 항상 문제였다. 뒤쪽의 빌딩에 들어가면 된다고 했지만 경비의 눈치를 봐야 하는 일이 여간 신경 쓰이지 않았다. 더군다나 맥주를 에라 모르겠다 켜고 켠 날에 뻔질나게 들락거리는 상황이 닥치면 문제는 컸다. 경비의 눈총은 이미 노골적인 질타로 변해 있었다. 그래서 나는 기어코 '카타르시스'를 내뱉었을 것이라고 짐작된다. 배설이 쾌감을 동반한다는 이론은 둘째였다. 이렇게 이름이 지어짐과 함께 계순이 일을 하러 들어왔고, 드디어 포장마차는 새로운 체제를 갖춘 셈이었다.

사십대에 갓 접어든 계순은 순박한 시골 여자였다. 다른 조선족 사람들이 그렇듯이 그녀도 한국에 오는 데 물경 천만 원의 경비를 들였으며, 그 돈을 갚기 위해 1년 동안 번 돈을 들여야 한다고 했다.

그런 다음에야 자기 돈을 모을 수 있다는 얘기였다. 한국 사람의 돈 얘기에서는 그야말로 돈 냄새가 나건만, 조선족의 돈 얘기에서는 다른 냄새가 난다고 나는 말하고 싶었다. 만주벌판의 바람 냄새가 난다. 말발굽 냄새가 난다. 육혈포 냄새가 난다. 단지斷指 냄새가 난다. 내가 미화하고 있다고 해도 어쩔 수 없었다. 실제로 다른 냄새가 날 리는 없었다. 중국과 외교를 튼 다음 몇 번 가본 조선족 사회는 돈의 위력 앞에 허우적거리고 있었다. 좋아하는데 드러내놓고 내색을 안 하려니 일그러지는 구석이 있게 마련이었다. 그러나 청산리전투의 명장 김좌진 장군이 독립운동 자금을 구하러 친척집에 들렀다가 경찰에 붙잡혀 절도죄로 판결을 받았다는 이상한 기록에서도 만주벌판 냄새가 묻어났다.

"돈 벌어 훈춘에 보내봐야 남편이 다 까먹어. 그 돈으로 바람피워."

나는 우스개처럼 계순에게 말하곤 했다.

"일없어요. 안 그래요."

일없다는 말은 괜찮다는 뜻임을 나는 알고 있었다. 그녀는 J가 얻어준 쪽방에서 생활하며, 3년만 벌어 돌아가겠다고 다짐했다. 많은 조선족들이 한국에 들어와 번 돈이 옌벤 땅에 들어가 갖가지 문제를 일으키는 사례는 꼬리를 잇고 있었다. 아내를 한국에 보내 번 돈으로 사업을 한답시고 노래방이나 음식점이나 PC방이나 주빠(酒吧)라는 새로운 업종의 술집 등을 차렸다가 날려버리는 남편들도 흔했다. 따라서 여러 가지 삐걱거림이 불거지고 있었다.

그러는 가운데 가을 전어의 계절도 지나고 겨울을 거쳐 봄이 다가오고 있었다. 아직 채 겨울이 가기 전에 도둑고양이들의 발정 울음소리가 들려오기 시작하면 봄은 어디선가 추운 기지개를 켜는 것이었다. 어느덧 거제도의 매화와 제주도의 복수초 핀 소식이 올라오는가 하면, 겨우내 찌이이익 횡격막을 찢듯 울던 검은 새도 홀연히 자취를 감춘다. 몸통도 제법 큰 새가 나무껍질 속의 벌레들을 쪼며 왜 그다지 못 견디게 귀청을 울리는지 모를 노릇이었다. 나는 겨울이 다 가도록 '카타르시스'를 지키고 앉아 있었다. 기타와 아코디언을 켜는 아저씨들이 드나들고, 옆 빌딩의 룸살롱 아가씨들이 소주병을 까고, 친구들과 연인들이 정담을 나누는 한옆에서 나는 그놈의 새 울음을 귓바퀴에 넣고 있었다.

내가 새 울음 속에서 듣고 있던 실체는 무엇이었을까.

봄이 올 무렵 계순은 포장마차 일이 너무 힘들다며 다른 일자리를 찾아 떠났다. 저녁에 나와 새벽에 들어가야 하는 생활은 진력이 날 만했다. 나는 떠나는 그녀에게 나름대로 작은 봉투까지 마련해주었다. 식당이나 건설현장이나 가정집에 일자리는 그런 대로 두루두루 있는 편이었다. 그런 측면에서 그녀는 한국에 들어가는 노숙자들을 이해할 수 없다는 말도 남겼다.

계순이 떠난 뒤 며칠 만에 '카타르시스'에 들른 나는 새로 온 여자가 일본인이라는 사실에 놀랐다. 조선족은 어디서나 볼 수 있어도 일본인은 처음이었다.

"알바를 하겠다고 해서요."

J는 천막 한쪽을 손가락질했다. 나는 무슨 얘기인지 알아들을 수 없었다. 그가 가리키는 곳에는 '오꼬노미야끼〔お好の味燒〕'라는 글자가 씌어 있었다.

"저게 뭔데?"

"오꼬노미야끼, 일본 빈대떡요."

"일본 빈대떡?"

J의 말을 들어본즉 그녀는 무턱대고 찾아들어온 것이라 했다. 그리고 한쪽 옆에 작은 자리를 마련해주면 일본 빈대떡을 부쳐 팔며 그 대신 포장마차 일을 거들겠다는 조건을 내밀었다고 했다. 한국에서 돈을 벌어 작으나마 자기 카페를 여는 게 꿈이라는 것이었다. 근본적으로 한국을 좋아하는 일본 여자라는 판단이었다. 2002년 월드컵을 앞뒤로 외국인이 눈에 띄게 많아지고 있었다. 외국 음식도 웬만한 건 다 들어와 있었다. 한국의 조선족 음식점 '꿰점'에서 중앙아시아의 양고기 꼬치인 샤시리크를 먹을 수도 있었다. 일본 빈대떡이라고 없으라는 보장은 어디에도 없었다.

"그런 식도 있구만."

"뭐 손해볼 것도 없겠다 싶어서요."

J는 그녀의 빈대떡을 좀 팔아주라고 내게 권했다. 나는 자연스럽게 그녀와 인사를 나누었다. 그녀는 성씨를 에지리〔江尻〕라고 한다고 했다. 일본 여자라면 게이샤를 먼저 떠올리는 나는 빈대떡이 어정쩡했다. 일본 전통 예술인 조루리〔淨瑠璃〕에서 노래 부르는 여자, 가부키〔歌舞技〕에서 춤추는 여자의 모습이 그녀의 어디에 숨어 있는지 궁금했다. 일본 빈대떡이란 녹두로 만드는 게 아니라 밀가루에 해물과 야채 등 여러 가지 재료를 섞어, 특이하게 그 위에 얇게 저민 가다랭이 살을 올려놓고 구운 것이었다. 대패로 민 듯 얇은 가다랭이 살은 온도차에 의해 마치 살아 있는 듯이 꼬물꼬물 움직이도록 되어 있었다. 맛이 좀 들큰한 것이 우리 입맛에는 흠이었다. 그녀가 그 일본 빈대떡을 들고 유럽까지 돌아다녔다는 데는 그저 놀라울 따름이었다. 그녀가 돌아다닌 유럽 땅에는 스페인의 마요르카 섬도 있었다. 〈애국가〉를 작곡한 안익태 선생이 자리잡고 살던 섬이었다. 아니, 나는 쇼팽을 기억했다. 그는 애인인 조르주 상드와 그 섬에 밀월여행을 가

살면서 피아노 모음곡 〈빗방울〉을 작곡하지 않았던가. 폐결핵을 앓는 쇼팽의 기침 소리가 스며들어 있어서 한층 아름답고 슬픈 곡이라고 나는 해석하고 있었다. 빈대떡을 들고 세계를 돌다가 그녀는 한참 늦게야 한국을 발견했다고 했다. 대륙적 기질이 마음에 들었다고 그녀는 고백했다.

에지리가 돈을 벌어 카페를 차리고 한국에 정착하는 꿈을 가졌으니만큼 나도, J도, 그녀도 카페를 꿈꾸는 카페족族, 목로주점파派로서 동류항이었다. 나는 그녀의 성씨는 그렇더라도 이름은 오토미〔お富〕라고 내 마음대로 부르겠다고 불쑥 말했다. 그리고 부자가 되는 이름이라는 토를 달았다.

"좋아요. 좋아요."

어느새 배운 한국말의 대답이었다. 에지리의 지리〔尻〕는 매우 드문 글자로서 우리 발음으로는 '고'라고 읽고 꽁무니, 엉덩이 혹은 밑바닥이라는 뜻으로 풀이되고 있었다. 강 꽁무니, 엉덩이? 그건 그만두고 강 밑바닥이라고 해도 어떤 유래를 가지고 있는지 알고 싶었다. 옥편을 뒤져보기 전에는, 그녀의 성씨에서 에〔江〕를 일본의 에도〔江戶〕시대와 연결하고 지리〔尻〕를 시체(尸)가 아홉(九)이라는 뜻으로 연상하여, 옛날 에도막부 봉건시대의 피비린내 나는 권력 다툼에서 구사일생으로 목숨을 건진 어느 사무라이 집안의 내력을 간직한 성씨라고, 엉터리 상상력을 잠깐 즐기기도 했었다. 이야말로 내 상상력의 꽁무니, 엉덩이, 밑바닥이 아니고 대관절 무엇이랴.

"오토미 성씨는 강 엉덩이라는 뜻이래. 엉덩이 한번 만져볼까."

"안 돼요. 안 돼요."

삼십대를 바라보는 나이일까, 그녀의 엉덩이는 청바지가 터져라 팽팽하게 부풀어 있었다. 나는 성씨와 아무런 관계가 없을 엉덩이를 공연히 흘끔거렸다. 내가 그녀의 진짜 이름을 놔두고 굳이 오토미라고 부르고 싶어한 까닭은 무엇이었을까. 여기에도 다시 카페 이름이 단서가 된다. 나는 엉뚱하게 김춘수 시인의 연작시 「타령조打令調」 가운데 「타령조 10」을 떠올리고 있었다.

내가 김춘수 시인을 좋아하게 된 것은 「타령조」를 읽고서였다. 물론 그는 많은 시를 썼고 그 가운데 「꽃」은 대표적인 작품으로 손꼽혔다. 그러나 나는 시를 공부하면서 「타령조」에 빠져들었다. 「타령조 10」을 읽었을 때의 느낌은 두고두고 생생했다.

이세반도伊勢半島에서 온 오토미,/네 말을 빌리면/지형이/태평양을 바라고 기어가는 거북이 모양인 밀감밭에서/밀감은 따지 않고/바다에만 먼눈을 팔다가 일터를 쫓겨난 오토미,/빠 쿠로네꼬의 여급이 된 지/채 열흘이 안 되는 오토미,/오토미의 손등은 나이보다 늙고 꺼칠했지만,/오토미의 볼과 이마는 이세반도의 밀감밭의/밝은 밀감빛이었다고 할까,/나이 열다섯만 되면 마음이 익는다는/이세반도에서 온 열아홉 살 오토미의 눈에는/그 커단 눈에는/태평양보다는 훨씬 적지만/바다가 너울거리고 있었다./오토미, 너는 모를 것이다./그로부터 일 년 뒤/세다가야 등화 관제한 하숙방에서/시도 못 쓰고 있는 나를/한국인 헌병보가 와서 붙들어 갔다./오토미, 참 희한한 일도 있다./어젯밤 꿈에/이십 년 전 네가 날 찾아왔더구나./슬픔을 모르는 네 커단 두 눈에는/태평양보다는 훨씬 적지만/바다가 여전히 너울거리고 있었다.

좀 긴 인용이 되고 말았어도 오토미를 얘기하는 방법으로 나는 이 길을 택할 수밖에 없다. 이세반도의 밀감밭에서 온 '빠 쿠로네꼬'의 여급 '오토미'가 시인과 어떤 관계였는지는 알 길이 없었다. 그런데 시인의 연보를 보면 1940년 일본대학 예술학원에 입학했다가 2년 뒤 일본의 총독정치를 비방했다고 붙잡혀 세다가야 경찰서에 6개월 동안 갇혔다가 한국으로 돌아왔다는 기록이 있고, 그때 붙잡혀간 일이 이 시에 적혀 있으며, 이십 년이 지난 어느 날 꿈속에 여전히 두 눈에 바다가 너울거리는 그녀가 나타나는 것이다.

나는 그 인연이 매우 아름답고 공교롭다고 여겼다. 그로부터 나는 도쿄에서 가깝다는 이세반도를 꼭 가보고 싶었고, 쿠로네코, 즉 검은 고양이(黑猫)라는 이름의 술집에도 들러 술 한잔을 기울이고 싶었다. 그러나 나는 아직 이세반도에도, 검은 고양이 술집에도 가보지를 못했다. 언젠가 도쿄의 거리에서 코네코, 즉 작은 고양이(小猫)라는 술집을 발견하고 무작정 기어들어가 맥주를 마신 것은 그 연상작용 때문이었을 것이다.

물론 시에는 목로주점도, 카페도 아닌 '빠'로 표기된 술집이 나오고 있었다. 하지만 시인이 간 술집은 오늘날의 번쩍거리는 '빠' 개념이 아니라 소박한 술집이어야 마땅했다. 에지리가 카페를 하겠다고 하는 순간 '쿠로네꼬'와 '오토미'가 머리를 스쳤다. 그녀는 '밀감밭에서/밀감은 따지 않고/바다에만 먼눈을 팔다가 일터를 쫓겨' 날 여자는 아니었다. 그녀는 민첩하고 열심이었다. 그럼, 아마도 시에 나오는 오토미의 눈보다는 크지 않을 눈에 '바다가 너울거리고 있었다'고 할 수 있을까. 그럴 수는 없을지 몰라도, 적어도 도쿄의 도심을 흘러가는 에도강의 강물은 너울거리고 있는 듯싶었다. 그 강물은 곧 태평양에 이른다.

"검정 고양이, 싫어요."

내가 지은 미래의 카페 이름이 그녀는 못마땅한 모양이었다.

"왜, 일본 사람들 고양이 좋아하는데."

"싫어요. 싫어요."

그녀는 청바지 속에 숨어들어간 고양이라도 떨쳐버리겠다는 양 엉덩이를 흔들며 반대 의사를 표시했다. 일본의 어디서였던가, 무슨 비석이 눈에 띄어 들어가보니 '임진왜란 때 조선에 데려갔던 고양이를 모시는 신사神社'였다. 일본에서는 임진왜란을 '분로쿠 게이조[文祿慶長]의 역役'이라고 불렀다.

가을 전어의 계절은 지나갔어도 강화도 소풍 약속은 여전히 살아 있는 가운데 고양이의 발정 울음소리가 한바탕 들려오고 맞이한 새 봄은 두 가지 변화를 가져왔다. 하나는 오토미에게 한국인 애인이 생긴 것이며, 다른 하나는 계순에게서 연락이 온 것이었다. 일본어를 공부한다는 한국인 애인은 가끔 포장마차에 나와 앉아 그녀가 일하는 모양을 멀끔히 쳐다보고는 해서 내 눈에도 띄었었다. 한국에 와서 금세 사귀었다니, 꽤 되었을 터였다. 어쩌다 새벽 가까이까지 내가 늦어질라 치면 두 사람이 서로 떨어질세라 부둥켜안고 어둠 속으로 사라지는 모습을 볼 수 있었다.

"한국 남자는 속마음을 말해요. 일본 남자들 안 그래요."

오토미의 한국 남자 예찬에는 이른바 '한류韓流'가 스며들어 있음을 나는 알았다. 사랑한다면 사랑한다고 곧이곧대로 표현한다는 것이었다. 세상에 그렇지 않은 민족도 있단 말인가, 나는 얼마쯤 난감해하지 않을 수 없었다.

그리고 어느 날 J가 내게 계순의 부탁을 전해주었다. 계순에게 한국의 보호자가 필요한데 아무래도 내가 그 역할을 해줬으면 한다는 것이었다. J가 떠맡고 싶어도 포장마차는 정식 허가가 없는 데다가 사는 집은 셋집이라 여건이 되지 않는다는 설명이었다.

"보호자가 무슨 얘긴데?"

"안 그러면 불법체류자가 되니까요."

뭔가 어렴풋이 감이 잡히는 말이었다. 이리저리 일자리를 옮겨다니던 그녀는 이제 부천의 한 호텔에서 잡일을 하고 있었다. 외국인은 식당이나 공장이나 가정집에서 일할 수는 있어도 숙박업소, 유흥업소에서는 일할 수 없도록 규정되어 있었다. 여성의 경우, 성매매와 연관된 문제리라 여겨졌다. 그녀의 몸가짐과 성향으로 보아 아무 탈도 없겠지만, 아무튼 법은 법이었다. 그러니까 그녀를 우리 집의 가정부로 노동부에 등록해놓자는 의견이었다. 무슨 문제가 없을까, 아주 순간적으로 망설이다가 나는 승낙했다. 망설인 사실에 후회가 뒤따른 것은 승낙과 거의 함께였다. 말이 나온 이상 그녀의 부탁을 들어주지 않을 수 없는 끈끈함이 우리 사이에 형성되어 있음을 나는 퍼뜩 깨달았다.

보호자로서의 내 역할은 머잖아 다가왔다. 그녀가 고향 훈춘에 다녀오려는데 노동부에서 고용주인 내게 '재입국 동의서'라는 걸 써 받아오란다는 것이었다. 그게 없으면 가긴 가되 돌아오지는 못한다고 했다. 듣느니 처음인 동의서였다. 자기 고향에 다녀오겠다는데 별난 게 다 있군. 포장마차에서 그녀를 만난 나는 속으로 중얼거렸다. 서류 양식도 없고, 어떻게 쓰는지 나도 모르고 그녀도 몰랐다. 하는 수 없이 나는 A4용지에 '고향에 다녀오는 데 동의합니다'라고 간단히 쓰고 도장을 찍었다. 그녀는 잘 다녀오겠다며 고맙다는 말을 남기고 부랴부랴 사라졌다. 그러나 일은 쉽게 마무리되지 않았다. 그녀가 다시 전화를 걸어온 건 이틀날 점심때였다. 서류를 좀더 자세히 써 오란다는 것이었다.

"너무 간단하답니다. 왜 갔다 오겠는지 자세히 쓰랍니다."

"어떻게? 남편이 바람났다고 쓸까? 그래서 그년하고 싸우러 간다고?"

"에이, 장난하지 마시오. 꼭 갔다 와야 하겠어요. 가서 이빨도 고쳐야 한단 말이오. 한국은 너무 비싸서요."

뭔가 말을 만들어내야 했다. 궁리 끝에 나는 문장을 만들었다.

시아버지가 위독하시고 아울러 재산과 여러 가지 정리할 문제가 겹쳐, 고향을 방문하고 재입국하는 데 동의하오니, 부디 허락해주시기 바라옵니다.

당연히 이빨 얘기는 빠졌다. 여전히 미흡한 듯했으나, 더 이상 말을 꾸며댈 재간이 없었다. 나는 '다음에 갈 때는 위독했던 시아버지가 세상을 떠났다고 하지 뭐' 하는 너스레와 함께 쓴웃음을 지었다. 또 반려되면 어쩐담, 하는 내 걱정을 뒤로하고 그녀는 종종걸음으로 되돌아갔다. 그리고 다음 날에도, 그 다음 날에도 연락이 없었다. 두말할 것 없이 무소식은 희소식이었다. 그녀의 이빨이 말끔하게 고쳐져 돌아오기를 비는 마음이었다.

"계순이 돌아오면 강화도에 가자구. 황해로 가자구. 함께, 기어코."

말하고 나자 갑자기 그녀가 기다려졌다. 그녀가 중국에 갔다 오는 것과 강화도행은 아무런 관계가 없었다. 그렇건만 나는 어떤 동기를 불어넣고 싶었다. 사실 가지 않아도 그만이었다. 그럼에도 불구하고 가을 전어로부터 비롯된 약속을 지키고 싶었다. 가을 전어야 이젠 잊힌 지 오래였다. 그런데 한 번도 바다를 가까이서 보지 못했다는 계순이 내 뇌리에 남아 있었다.

생각 같아선 더 큰 바다인 동해로, 나아가 제주도의 태평양으로 가야 했다. 남지나해를 흐르는 쿠로시오 조류를 타고 야자열매가 떠밀려와서 바닷가에 싹을 틔우는 광경이라도 보여주고 싶었다. 그건 아무래도 무리였다. 야자열매라니? 그건 나마저 책에서 읽고 보았을 뿐이었다. 그러므로 강화도는 동해, 남해, 남지나해, 태평양을 합친 대안이었다. 예전부터 나는 황해라는 명칭을 아껴왔었다. 이에 대해 나는 기회 있을 때마다 열을 올렸다. 동해를 세계의 동쪽 바다로 표기되기 바라는 한 서해라는 명칭을 쓰면 안 된다. 남해도 그러했다. 일찍이 그 명칭들은 우리나라만을 위한 것이었다. 이를테면 중국에서 보아 황해는 서해가 아니다. 영국의 북해는 그 나라만의 남해, 서해를 쓰지 않기에 세계의 북쪽 바다로 자리잡을 수 있었다. 따라서 '서해안고속도로'는 '황해안고속도로'가 되어야 한다. 그것이 세계화였다. 더군다나 황해란 얼마나 특별하고 아름다운 이름인가. 그것은 지구 위에 있는 홍해, 흑해, 청해 등과 함께 빛깔로 표시되는 바다였다. 붉은 바다, 검은 바다, 파란 바다, 그리고 우리의 노란 바다.

중국 황허의 누런 황토 물줄기가 들어와 합치고, 드넓은 대륙의 황사가 봄 계절풍에 하늘 높이 떠올랐다가 자욱이 내려와 합쳐서 바다는 누렇게 되고 만다. 결코 아름다운 서사敍事가 아니다. 그래도 나는 황해의 포구에 묻혀 들어가기를 좋아했다. 뻘의 밀물을 타고 들어오는 통통배들과 갈매기들을 정겨워했다. 황해의 포구에서 사랑을 해보지 못한 사람이 못 미더웠다. 황해는 만남과 헤어짐이 함께 어깨를 겯고 있는 바다였다. 우리의 삶이란 만남과 헤어짐을 나란히 놓는 과정이었다.

보름 동안의 귀향 일정을 마치고 계순이 돌아왔을 때, 나는 J에게 조르다시피 강화행을 재촉했다. 그녀는 중국의 '중남해中南海' 담배 한 보루와 얄궂은 고량주 한 병을 선물로 들고 와서, 아예 돌아갈 계획을 세우고 있노라고 시무룩한 얼굴로 실토했다. 정말 시아버지가 위독하며, 정말 정리해야 할 일이 생겼다는 말이었다. 뜻밖이었다. 너무 시무룩해서 나는 이빨에 대해서는 한 마디 꺼내지도 못했다.

"돈두 별로 못 벌었잖아. 한 일 년이라도 더 있어보지."

"일없어요."

그녀의 어디에 그와 같은 단호함이 깃들여 있었던가, 언뜻 표독함마저 어린 듯 보였다. 나는 놀랐다. 고향으로 돌아가는 것은 그녀의 몫이었다. 그 전에 내가 해야 할 몫은 그녀에게 바다를 보여주는 일이었다. 바다를 못 본 사람에게는 어떤 장광설보다 바다를 보여줌으로써 세상을 보여줄 수 있다는 믿음이 솟구쳤다. 인간에게 삶을 알려주기 위해서는 자연의 힘이 필요한 것이다. 거기에 바다가, 황해가 있었다. 조바심이 났다.

내 재촉도 재촉이려니와 계순이 간다는 말까지 겹쳐 J는 드디어 마음을 정한 모양이었다. 당연히 오토미를 끼워들여 넷이 일행이었다. 2대 2라고, J는 희쭉 웃었다. 그리고 그는 여자들이랑 어딜 가게 될 때 그곳이 무인도라면 어떨지 상상해보는 게 취미라고, 거듭 희쭉 웃었다.

"무인도 좋아하시네. 무인도라고 달라질 게 뭐 있겠어. 쓸데없는 상상은 죽이는 게 몸에 좋지."

그가 희쭉 웃는 까닭을 모르는 바는 아니었다. 그러면서도 나는 나대로 엉뚱한 상상을 하고 있었다. 아무도 못 찾는 무인도로 가기 위해서는 강화도가 아니라 태평양의 어디쯤으로 가야 하리라. 프랑스 소설가가 『로빈슨 크루소』를 패러디한 작품 제목이 뭐였더라?

『방드르디, 태평양의 끝』. 방드르디는 금요일이었다. 오래 혼자 살던 주인공은 그날 토인을 만났고, 그래서 토인의 이름을 그렇게 지었었지? 아무튼 '태평양의 끝' 같은 제목을 달고 네 명의 표류 기록을 남겨야 하리라. 그러자 우리의 목적지가 태평양의 끝인 어느 섬이면 얼마나 좋을까 여겨졌다.

"쓸데없는 상상이라뇨? 누가 누구랑 짝을 짓느냐 하는 건 인류사적인 문제 아니겠어요?"

자못 진지한 듯한 말에도 웃음이 담겨 있었다.

"알았어. 두 여자 다 차지하고 살라구. 그래서 빨리 뼈다귀가 되라구."

"시키는 대로 할게요. 재빨리 뼈다귀가 될게요. 그 다음에 두 여잘 독차지하세요."

우리는 초지진草芝鎭과 전등사傳燈寺를 거쳐 동막 바닷가에 이르는 길을 택하기로 했다. 외포리를 거쳐 도선을 타고 바다를 건너 보문사가 있는 석모도까지 가는 길은 나나 그가 가본 적이 있다는 데서 초행길을 가보자고 합의한 것이었다. 그리하여 우리는 마침내, 마침내 떠났다.

강화대교를 건너기까지가 막혔지, 강화도로 가서 얼마 뒤 왼쪽 길로 꺾어 들어서고부터는 길은 휑 비어 있다시피 했다. 얼마 안 가 초지진의 푯말이 보였다. 언젠가 허물어진 것을 새로 성을 쌓고 대포도 하나 갖추어놓고 있었다. 안내문에는 병인양요, 프랑스 함대, 미국 아시아 함대, 일본 운요호雲揚號 등의 글자가 씌어 있었다. 예전에 역사책에서 읽은 기억이 있는 글자들이었다. 강화해협을 내려다보는 곳에 성을 쌓고 군사들이 머물며 서울로 오는 수상한 배들을 감시하고 막아낸 곳이었다.

그녀들은 둘 다 아무래도 건성인 표정이었다. 그리 볼품 있는 유적은 아니라고 나도 수긍되었다. 나는 오토미에게 일본 운요호란…… 어쩌구 안내문에 있는 대로 설명하려다가 그만두었다. 우리는 그저 황해를 보러왔을 뿐이었다. 그 물결을 보고 바람을 쐬러왔을 뿐이었다. 주위를 둘러보던 나는 웬일인지 '대포의 길이 2.32M, 입 40CM' 라는 안내문을 수첩에 적어넣고 발길을 돌렸다. 아무 짝에도 쓸모없는 메모임을 나는 이미 알고 있었다. 그러나 웬일인지 그러지 않으면 안 되었다.

동막 바닷가로 가기 전에 전등사를 거치는 것이 일정이었다. 몇 번 길을 물어, 코란도는 식당이 다닥다닥 붙어 있는 언덕길을 올라가 멈추었다. 전등사는 정족산의 산허리에 자리잡고 있었다. 구릉들을 오르내리는 경내는 넓고, 숲이 깊었다. 몇백 년 묵은 느티나무도 눈길을 잡았다. 고구려의 소수림왕 때 아도화상이 세운, 유서 깊은 절이라고 안내문은 적어놓고 있었다. 아도는 우리나라에 불교를 처음 전파한 스님으로 알려져 있었다. 강화도가 고구려 땅이었다는 사실이 새삼스러웠다. 전등사라는 이름은 고려 충렬왕 때 왕비가 옥등玉燈을 시주함으로써 생긴 이름이라고 했다. 사전에서는 전등傳燈을 불법이 전해지는 뜻으로 해석하고 있었다. 그것도 새삼스러운 사실이었다. 대웅전의 천장에 빼곡이 새겨지고 그려진 용, 극락조, 연꽃 등을 올려다보며 오토미를 살폈다. 그녀는 초지진에서보다는 다소 흥미를 나타내고 있었다.

"오토미, 결혼식은 이런 데서 하면 어때?"

그녀의 눈이 둥그래지며 입가에 가느다랗게 웃음을 지어 보였다.

"어서 가야겠어요. 배도 고프고, 시간이 많이 지체됐어요."

J는 서둘렀다. 그래야 할 것 같았다. 토요일이라 가는 길이 막힐

것은 뻔한 노릇이었다. 소수림왕 때 아도가 세운 절? 나는 언덕길을 내려오면서도 고개를 갸우뚱거리지 않을 수 없었다. 그거야 이제 와서 내가 왈가왈부할 것은 못 되었다. 그런들 뭐 새로 밝혀질 성질의 것도 아니었다. 동막 바닷가로 가서 그녀들과 황해를 마주하는 것만이 내가 할 일이었다.

우리나라의 모든 유원지가 그렇듯이 동막은 음식점들과 여관과 민박집들이 즐비한 바닷가 동네였다. 다만, 바닷가 쪽으로 제법 모래사장이 이어져 있고, 소나무도 여러 그루 솟아 있었다.

"자, 저게 바다야."

나는 계순을 보며 솔숲 사이로 빠끔히 내다보이는 흐린 바다를 손으로 가리켰다. 태평양을 들먹이고도 싶었지만 그럴 공간이 아니었다. 오토미는 더 큰 바다를 보았을 여자였다. 뭔가 다른 게 있나 하듯 양미간을 찌푸리고 바라보던 계순은 실망한 눈치가 역력했다. 비행기에서 내려다보던 것과 다르다는 것이었다. 그럴 터였다. 물빛은 흐렸으며, 멀리 저쪽으로 섬들이 떠 있어서 내가 봐도 답답하긴 했다. 그것으로 나의 바다 보여주기는 싱겁게 끝나버렸다. 그녀가 어떻게 생각하든 나는 중국의 큰 강들과 우리의 압록강과 임진강의 강물이 합쳐 출렁이는 저 물결을 보라고 말해주고 싶었다. 그것은 결코 허투루 보아 넘길 바다가 아니었다. 그러나 계순의 눈은 벌써 다른 곳을 보고 있었다.

"어디로 들어갈까요?"

"거야, 어디 밥도 먹고 한잔도 하는…… 목로주점 같은 데 없을까?"

"이런 데까지 와서 목로는 무슨."

J는 피식거렸으나, 내가 찾아낸 집을 좋다고 했다. 조개구이에 바

지락 칼국수를 하는 집이었다. 문을 열고 들어가니 드럼통 화덕에 사람들이 둘러앉아 열심히 조개구이를 먹고 있었다. 생각보다 훨씬 여러 종류의 조개들이 화덕 가득히 얹혀 구워지고 있었다. J도 다른 데에 비해 '훨' 낫다고 뒤늦게 내 선택에 맞장구를 쳐주었다. 우리 화덕에도 대합, 백합, 모시조개, 동죽조개, 피조개, 꼬막 등이 두 바가지나 올라왔다. 소라에 고둥도 있었다. 나를 빼고는 모두 바지락 칼국수도 아울러 주문했다. 술을 앞에 놓고는 '곡기'를 시키지 않는 나의 술꾼 버릇은 어디서나 마찬가지였다.

우리는 드디어 황해의 바닷가 목로주점에 모여 앉았다. 엄밀히 말하면 두 사람의 한국 남자와 한 사람의 조선족 중국 여자와 또 한 사람의 일본 여자의 어울림이었다.

"세 나라에서들 여기까지 왔군."

말하고 나자 뭔가 감개무량함이 없지 않았다. 그야말로 '동양 3국'의 기묘한 만남이었다. 아무런 관계가 없는, 세 나라의 네 사람을 황해가 전어를 미끼로 불러모았다고나 할까. 아니, 결코 '아무런 관계가 없'다고 여겨지지 않았다. '동양 3국'이라는 말과 역사의 얽힘 등등이 황해의 썰물처럼 머릿속에 밀려왔다. 우리는 백세주를 따른 술잔을 부딪쳤다. 조개들이 뜨겁다고 입을 딱딱 벌렸다. 나는 빠르게 술잔을 기울였다. J는 운전을 해야겠기에 두 잔이 끝이었다. 바다에 실망한 탓인지 여자들의 분위기는 가라앉아 있었다. 칼국수는 뒤적거리다 마는 정도였고, 조개도 두어 마리 까먹는 게 고작이었다. 흐린 바닷물에 잠겨 있는 기분이었다. 무슨 까닭인지 모를 조화였다. 조개를 앞에 두고 늘상 나오는 농담을 바탕으로, 이건 오토미 걸 닮았겠다느니 저건 계순이 걸 닮았겠다느니 어떻느니 하며 활기를 찾아보려 해도 헛일이었다. 가스불에 익다 못해 바작거리며 타들어가는 조개들을 그녀들 앞에 놓아주어도 마찬가지였다. 한번 굳어버린 분위기는 본래 바꾸기 어려운 노릇이긴 했다. 어느 술자리든 분위기 탓에 자칫 잘못 술주정이 튀어나오기 쉬웠다.

"오토미는 결혼 언제 하나?"

젊은 여자에게 할말이 없을 때 심심풀이로 나오는 물음이었다.

"몰라요."

그녀는 머리를 가볍게 흔들었다. 그뿐이었다. 가느다랗게 눈가에 지어 보이던 웃음은 어디로 갔을까. 대화가 뚝 끊기고 침묵이 거북살스럽게 주위를 감쌌다. 뭔가 단단히 잘못되어 있었다. 차츰 가슴이 답답해져왔다. 나는 창밖으로 원망스럽게 바다를 내다보았다. 벼르고 별러서 온 날이 그 모양이었다. 섭섭하다 못해 울화마저 슬몃 치밀었다. 술잔을 드는 사람은 나밖에 없었다. 시간이 흐를수록 나는 더욱 빠르게 술잔을 비웠다. 계순 역시 은근히 안절부절못하고 있었고, J는 고개를 숙이고 있었다. 어디서, 무엇이 잘못되었을까. 오토미 것이든 계순이 것이든 따질 필요 없이 조개들은 껍데기마저 까맣게 타 있었다.

"여긴 진짜 태평양의 끝 무인도야. 아, 답답하군."

견디다 못한 나는 와락 쌍소리를 외치고 싶은 감정을 겨우 누르고 자리에서 일어나 밖으로 나왔다. 화장실에 다녀올 몸짓을 하고는 있었으나, 실은 앉아 있기조차 힘겨운 때문이었다. 어쩔 수 없는 일이었다. 다 틀려버렸다. 빌어먹을 황해 같으니라구. 나는 쉭쉭 숨을 몰아쉬었다. 나쁜 년들, 뭘 모르는 년들. 나는 바다를 향해 얼굴이 일그러졌다. 평소에도 지나치게 흥분된 반응을 나타내는 내 모습이었다. 그것도 역겨웠다.

시멘트로 지어진 화장실의 소변소 눈높이에는 네모난 공간이 뚫려 있었다. 그곳을 통해 가까이 출렁이는 바다를 내다볼 수 있었다. 으르렁거리는 마음으로 바다를 내다보던 나는 흐린 물결이 속삭이는 소리를 들은 듯싶었다. 흐린 물결의 다정한 소리였다. 전어떼와 조개들이 속삭이는 소리일지 모른다는 생각이 들었다. 다만 내가 그 소리의 뜻을 헤아리지 못할 뿐이라고 바다가 말하고 있다고도 받아들여졌다. 여자들도 오줌을 누면서 그 공간으로 바다를 내다볼 수 있다면……. 나는 몸속의 더운 물을 쏟아내고 진저리를 쳤다. 거짓말처럼 분노의 심정은 안도감으로 바뀌었다.

화장실에서 나온 나는 몇 발짝 떨어진 바다 쪽에 웅크리고 앉아 있는 여자를 보았다. 낯익은 얼굴, 오토미였다. 나는 그녀에게로 발걸음을 옮겼다. 여기서 뭘 하느냐고 물으려던 나는 입을 다물고 말았다. 그녀는 울고 있었다. 나는 그 옆에 말없이 서 있었다. 어깨를 들썩이고 있는 모양을 보아, 그녀도 나인 줄 알고 있음이 분명했다. 그 모습에는, 빈대떡을 주문받고 신바람이 나서 즐겁게 굽는 여자는 없었다. 참아도 비어져나오는 듯한 조루리의 노래, 조심스럽게 허공을 밟는 듯한 가부키의 춤의 어느 소절을 나는 보았는지도 모른다. 그러나 그녀는 지금 황해의 바닷가에서 어깨를 들썩이고 있었다.

"여기서…… 왜……?"

나는 조금 전에 들은 흐린 물결의 소리를 닮으려고 노력한 듯했다.

"그 사람이…… 헤어지자고…… 헤어지자고 해요."

그녀가 흘낏 나를 올려다보았다. 누구라고 물을 필요는 없었다. 그녀의 소리 없는 울음은 흑흑거리는 흐느낌으로 변해 있었다. 그러고 보니 그녀는 아침에 서울을 떠날 때부터 어두운 표정이었다. 나는 아무런 위로도 해줄 수 없는 내가 자괴스러웠다. 어느새 계순과 J가

옆으로 주춤주춤 다가왔다. 오토미가 우는 모습을 본 계순은 자기도 뭔가 느끼는 게 있는지 덩달아 두 눈을 글썽거렸다. 난감한 일이었다.

망연히 바다를 바라보고 있던 나는 그제서야 흐린 물결이 내게 속삭인 소리를 말로 알아들은 것 같았다. 황해는 만남과 헤어짐이 함께 어깨를 겯고 있는 바다였다. 그녀가 비록 에도강의 꽁무니, 엉덩이, 밑바닥에서 태어났다 하더라도 지금은 황해의 바닷가에 있었다. 한국, 중국, 일본에서 온 우리는 풀 수 없는 이상한 인연으로 그곳에 모여 만남과 헤어짐을 되새기고 있는 것이었다.

그 순간이었다. 흐린 물결이 속삭인 말에 의해서 나는 알았다. 오토미가 흘낏 올려다보았을 때, 그 눈에 너울거리고 있던 바다는 황해였다. 그렇다면 계순의 눈에 너울거리고 있던 바다도 황해였다. 우리 두 남자의 눈에 너울거리고 있던 바다도 황해였다. 태평양의 끝 골짜기 바다였지만, 세계의 바다 황해였다. 어김없었다.

'동양 3국'의 우리는 한동안 그렇게 그 노란, 누런 바다의 가장자리를 지키고 있었다. ■

# 김인숙

# 어느 찬란한 오후

1963년 서울 출생.
연세대 신문방송학과 졸업. 1983년 《조선일보》로 등단.
소설집 『함께 걷는 길』 『브라스밴드를 기다리며』 『그 여자의 자서전』,
장편소설 『핏줄』 『불꽃』 『긴 밤, 짧게 다가온 아침』 『시드니 그 푸른 바다에 서다』
『먼길』 『꽃의 기억』 『우연』 등.
〈한국일보문학상〉 〈현대문학상〉 〈이상문학상〉 〈이수문학상〉 수상.

# 어느 찬란한 오후

병숙과 승욱은 단오에 태어났다. 너희들은 1년 중 가장 아름다운 날에 태어났다는 부모의 축복과는 달리 명절에 태어난 아이는 팔자가 사납다는 말을 해준 사람은 이웃 할머니였다. 명절에 태어난 데다가 낮에 태어난 닭띠들이니 평생 마당에 떨어진 모이를 쪼아먹느라 사는 게 바쁘고 고단하겠다고도 했다. 승욱은 그 말이 자신의 인생에 최초로 드리워진 어두운 그림자라고 여긴 반면 병숙은 그 말을 자신의 비범한 운명에 대한 계시로 받아들였다. 둘은 쌍둥이였으나 같은 점이라곤 거의 보이지 않았다. 30분 먼저 태어난 승욱은 가난한 집안의 장남이라는 티켓을 손에 쥐고 태어난 아이처럼, 순하고 내성적이었다. 병숙은 달랐다. 그녀는 아무것도 양보하려고 하지 않았고, 지독하게 고집이 셌다. 양보할 것이 없는데도 늘 양보를 강요당하는 여자아이가 자기 이외의 모든 것과 싸울 수 있는 무기란 사실 고집밖에는 없었다. 그렇다고 해봤자 그녀가 차지할 수 있는 것은 소풍날 꼬다리 없는 김밥도시락 정도였는데, 승욱이 김밥의 꼬다리를 훨씬 좋아했다는 것을 생각해보면 그녀의 고집이란 게 얼마나 무가치한 데에 쓰였는지 알 수 있다. 학기마다 한 권씩만 구입하는 참고서와 자습서도 마찬가지였다. 병숙은 새 참고서에 먼저 밑줄을 그었고, 새 문제집의 문제에 먼저 답을 써넣었다. 하룻밤 사이에 참고서 전체에 밑줄을 긋고, 문제집 전체를 풀어서 자기 영역을 표시하는 일은 결코 쉬운 일이 아니었지만, 그래도 병숙은 그렇게 했다. 병숙이 그렇게까지 조바심을 내지 않는다고 하더라도, 승욱은 한 학기가 다 지나가도록 참고서를 펼쳐보거나 문제집을 풀 생각이 없다는 사실을 병숙이 모르고 있었던 것은 아니다. 그것은 다만 영토본능이었다. 오랜 후 병숙은 자신이 이란성 쌍둥이로 태어난 사실을, 더군다나 승욱과 쌍둥이로 태어나게 된 사실을 감사하게 될 터인데, 그것은 승욱이 그녀의 영토본능을 거의 자극하지 않는 사람에 속했기 때문이었다. 승욱에게는 그녀가 갖고 싶은 것이 거의 없었다. 장남이란 사실은 축복이 아니라 불운에 속했으며, 남자라는 사실도 그렇게 보였다. 설령 그에게 무언가 마음에 들 만한 것이 있다 하더라도, 승욱과 그 때문에 분쟁을 일으킬 일은 없었다. 병숙이 그에게 원하는 것도 별로 없기는 했지만, 원하는 것이 있다면 승욱은 무엇이든지 주었다. 어쩌면 승욱이 그녀에게 가장 주고 싶었던 것은, 그를 그로 만들어버린 운명적인 어떤 것, 핵심이라 말할 만한 어떤 것들이었을 것이다. 예컨대 그는 그의 성기를 병숙에게 옮겨 심을 수 있다면 능히 그렇게 했을 것이고, 다시 기회만 주어진다면 그는 더 오래 참고, 더 오래 인내하여 성미 급한 병숙이 그를 젖히고 어미의 자궁을 뛰쳐나가게 했을 것이다. 그러나 승욱이 모르고 있었던 것은 병숙 역시 오래된 시대의 가난한 집 맏딸이라는 사실이었다. 병숙은 그 사실을 잘 알고 있었고, 무지막지하게 고집을 피워 어머니나 아버지에게 등짝을 얻어맞는 동안에도, 자신이 언젠가는 출생으로부터 빚진 의무를 톡톡히 갚게 되리라고 짐작했다. 어머니 아버지가 일찍 돌아가셨을 때, 그녀가 얼마나 어리둥절했는지, 무엇 때문에 그토록 깊은 상심에 빠졌는지를 완전히 이해하는 사람은 없었다. 그녀는 비교적 성공한 삶을 살아 나이 마흔이 넘었을 때는 제법 산다는 소리를 들었다. 그녀는 자신이 이제야말로 빚을 갚을 시기에 이르렀다고 생각했는데, 정작 손을 내밀어야 할 사람들은 그토록 서둘러 그녀의 곁을 떠나버린 것이다. 병숙은 슬픔과 고통으로 어머니 아버지를 차례로 보내드린 후, 그 슬픔과 고통의 시선으로 자신의 형제를 바라보았다. 그녀와는 다른 성기를 가지고 태어난, 그녀의 쌍둥이 형제는 여전히 소심하고 내성적인 얼굴을 하고 있었다. 병숙과는 달리 승욱은 그리 성공적이라 할 수 없는 삶을 살았다. 아직 오십도 되기 전에 그의 등이 구부정했다. 그러나 그는 자신의 삶이 어떠할 것이란 걸 일찍이 알고 있었던 성자처럼 삶도 운명도 비난하지 않았다. 법 없이도 살 사람이라고 일컬어지는 세상의 그 수없이 많은 무능한 사람들 중에 그녀의 쌍둥이가 끼여 있다는 사실은 병숙을 슬프게 했지만, 또한 기운차게도 만들었다. 어머니의 자궁 속에서 그녀가 엉덩이를 세게 걷어차 원치 않는 세상으로 먼저 내보냈던 형제에게 그녀는 이제 빚을 갚을 작정이었다.

닭집을 하는 승욱이 배달을 나갔다가 승용차와 추돌사고를 당한 것은 벌써 여러 달 전의 일이다. 연락을 받고 병원으로 달려갔을 때 승욱은 손끝 하나 안 다친 듯 멀쩡해 보였다. 승욱은 전에도 비슷한 사고를 당한 적이 있었다. 주문이 급히 밀려드는 시간에 스쿠터를 몰고 어두운 골목길을 내달리는 일은 십대 소년에게도 위험한 일일 것이다. 승욱은 침대에 앉고 나머지는 의자에 앉거나 대충 서서 마치 남의 얘기를 듣듯이 사고가 일어난 상황을 전해들었다. 간간이 웃음소리까지 끼어들었다. 적어도 그때까지는 승욱이 그토록 오래 병원에 있게 되리라고 생각한 사람은 아무도 없었던 게 분명했다. 사고 당일까지만 해도 그토록 멀쩡하던 승욱은 이튿날부터 허리통증을 호소하기 시작했고 점차로 일어나 앉는 것조차 고통스러워하더니 거듭해서 수술실을 들락거리게 되었다. 허리에 디스크가 심각하다고도 했고, 무너진 뼈 대신에 쇠심을 박는다고도 했고, 덮었던 수술자리를 다시 열어본다고도 했다. 그러는 동안 보험회사 직원이 가족보다 더 자주 병실을 들락거렸으나, 티브이 광고에서 보여지는 것처럼 보험회사가 '모든 것을 다 알아서' 해주는 것 같지는 않았다.

병숙은 한 달에 한 번쯤 승욱이 입원해 있는 병원을 찾아가거나 올케 경선이 혼자서 이고 지고 끌고 가고 있는 닭집을 찾아갔는데, 처음에는 일어나 앉는 시늉이라도 하던 승욱은 나중에는 그런 시늉조차 버거워할 지경이었고, 역시 처음에는 새 기름에 첫 번째 튀긴 닭을 접시 위에 모양 좋게 담아 내놓던 경선은 나중에는 식은 닭다리와 시든 양배추를 케첩자국이 묻어 있는 접시와 함께 내놓았다. 병숙은 승욱의 병원 침대 베게 밑에, 그리고 경선이 내놓는 닭튀김 쟁반 밑에다가도 돈봉투를 끼워놓았다.

매번은 아니었지만 그래도 드물지 않게, 여동생 병희가 병숙과 함께 병원에도 가고 닭집에도 들르곤 했다. 병희는 자식 욕심이 많던 어머니가 폐경 직전에 거둔 자식이었다. 쌍둥이를 키워내느라 일찌감치 기운이 빠져버린 어머니의 자궁은 병숙과 승욱이 태어난 후, 그리고 병희가 태어날 때까지 여러 차례의 유산과 사산을 거듭했다. 병희가 태어난 것은 사실 기적에 가까웠는데, 그토록 자식을 애달프게 원하는 듯하던 어머니와 아버지는 막상 이 늦둥이에게 특별한 애정을 보이지도 않았다. 병희가 태어날 무렵은 어머니와 아버지의 사는 일이 가장 바빴을 무렵이었다. 쌍둥이의 등록금을 한꺼번에 마련하고, 한꺼번에 두 벌의 교복을 마련하고, 또 학원비를 한꺼번에 두 몫씩 마련하는 일은 쉬운 일이 아니었을 것이다. 병희에게 돈이 들 무렵에는 쌍둥이들이 다 커서 언니 오빠 노릇을 든든히 해낼 거라는 생각만이 그들에게는 행복한 위안이 되어주었다. 상고를 졸업하자마자 취직을 한 승욱이 첫 월급을 받았을 때, 가장 먼저 했던 일은 병희에게 좋아하는 전기구이 통닭을 사주는 일이었다. 병희가 통닭을 먹고 들어와 몹시 토하던 날까지, 그는 거의 일 년 동안 매달 월급날마다 병희를 통닭집으로 데리고 갔다. 오랜 세월이 흘러 닭집 주인이 된 승욱을 볼 때마다, 병희는 오래전 그가 사주곤 하던 전기구이 통닭을 떠올리지 않을 수가 없다고 했다.

그날 병희는 병숙보다 먼저 닭집에 도착해 있었다. 닭집에서 만나자고 약속을 해놓고는 병숙이 출발에 늦장을 부린 탓이었다. 경선은 주방에 서서 닭을 손질하다 말고 오셨어요, 고개를 까닥하고 병희는 앉은 자리에서 무덤덤히 병숙을 쳐다보았다. 나이가 너무 많이 들어 이제 더는 아가씨 티도 나지 않는 병희는 여전히 독신이다. 병희는 누구의 며느리인 적도 없고 누구의 아내인 적도 없으며 누구의 어미인 적도 없다. 그녀가 누구의 무엇인 적이 있다면 그것은 오직 그들의 나이 어린 여동생이었을 뿐이다. 운이 나쁜 남편과 사느라 잔뜩 부아가 나 있는 경선에게 시누란 존재가 그리 달가운 존재가 아니라는 것을 병희는 모른다. 병희는 경선이 내주는 콜라를 앉아서 받고, 따라주는 대로 마셨다. 병희가 마시는 콜라잔에서는 닭기름 냄새가 진동을 했다.

병숙은 가게 안으로 들어서자마자 팔을 걷어붙이고 앞치마부터 챙겼다. 밖으로 점심을 먹으러 나가자고 할 생각이었지만, 당장은 일을 손에 잡고 있는 경선을 모르는 체할 수가 없다. 경선이 기다렸다는 듯이 그럼 이것 좀 옮겨달라고 말을 한다. 폐기름통이었다. 여러 번 쓰는 동안 시커멓게 변색이 된 기름 속에는 밀가루 찌꺼기들이 연못 속의 뻘처럼 들어 있다. 경선이 폐기름통의 뚜껑을 열자, 병숙은 욱 하고 욕지기가 치밀었다. 병숙이 폐기름통을 옮기는 사이, 경선은 새 기름을 부은 솥의 온도를 맞추었다. 그들에게 줄 닭을 튀기려는 모양인데, 경선은 병희가 어린시절의 지독했던 체기 이후 닭고기는 입에도 대지 않는다는 사실을 아주 모르는 사람처럼 굴고 있다. 그것은 하필이면 오늘 병숙이 병희를 데리고 닭집에 나타난 이유에 대해서도 마찬가지였다. 경선은 사는 일 말고는 모든 것에 무관심해지다 못해, 최근 들어서는 염치나 체면에 대해서까지도 그랬다. 병숙이 경선에게 닭을 튀기지 말고 오늘은 밖에 나가서 밥을 사먹자고 권하자 경선은 기다렸다는 듯이 앞치마를 벗으면서도 지갑은 챙기지도 않았다.

병숙은 경선과 병희를 차에 태워 병원으로 가 이번에는 승욱을 데리고 나와 갈비집으로 향했다. 경선은 승욱이 따라주는 대로 소주를 받아마셨다. 술기운이라는 것은 역시 좋은 점이어서 경선은 점점 말이 많아지고, 점점 웃음이 헤퍼졌다. 내가 오빠랑 그때 말예요, 경선은 숨넘어갈 듯이 웃음을 웃으며 말을 이었다. 승욱이 사고를 당할 즈음의 어느 날, 경선은 승욱과 대판 부부싸움을 한 적이 있다고 했다. 티브이 뉴스 시간에 조류독감에 관한 보도가 나오면서 시작된 일인 모양이었다. 가게 벽에 높이 매달려 있는 티브이 화면에 산 닭들이 땅 속에 묻히는 장면이 나오더라고 했다. 닭들은 날개를 퍼덕이며 날아오르고, 처리반원들은 그 닭들을 삽으로 내리치며 파묻더라고. 경선은 리모컨도 없이 손을 길게 뻗어 채널을 돌려버렸다. 승욱이 리모컨을 찾아 다시 채널을 돌렸고 경선은 달려가 손을 길게 뻗어 티브이를 꺼버렸다. 승욱이 리모컨으로 켜면 경선이 손으로 끄고, 그러면 승욱이 다시 리모컨으로 켰다. 그러다가 갑자기 경선이 울음을 터뜨렸고, 못 살겠다고 했다는 것이다. 나 이제 더는 못 살겠다고. 이렇게는 못 살겠다고. 이제는 닭 냄새도 맡기 싫고, 당신도 보기 싫다고. 당신한테서도 닭 냄새가 나서 옆에 오는 것도 싫다고. 그러니까 난 이제 당신하고 안 살겠다고.

"그런데도 아직 이렇게 살고 있네!"

경선이 다시 숨넘어갈 듯이 웃음을 터뜨리고, 승욱은 벽에 기댄 채 비스듬히 앉아 빙그레 웃고 있었다. 병희는 다만 병숙이 가위로 잘게 잘라 앞으로 밀어놓은 갈비를 묵묵히 집어먹고 있을 뿐이다. 자신의 잔에 스스로 술을 채우던 경선이 느닷없이, 우리 노래방에 가자고 외쳤다. 밥 먹는 동안 앉아 있기도 힘든 사람한테 노래방엘 가자니…… 울컥 노여움이 솟구치려는 것을 병숙은 참는다. 오늘 같은 날은, 어쩌면 노래방엘 가는 것도 나쁜 일은 아닐지 모른다.

병숙의 남편은 병숙이 쌍둥이인 것을 알지 못한 채 결혼을 했다. 어려서부터 그녀는 쌍둥이라는 사실 때문에 놀림을 받았다. 병숙과 같은 반인 아이들이 승욱을 찾아가 구경하고 오거나 승욱의 반 아이들이 병숙의 반으로 몰려와 웃음을 터뜨리는 것은 학년이 바뀔 때마다 생기는 일이었다. 결혼하고 싶은 사람이 생겼을 때, 병숙은 자신이 쌍둥이라는 사실을 밝혀야 할 그 어떤 이유도 찾을 수가 없었다. 그녀가 승욱을 오빠라고 처음 부른 것은 남편이 그녀의 집에 인사를 오던 날이었다. 병숙의 남편이 승욱이 병숙의 쌍둥이 오빠라는 사실을 알게 된 것은 결혼을 하고 나서도 몇 년이나 지나서였다. 병숙의 남편이 기막히다는 표정을 지어보였을 때, 병숙은 시침을 떼고 말했다.

내 책임이 아니에요. 그건 내 기억에 없는 일이니까. 내가 갤 내 집에 불러들인 기억이 없단 말이에요. 태어나긴 늦게 태어났어도 생긴 건 내가 먼전데. 그러니까 그건 엄연히 내 집이었는데 그 자식이 은근슬쩍 밀고 들어온 거야.

그러나 기억에 없다는 말은 사실이 아니었다. 그녀는 그녀의 성장기 전체 모든 순간에서 그녀의 형제를 기억하는 것만큼이나, 자궁 속에서의 시간들까지도 기억했다. 기억은 의지가 아니라, 그저 간직되는 것이다. 표현할 수는 없지만 병숙은 자신의 존재가 시작되던 순간, 또 하나의 존재가 같은 통증을 느꼈다는 것을 알았다. 그리고 그 통증이 평생 동안 가게 될 것이라는 것도 알았다. 어느 날 자신이 몹시 아프게 된다면, 승욱도 같은 크기의 고통을 겪으리라고 그녀는 믿었다. 쌍둥이에 관한 미신을 가장 확고하게 믿는 사람은 바로 쌍둥이들 자신이었다. 그러나 승욱이 여러 종류의 불운을 겪을 때마다, 병숙은 그 불운을 전혀 느끼지 못했다. 승욱이 군대에서 가족들도 모르게 맹장수술을 받았을 때 병숙은 연필 깎는 칼에 베이는 정도의 통증도 알지 못했다.

"무슨 쌍둥이가 그래?"

승욱이 교통사고를 당했을 때 그 소식을 먼저 들었던 병숙의 남편은 병원으로 가는 차 안에서 농담처럼 말했다. 병숙은 손으로 허벅지를 쥐어뜯어 멍자국이라도 내고 싶다고 생각했다. 왜 그런 생각이 들었는지는 모른다. 그녀는 승욱 없는, 그리고 병희 없는 자신을 생각할 수 없었는데 그것은 남편을 생각할 때와도 달랐고, 자식들을 생각할 때와도 달랐다. 애정의 깊이와 맹목성을 생각한다면 자식들을 향한 것과는 비교할 수도 없겠지만, 그것이 비교되어질 수 없는 것이란 점에서는 비교할 가치도 없는 것이다. 그것은 자궁의 문제였고, 말하자면 존재의 문제였다. 그리고 그것은 아마도 그녀가 늙어간다는 것을 말하는 것일 터였다.

노래방으로 자리를 옮긴 후, 경선은 신이 났다. 제일 편안한 의자에 승욱을 앉히고 병숙과 병희가 나란히 자리를 잡았다. 그러나 반대쪽에 앉았던 경선이 마이크를 잡자 병희가 얼른 자리를 옮겼다. 병희는 상대가 누구이거나, 습관적으로 거리를 띄웠다. 소파에 나란히 앉아야 할 때조차도 병희는 소파의 맨 끝에 앉았다. 병숙이 일부러 맨 끝에 앉은 병희의 옆에 가 앉으면 그녀는 바닥에 내려가 앉거나, 슬며시 일어나 다른 자리로 옮겨가곤 했다. 자신에게만 해당되는 행동이 아니라는 걸 알면서도, 병숙은 그럴 때마다 마음을 다쳤다.

경선이 노래를 부르고 병희가 노래책을 뒤적거리는 동안, 병숙은 손을 바닥으로 내려 정신없이 발을 주물렀다. 피로가 발로 몰려오는 것은 무슨 증상일까. 서 있을 때는 물론이고 소파에 앉아 있거나 침대에 누워 있을 때에도 발이 아파 견딜 수가 없을 때가 많았다. 밤이면 문득 잠에서 깨어 벗어놓았던 양말을 다시 신고 나서야 또다시 잠에 들 수 있었는데, 그런 날은 어김없이 가위에 눌리는 꿈을 꿨다. 발이 뻘이나 모래 속에 묻혀 있는 기분이었고, 몸은 뻣뻣한 나무토막 같았다. 의사는 스트레스가 원인이라며 스트레스를 줄여야만 한다는 진단을 내렸다. 굳이 병원에까지 찾아가서 들어야 할 진단은 아니었다.

스트레스는 어디에나 있다. 좋은 얼굴로 형제들과 함께 밥을 먹고 노래를 부르고는 있지만, 이런 일 역시 스트레스가 아니라고는 할 수 없다. 그것은 다만 어려운 형편에 빠진 승욱 때문만이 아니라 병희 때문이기도 했다. 병희는 갈수록 점점 더 모든 것으로부터—뭐라 말할 수 없는 모든 것으로부터 낯설어지고 있는 게 분명했다. 아무런 사건도 없이, 아무런 곤란도 없이, 다만 혼자 늙어가고 있는 병희의 삶이 승욱과 경선보다 낫다고 누가 말할 수가 있겠는가.

병숙이 김치와 깍두기 따위를 싸들고 병희의 집을 찾아갈 때마다 학원강사라 저녁에만 일을 하는 병희는 대낮에도 잠들어 있기 일쑤였고, 그녀가 시도때도없는 잠에 빠져 있는 열 몇 평짜리 원룸은 끔찍할 정도로 지저분하고 어두웠다. 손에 닿고 발에 밟히는 것은 온통 오래된 책과 복사용지들이었는데, 컴퓨터는 밤이고 낮이고 켜져 있는 듯했다. 병숙이 그 집을 들었다 놓은 듯이 쓸고 닦는 동안 대기 모드 상태의 컴퓨터 화면에서는 물고기가 쉼 없이, 끝없이, 아주 느린 속도로 헤엄을 치고 있었다. 혹시 병희의 삶이란 것이 저 물고기 같은 것이 아닐까.

한번인가는, 병희의 책상 옆 쓰레기통에서 콘돔을 발견한 적도 있었다. 그런 물건이 침대 옆도 아니고 책상 옆에 있는 것은 무슨 까닭일까. 병숙이 쓰레기통을 물끄러미 들여다보고 있는 동안에도 검은 모니터 속에 갇힌 물고기는 한없이 느린 속도로 헤엄을 치고 있었다. 저 물고기는 얼마나 오래 헤엄을 쳐야 모니터 바깥으로 나갈 수 있을까, 병숙은 그런 생각을 하는 자신이 이상하게 여겨졌다.

몇 년 전까지만 해도 병숙은 병희가 평생 그렇게 혼자 살지는 않을 거라고 생각했었다. 설령 그런 생각이 들었더라도 그게 걱정스럽게 여겨지지도 않았을 것이다. 병숙은 자신이 너무 빨리 결혼을 해 너무 일찌감치 생활의 무게에 짓눌려버린 것이 늘 후회스러웠다. 남편은 그녀보다 훨씬 조건이 좋은 남자였다. 그를 만났을 때 그녀는 자신의 모든 감각이 마치 낚싯대의 찌처럼 그를 향해 움직이는 것을 느꼈다. 찌는 수면 위에 떠 있지만, 욕망은 수면 아래에서 맹렬하게 숨을 헐떡였다. 그것은 그녀가 그때까지와는 완전히 다르게 살 수 있는, 말하자면 오롯이 그녀 자신으로만 존재하게 될 수 있는, 혹은 자정이 되어도 끝나지 않으리라고 약속되어진 파티의 초대장 같은, 그 모든 것을 다 합쳐놓은 기회로 여겨졌다. 남편이 그만큼 대단해서가 아니라 그녀 자신이 그만큼 초라했기 때문이었다. 한몫을 다 받고 커도 부족했을 가난한 집안의 딸, 그러나 그녀는 태어나서 그때까지 늘 반 조각이었다.

결혼 후, 병숙을 가장 놀래켰던 것은 그토록 위대한 선택이었던 결혼이 그토록 구태의연하다는 사실이었다. 육아문제, 시댁문제, 거듭 평수를 늘려가는 아파트 때문에 항상 어느 정도씩은 쪼들리게 마련인 가계부…… 그리고 그 후로는 남편에게 슬쩍슬쩍 스쳐가는 여자문제와 자신의 때 이른 폐경…… 그런 것들. 다행히 아들만 있었으니 망정이지 딸이 있었다면 병숙은 그 딸이 자기처럼 서둘러 결혼을 한다고 나설까봐 늘 조바심을 쳤을지도 모른다. 자식에 대해서도 그러할진대 하물며 동생이야. 오래전 병희가 연애에 실패를 했을 때에도, 그리고 그 후 다시는 그와 같이 결정적인 연애를 시도하지 않는 것을 보면서도 병숙은 걱정하지 않았다. 병희는 평생 동안 늙지 않을 것 같았고, 언제나 그녀의 어린 여동생일 것만 같았던 것이다. 그러나 병숙은 이제 어쩔 수 없이 병희의 늙어가는 시간들을 걱정하지 않을 수 없었다. 어쨌거나 하나뿐인 여동생이, 남편도 없이 자식도 없이, 좁아터진 열 몇 평짜리 원룸에서 홀로 늙어간다고 생각하면, 가슴이 서걱거리다 못해 사포로 문대지는 듯했다. 그것은 승욱이나 경선을 떠올릴 때는 느끼지 못하는 감정이었다.

몇 번인가 병숙은 병희에게 앞으로 어떻게 살 거냐고 물어본 적이 있다. 거북한 질문이기는 했지만 언니로서 아주 모르는 체할 수도 없는 일이었기 때문이었다. 그때마다 병희는 아주 낯선 시선으로 병숙을 쳐다보았다. 마치 그게 언니한테 무슨 상관인 거냐고 묻는 듯했는데, 마치 자기와는 아무 상관도 없는 타인을 바라보는 듯했다. 그 시선의 거리 때문에 오히려 병숙의 가슴이 더럭 내려앉곤 했다.

언젠가 병희는 병숙에게 고래 이야기를 한 적이 있다. 어느 나라라던가 어디 해안에 고래 한 마리가 밀려와 죽었는데 그 시체를 처리하기 위해 고래 몸에 폭약을 설치했다는 것이다. 하긴 고래를 묻어줄 만큼 거대한 땅을 구하는 것은 쉬운 일이 아니었을지도 모르고, 죽은 고래를 그냥 바다에 띄워 보내는 것도 올바른 일은 아니라고 여겨졌을지도 모른다. 어쨌든 그 나라 사람들은 고래를 폭파하기로 결정했고, 사람들은 그 장관을 구경하기 위해 버스를 타고 기차를 타고 바닷가로 몰려들었다. 그런데 발파를 하는 순간 짐작치 못했던 상황이 발생했던 것이다. 펑, 하는 요란한 소리와 함께 고래가 폭파되기는 했는데 그 어마어마한 파편이 바다가 아니라 도시 쪽으로 튀었다는 것이다. 고래 시체에서 터져나온 피와 파편은 구경을 나온 관람객들의 양산 위에뿐만이 아니라, 도시의 가로수 위에, 자동차 위에, 지붕 위에, 그리고 도시의 중심을 흐르던 강물 위에까지 쏟아져내렸다. 그 아비규환이 어느 정도 진정된 후 고래를 보니, 고래는 여전히 반 덩어리의 시체로 남아 있더라는 것이다.

"언니, 난 그냥 말이야. 멀찌감치 떨어져서 사는 걸로 만족해. 군이 양산까지 쓰고 그 먼 바닷가까지 고래 찌꺼기를 뒤집어쓰러 갈 생각은 없다는 거야."

병숙은 병희의 말을 이해할 수 없었다. 동의할 수 없는 것이 아니라, 말 그대로 이해할 수가 없는 것이다. 그러니까 병희는 승욱이나 병숙의 삶이 죽은 고래의 찌꺼기를 뒤집어쓰고 더럽혀진, 그러나 고래보다도 더 쓸모없는 쓰레기거나 허세에 불과하다고 말하는 것일까.

노래 한 곡을 끝낸 경선이 마이크에 대고 병숙을 연호하듯 부르고 있다. 소파에 길게 눕다시피 앉아 있는 승욱이 무거운 팔을 들어올려 박수를 친다. 병숙이 앞으로 나가자 경선은 승욱에게로 가서 포개지듯 엎어진다. 허리를 다친 사람에게 저런 식으로 굴다니…… 병숙은 경선이 때때로 병실의 승욱을 불러내 가게일을 시키기도 한다는 것을 알고 있었다. 울컥 솟아오르려는 분노를 경선의 울음소리가 막아버린다. 병든 남편의 가슴에 포개진 채 엎어져 경선은, 저놈의 닭들이, 저놈의 닭들이, 앞뒤가 알 수 없는 말을 외치기 시작했다. 잘 들어보니 승욱과 대판 싸움을 벌였던 날 텔레비전에서 보았다는 닭들을 말하고 있는 모양이었다. 저놈의 닭들이, 명색이 새라는 것들이, 날아 도망도 못 가고, 저놈의 닭들이, 푸드덕푸드덕, 그래도 날개는 있다고, 그 날개에 삽날이 찍혀, 저놈의 닭들이…… 날개가 찍혀…… 경선의 말은 더 이상 들리지 않았다. 병희가 병숙 대신 먼저 노래를 부르기 시작했기 때문이었다. 노래는 뜻밖에도 명랑하기 짝이 없는 멜로디였는데, 경선이 울고 있거나 말거나, 병희는 무표정한 얼굴로 노래를 불렀다.

한 자궁 속에 같은 둥지를 틀었던 것은 병숙과 승욱이었으나, 찍은 듯이 닮은 것은 병희와 승욱이었다. 13년이란 세월을 사이에 두고 태어난 여자아이가 자기와 그토록 닮은꼴이라는 사실에 대해 승욱은 어떤 감정을 느꼈을까. 병숙은 승욱에 대해 모든 것을 기억했으나, 그와 같은 것을 느껴본 적은 없다. 승욱에 대한 병숙의 기억은 영토싸움이거나, 영토싸움이 아니거나 둘 중의 하나였다. 그녀는 본능적으로 그에 대해서 긴장했고, 주먹을 풀려고 하지 않았다. 승욱은 자신의 쌍둥이 여동생을 사랑할 방법이 없었을 것이다.

그러나 자기보다 13년이나 늦게 태어난 병희는 달랐다. 그들은 생긴 것도 닮았지만, 지독할 정도로 말수가 적은 것도 닮았고, 겉으로 내보내는 것보다 안으로 삼키는 것이 더 많다는 점에서도 닮았다. 병숙은 자주, 그들이 의식하지도 않는 사이에 같은 곳을 바라보고 있는 것을 발견하곤 했다. 오래전 그들은 공항 근처에서 한동안 살았던 적이 있다. 먼 친척인 집장사가 지어놓고 팔리지 않던 집에 잠시 살게 되었던 것인데, 당시 초등학교에도 입학하지 않았던 병희는 비행기가 뜨고 내리는 것이 환히 보이던 그 집에 당장에 매혹되었다. 3층짜리 연립주택의 맨 꼭대기층에 있던 그들의 집에서는 끝도 없이 넓은 들판과 먼 산과 공항의 관제탑과 하루에도 몇 차례씩 뜨고 내리는 비행기가 보였다. 병희는 베란다에서 살다시피 했고, 바깥으로 나가서는 온갖 것들을 주워 들였다. 깨진 사금파리부터 녹슨 콜라병 뚜껑까지 손에 닿는 무엇이든 주워와 그것이 비행기에서 떨어진 것이라고 말하는 거였다. 그때까지 식구들 중에 비행기를 타본 사람은 아무도 없었기 때문에, 철로 주변에 계란껍데기나 콜라병 같은 쓰레기가 있는 것처럼 공항 근처에도 무언가 떨어진 것이 있는 것은 당연하다고 여겼고, 병희의 말을 거짓말이라고 생각해야 할 이유도 없었다. 그러나 병희가 비행기에서 사람이 떨어지는 것을 보았다고 했을 때는 문제가 달랐다. 병희의 말에 의하면 날아가는 비행기에서 쿵 하고 뭔가가 떨어졌는데 그것이 벌떡 일어나더니 엄마를 부르며 달려가기 시작하더라는 것이다. 몸집이 아주 작은 아이였다고 했다. 아이는 너무 작고 비행기는 너무 빨리 날아갔기 때문에 아이는 그때부터 지금까지 비행기를 쫓아 달리느라고 쉴 틈이 없다고도 했다. 아무도 믿지 않는 그런 말을 해놓고는, 병희는 그날 밤부터 나쁜 꿈을 꾸기 시작했다. 밤마다 비명을 지르고 깨어 일어나 베란다로 달려나가서는 저기 그 아이가 달려가고 있다고 다시 소리를 질렀다. 저 아이가 내 꿈속에서 나와 지금은 저기서 달리고 있네! 자꾸 가위에 눌리는 병희 때문에 덩달아 잠자리를 설치곤 했던 식구들은 병희를 쫓아 베란다에 나가 어두운 벌판을 내다보았다. 병숙은 그녀의 어머니와 아버지가 그랬던 것처럼 아무것도 볼 수 없었지만, 승욱이 병희와 같은 것을 보고 있다는 것은 알 수 있었다. 승욱은 병희의 손을 꼭 잡고, 병희가 바라보는 곳을 같이 바라보고 있었다.

그들은 마치 한 몸에서 뻗어나온 오래된 가지와 새순 같았다. 군대에 간 승욱이 식구들도 모르게 맹장수술을 했을 때, 복부가 찢겨져나가는 통증을 느꼈던 것은 병숙이 아니라 병희였을 것이다. 가난한 집안의 장남으로 태어났다는 사실을 그토록 순순하게 받아들였던 승욱이 어떤 꿈을 가지고 있었는지를 가장 잘 아는 사람도 아마 병희였을 것이다. 승욱이 월급날마다 사주던 전기구이 통닭에 체기를 일으키고 다시는 닭고기를 입에 대지 못하게 된 것처럼, 병희는 승욱이 가지고 있는 꿈에도 체증을 일으킨 게 틀림없었다. 세상의 모든 꿈에는 고단한 생의 대가가 따른다는 것을, 병희는 너무 일찍 알아버렸던 것일지도 모른다. 그때 비행기에서 떨어진 건 혹시 오빠가 아니었을까? 승욱이 교통사고를 당했던 날, 집으로 돌아가던 차

안에서 병희가 했던 말이었다. 힐긋 돌아보았을 때 병희의 얼굴은 언제나처럼 무표정했다. 병숙이 자신의 책상 옆 쓰레기통에서 버려진 콘돔을 발견했다는 것을 알았을 때에도, 병희는 그런 표정을 지어보였었다.

"나는 이런 생각을 해."

언제인지는 알 수 없다. 병숙이 병희에게 이런 말을 한 적이 있다. 우리 모두가 다 같이 어린시절로 돌아갈 수 있다면, 그래서 뭐든지 다시 한 번 시작해볼 수만 있다면, 그런 기회가 주어진다면 나는 뭐가 되고 싶을까. 어떻게 살고 싶을까. 병희가 병숙의 말을 툭 자르며 대꾸를 했다. 그럴 수 있다면 언니는 혼자서 태어나고 싶을 거야. 그 말을 듣는 순간 병숙의 가슴에서 구멍이 열리는 듯했다. 아주 오래전부터 있었던 구멍의 봉인이 풀려, 회오리 같은 바람이 쑥 지나가는 듯도 했다. 어떻게 말해야 할까. 자신에겐 남편과 두 아들이 있고, 제법 넓은 평수의 아파트가 있고, 노후를 위해 준비해둔 저축도 좀 있다. 자신이 갖고 있는 것이 얼마나 많은 것인지 그녀는 잘 알고 있다. 그것은 그녀의 평생이 담긴 삶이며, 또 평생을 가게 될 삶이다. 그녀는 가끔 이렇게 많은 것을 주셔서 감사하다고, 불특정한 신에게 감사했다. 그때 그녀의 감사하는 마음이 진심이 아니라고는 절대 말할 수 없다. 그러나 마찬가지로, 울컥울컥 염증이 솟아나는 듯한 심정이 되는 것도 과장된 것이라고는 말할 수 없다. 아이들은 학교에서 돌아오지 않고 남편도 귀가가 늦은 어느 어스름 저녁, 그녀는 어두워져가는 거실에서 두 주먹을 불끈 쥔 채 그렇게 이유를 알 수 없는 노여움에 빠져 있었던 것이다. 구멍은 노여움에 공허의 옷을 입히고, 다시는 그 뚜껑을 닫으려고 하지 않았다. 그것은 욕망의 문제가 아니라고, 병숙은 혼자 생각했다. 그것은 어쩌면 보다 근본

적인 것, 태어난 곳을 바라보는 문제일지도 모른다고 생각했다. 물론 그런다고 해서 무엇이 달라지겠는가. 그러나 욕망의 문제가 아닌 것처럼 그것은 변화의 문제도 아니었다. 다만 그것은, 시선의 문제일지도 모를 일이다.

노래방에서 나왔을 때, 밖은 아직도 한낮이었다. 술에 취한 경선을 병희에게 맡길 수 없어 승욱은 병희에게 맡기고 병숙은 경선을 차에 태웠다. 구부정하게 등이 굽은 승욱이 병희와 함께 걸어가는 모습이 마치 찬란한 햇살의 이면처럼 바라보였다. 병숙은 잠시 숨을 가다듬은 후에야 시동을 걸었다. 술에 취해 정신을 못 차리는 줄 알았던 경선이 반듯하게 앉아 안전벨트를 매고, 가게로 가는 거지요? 목소리도 말짱하게 냈다. 괜찮으냐고 묻자 경선은 웃음소리까지 냈다. 전생에 무슨 인연이 있어 이렇게들 만났을까요. 술이 완전히 깬 건 아닌 모양이었다. 경선의 말투가 사뭇 감상적이다. 그 사람, 고모의 쌍둥이 오빠 말이에요, 그 사람은 내가 아는 사람 중에서 가장 착한 사람이에요. 그런데 왜 그 말이 욕으로 들릴까, 병숙이 속으로 생각하는데 경선이 말을 이었다. 욕 아니에요. 착하다는 게 흉인 세상에 살고는 있지만, 흉 안 잡히려고 안 착할 수는 없잖아요. 그러니까 그 사람도 방법이 없는 거예요. 승욱은 착했고 병숙은 모질었다. 둘은 섞어서 반을 나눈 게 아니라 짝수와 홀수를 나누어놓은 것처럼 달랐다. 처음부터 그렇게 나온 것은 아닐지도 모른다. 병숙이 원하는 것을 가지고 난 후 남은 것만을 승욱이 가졌을 것이다. 그러니 승욱에게는 방법이 없다는 말은 맞다. 그러나 방법이 없는 것은 병숙도 마찬가지였다. 흉을 안 잡히려고 착한 척하고 살 수는 없었다. 가난한 집안에 쌍둥이 여동생으로 태어나, 자기 몫을 챙긴다는 것이 얼마나 힘든 일인지는 누구나 쉽게 짐작할 수 있는 일이 아니다.

나는 이런 생각을 해요. 병숙은 액셀을 밟으며 말했다. 내가 다시 어린시절로 돌아갈 수 있다면, 그래서 뭐든지 다시 한 번 시작해볼 수만 있다면, 그런 기회가 주어진다면 나는…… 뭐가 되고 싶어요? 경선이 묻고 병숙이 웃었다. 나는 잘 태어나고 싶어요. 나는 자궁 속까지 돌아가서 아주 잘 태어나고 싶어요. 그래서 죽는 날, 이렇게 말할 수 있다면 좋겠어요. 나는 아주 잘 와서 잘 있다가 간다구요. 병숙의 말을 듣는 경선의 안색이 좋지 않았다. 고모는 잘 살았잖아요. 뭐가 더 부족해서요? 병숙은 대답 대신에 핸드백을 끌어당겨 그 속에서 봉투를 꺼냈다. 이번엔 좀 많이 넣었어요. 오늘은 날이 날이니까, 라고 말을 이으려다가 병숙은 말을 돌렸다. 요새 장사도 영 안되는 것 같고 해서요. 경선의 무릎 위에 봉투를 올려놓는데 경선이 갑자기 울음을 터뜨렸다. 아무래도 술기운이 오래가는 모양이었다. 경선은 두 손으로 얼굴을 감싼 채 그 사람은 방법이 없었다구요, 반복해 중얼거렸다. 노래방에서 저 닭들이, 저 닭들이, 라며 외치던 것과 똑같은 목소리였다.

병희는 아직도 어린시절을 생각하면, 짧고 통통한 다리를 배 위에 포갠 채 뜨거운 유리상자 안에서 붉고 기름지게 회전하던 전기구이 통닭을 떠올리지 않을 수 없다고 했다. 한 달에 한 번 승욱은 어김없이 병희를 전기구이 통닭집으로 데리고 가 그 아이에게 배부른 외식을 시켜주었다. 병희는 한 달 내내 오빠의 월급날을 기다렸지만, 그것이 다만 군침 도는 식욕과 짜릿한 행복이었던 것만은 아니었다. 지독하게 말수가 적은 승욱은 통닭 한 마리가 접시에서 비워질 때까지 세 마디의 말도 하지 않았던 것이다. 통닭 한 마리를 먹는 내내 병희가 겪었던 불안은 병희만이 안다. 어린 여동생의 입가에 반지르르하게 묻어나는 기름기를 바라보는 것만으로도 마냥 흐뭇했던 승욱의 시선은, 병희에게는 어느 날 밤의 지독한 체기가 되었다.

닭을 먹을 때마다 내가 무슨 생각을 했는지 알아? 착한 아이가 돼야지. 착한 동생이 돼야지. 착한 딸이 돼야지…… 오빠는 한 번도 그런 말을 안 했는데, 나는 그런 생각이 드는 거야.

병숙은 병희의 말을 이해할 수 있었다. 스무 살 승욱의 시선에 가득 차 있었을 선의가 병희를 어떻게 압박했을지. 병희는 그때 너무 어렸고, 어린아이들은 선의보다는 악의에 먼저 매혹되는 법이니까. 그러나 병숙은 그 순간에도 병희와 승욱이 같은 곳을 바라보고 있었을 거라는 걸 믿는다. 사실을 말하자면 그 순간에 그 자리에 같이 있지 않았던 병숙 역시도 그건 마찬가지였다. 그들이 믿고 싶었던 것은 삶이 그들에게 베풀어줄 선의였으리라. 그들은 두 팔을 곧게 펴고 튼튼한 다리로 얼마든지 뛸 수 있다고 믿었을 것이다. 필요한 것은 다만 시간뿐, 비록 짧은 날개를 갖고 있더라도, 삶이 그들에게 선의를 베풀기만 한다면 날아오르는 것이 불가능하리라고는 생각하지 않았던 게 틀림없다. 사실 그들이 원한 것은 아주 소박한 높이에 불과했던 것이다.

집으로 돌아가는 길, 올림픽대로가 한낮인데도 막힌다. 병숙은 기어를 중립에 놓고 브레이크를 잡고 있던 발을 잠시 편하게 놓았다. 옆 차선의 차 안에 두 아이를 태우고 가는 젊은 여자가 보였다. 남자아이만 둘인데 병숙의 아들들이 그랬던 것처럼 끔찍하게 말썽쟁이들인 모양이었다. 젊은 엄마가 운전대를 잡은 채 어깨를 돌려 아이들을 때리는 모습이 위태롭기가 짝이 없다. 병숙의 얼굴에 웃음이 번진다. 연년생 아들 둘을 키우는 동안 그녀의 젊었던 시간이 얼마나 고단했던지는 하느님만이 아실 것이다. 아이 둘이 싸우면 한 아이는 이쪽 방에 가두고 또 한 아이는 저쪽 방에 가두고, 그녀는 이쪽 방 저쪽 방을 뛰어다니며 애들을 때려주었다. 그 고단하고 바쁘던 시절은 그러나 소박한 행복으로 가득 차 있었다. 눈 깜짝할 사이에 그 세월이 다 지나가버릴 줄은 몰랐다. 그러나 그렇게 눈 깜짝할 사이에 지나가버린 것은 그녀의 아이들의 유년뿐만이 아니라 그녀의 유년도 마찬가지다. 아니, 그녀의 생 전부가 그러하다. 돌아보려는 순간 이미 그것은 너무나 오래된 과거형이 되어 있다. 그러나 삶이나, 그 삶의 중심에 허방처럼 뚫린 구멍에도 경외해야 할 것이 있다면, 그것은 중심이 아니라 중심을 둘러싼 모든 사소한 것들일 수도 있다. 같은 소풍날 먼저 차지하기 위해 애썼던 김밥도시락이나, 참고서를 사자마자 책의 옆면에 자기 이니셜을 먼저 써넣고는 어머니에게 등짝을 맞았던 기억들…… 그리고 공항 근처에서 살았던 한때, 병희의 악몽을 쫓아 밤마다 맨발로 나가 바라보던 베란다 바깥의 어둠, 그런 것들.

생각해보면 김포벌판에 외따로 떨어져 있던 연립주택에서의 몇 달은 그들이 가장 먼 곳, 혹은 가장 높은 곳을 바라보며 살았던 시기였는지도 모른다. 봄 벼가 푸르게 익던 평야와, 그 평야 위로 높이 날아오르던 비행기는 지금도 눈에 선하다. 그리고 베란다의 난간 위에 올려져 있던 그들 세 형제의 흰 손등도. 오랜 세월 후, 병숙은 비행기에서 그들이 한때 살았던 곳이라고 짐작되는 벌판의 어느 한 지점을 내려다본 적이 있다. 그때 어쩌면 그녀는 비행기에서 떨어져 그때까지도 벌판을 달리고 있는 어린아이를, 아니 이제는 중년이 되어 어깨가 구부정해진 한 사람을 보았을지도 모른다. 어린시절 병희가 보았던 그 어린아이는 승욱일 수도 있지만, 어쩌면 자신일 수도 있다. 그때부터 지금까지 비행기를 쫓아 달리느라 그래서 이토록 발이 아픈 것일지도.

길이 다시 풀리기 시작하자 병숙은 얼마쯤 차를 몰다가 갓길로 빠져나왔다. 여전히 맹렬하게 아픈 발바닥보다도 중요한 것을 잊은 것이 새삼스레 떠올랐기 때문이었다. 차를 세우고 핸드폰을 꺼내 병숙은 승욱의 병실로 전화를 걸었다. 같은 병실을 쓰는 환자가 잠깐 기다리라고 하는 사이, 병숙은 룸미러에 비친 자기 얼굴을 바라보며 나지막이 말을 했다.

"생일 축하해."

생각해보면, 그녀는 승욱에게도 자신에게도 진심으로 생일축하를 해본 적이 없다. 그것은 나이가 들면 들수록 더욱 그러해서, 이제 와서는 누군가가 굳이 자기 생일을 기억해주는 일조차 귀찮게 여겨졌다. 그러나 생의 어느 한 지점쯤에서는 진심으로 자기의 생일을 축하해주는 어느 하루가 있는 것도 나쁘지는 않을 것이다. 그녀는 그 생일축하의 말을 그녀의 쌍둥이 형제에게 듣고 싶었다. 여보세요, 승욱의 목소리가 건너왔다. 그리고 병숙은 흠흠, 기침 소리를 냈다. 세상에서 가장 낯간지러운 말을 해야 하기 때문이었다. 오늘이 단오인 걸 알고 있니? 말을 하기도 전에 맹렬하게 아프던 발바닥의 통증이 조금쯤 가시는 듯했다. 입속의 말이 입 밖으로 나오기도 전에 스스로 위로받았기 때문일지도 몰랐다. ▪

## 조경란

# 달걀

1969년 서울 출생.
서울예대 문예창작과 졸업. 1996년 《동아일보》로 등단.
소설집 『불란서 안경원』『나의 자줏빛 소파』『코끼리를 찾아서』『국자 이야기』,
중편소설 『움직임』, 장편소설 『식빵 굽는 시간』『가족의 기원』『우리는 만난 적이 있다』 등.
〈문학동네신인작가상〉〈오늘의젊은예술가상〉〈현대문학상〉 수상.

# 달걀

비행기를 탄 지 일곱 시간쯤 지나면 창문을 깨고 뛰어내리고 싶은 충동에 휩싸인다. 손톱만 한 크기도 못 되는 육각형의 벌집 속에 몸을 웅크린 채 고개를 쑤셔박고 있는 느낌이다. 중앙아시아 상공을 지나면서부터는 애써 뭔가를 읽는 것도 알코올의 힘을 빌려 잠을 청해보려는 노력도 모두 포기하고 말았다. 그러자 지금부터 내가 가장 집중해야 할 일은 바로 이 비행기 창문을 깨부수고 뛰어내리는 일처럼 느껴지기 시작했다. 생각하고 말 것도 없이 물론 이것은 불가능할 것이다. 비행기 창문을 깨는 일보다는 바로 그 불가능하다는 사실을 확인하는 것에 더 매달리고 싶은지도 모르겠다. 아무튼 지금 나에게는 몰입할 어떤 것이 필요하다. 헤어진 여자들, 그리고 불과 열흘 전에 새로 만난 여자. 나는 내가 여자들에 관해 쓰게 될까봐 두렵다. 그러다가 결국엔 이모 이야기를 하게 될까봐. ……가비. 지금은 그녀 생각만 하기로 하자.

창문의 크기는 가로 세로 한 뼘을 약간 넘었다. 고작 이 정도라면 깨지 못할 것도 없다. 게다가 이건 유리로 만들어진 것도 아니고 아크릴판이다. 손톱 끝으로 툭툭 창문을 두드려보았다. 불가능해 보였던 일이 뜻밖에 쉽게 풀리는 듯해 보일 때가 있다. 그러나 나는 곧 입을 다물어버리고 말았다. 창문의 모서리가 모두 둥글다. 둥글다는 것, 그것은 곧 내가 이 창문을 결코 깰 수 없을 거라는 뼈아픈 실패의 기록을 간직한 저 창문의 의지이기도 한 셈이다.

1950년대 초에 영국에서 세계 최초로 제트여객기를 개발한 적이 있다. 계속 잘 운행하던 비행기가 몇 년 뒤부터 추락하기 시작했는데 그 이유는 바로 버스 창문처럼 각지고 네모난 비행기 창문의 모양과 크기 때문으로 밝혀졌다. 각이 진 부분으로 동체에 작용하는 엄청난 힘이 집중되어 수년 동안 금이 가듯 서서히 틈이 벌어지다가 한순간에 퍽, 터져버리고 말았던 것이다. 높은 고도와 압력으로부터 오는 모든 힘에 골고루 균형을 갖춰 대응하기 위해서 그 후로 모든 비행기의 창문은 둥글게 디자인되었다. 설령 비행기 창문이 사각형으로 만들어져 있었어도 나는 이것을 깨지는 못할 것이다. 하늘을 날기 위해서는 비행 중에 새나 다른 어떤 물질이 와서 부딪쳐도 깨지지 않을 만큼의 강도를 가져야 할 테니까 말이다. 비행기 창문에서 손바닥을 떼어냈다. 창문은 이미 직경 삼 밀리미터의 얼음덩어리를 공기총에 장전하여 쏘아올린 강도의 시험을 거쳤을 것이다. 객실 창문보다 더욱 강력한 충격에 견뎌야 하는 조종실 창문 역시 이 킬로그램 정도 나가는 죽은 닭을 압축 대포로 쏘아서 유리의 강도를 측정하였을 것이다. 앞으로 다섯 시간을 더 날아 인천공항에 착륙할 때까지 나는 어떻게 해도 여기서는 빠져나갈 수 없을 것 같다. 나는 담요를 눈썹까지 푹 뒤집어쓰곤 속으로 쓰게 웃었다. 삼백 톤도 훨씬 넘는 이 거대한 무게의 비행기가 고작 이 킬로그램도 채 안 나가는 새들 앞에서는 벌벌 떨 수밖에 없으니 말이다. ……그런데 닭이라니, 이런이런.

여자들에 관해서는 그만 생각하자.
가비, 그녀의 이름이다.

수년 전에 한 여자와 꽤 오랫동안 교제라는 걸 한 적이 있다. 시간이 아무리 오래 흘러도 그 여자를 잊을 수는 없을 것 같다. 왜냐하면 뭐든지 꼭 세 번씩은 되풀이해서 말하는 여자였으니까. 이를테면 배고프다는 말도 언제나 나 배고파요, 배고파요 배고파요, 조르듯이 세 번씩 말했다. 샹송을 잘 부르던, 퍽 매력적인 목소리를 가진 여자였지만 사실 그럴 때의 목소리를 듣기 좋았다라고는 지금도 말하기 어렵다. 그러나 그녀가 사랑을 고백하던 첫 순간에 나는 몸이 떨릴 정도로 흥분했다. 사랑한다는 말도 그녀는 세 번, 당신을 사랑하게 되었어요 당신을 사랑하게 됐어요 당신을, 사랑해요, 라고 했으니까 말이다. 눈물이 찔끔 날 것만 같았다. 혼자서 오래 공을 들인 여자였다. 제작2팀 박 PD가 부친상을 당했을 때 그녀가 운전하는 자동차를 타고 수원병원 영안실에 간 적이 있었다. 삼십 분만 기다려줄 거예요, 삼십 분, 진짜 삼십 분 만이라구요, 그녀는 못박았다. 문상을 하고 바로 나올 작정이었으나 얼떨결에 소주까지 한 잔 받아마시게 되었다. 그날 그녀를 한 시간이나 기다리게 만들고 말았다. 한마디도 하지 않은 채 그녀는 거칠게 운전을 했다. 나는 차창 밖으로 고개를 돌린 채 딴생각에 빠져 있었다. 결국 그녀가 가로수를 들이받는 사고를 내고 말았다. 이제 더 이상은 안 되겠어. 찢어진 이마를 손바닥으로 누르며 그녀가 돌연히 말했다. 어쩐 일인지 그 말만은 딱 한 번만 했다. 그날 밤 자동차 안에서 내가 떠올리고 있었던 건 언젠가 나를 세 시간이나 기다려준 사람도 바로 그녀였다는 것이다. 그게 불과 일 년 전의 일이었다.

어떤 여자와 헤어지게 돼도 그건 모두 다 내 책임이라는 생각이 든다. 이상한 것은 내 의지로 한 여자를 떠난 경우에도 시간이 흐르고 나면 결국은 내가 버려진 거라는 자명한 씁쓸함을 떨쳐버릴 수 없게 된다는 것이다. 지금 갑자기 뭐든 세 번씩 말하곤 했던 그 여자를 떠올리게 된 건 그것이 가장 최근에 있었던 나의 연애 기록이기 때문이다. 아무리 많은 것을 주어도 여자들은 언제나 더 많은 것을 요구하곤 했다. 그들은 해준 것이 너무나 많은 사람에 대한 두려움을 알지 못하는 것처럼 보였다. 그리고 떠날 때 여자들은 이렇게 말하곤 했다. 어떻게 나한테 이럴 수가 있어요?

체크아웃을 마치고 호텔 정문 앞으로 나갔을 때 눈에 익은 흰색 밴이 주차되어 있었다. 아침 일찍 떠난 줄 알았던 가비가 운전석에 앉아 있었다. 출국 수속을 마치고 스타디움처럼 타원형으로 생긴 테겔공항을 한 바퀴 돌고도 시간이 남아 하는 수 없다는 얼굴로 나는 기웃기웃 카페를 찾아들어갔다. 가비가 과일주스와 콜라를 주문했다. 열흘. 나는 가비 뒤에 서서 날짜를 헤아려보았다. 날마다 빵과 맥주를 마셨고 때 아닌 감기를 앓기도 했으며 비가 내리는 날엔 그 거리에서 가장 크고 검은 우산을 사 쓰곤 오랫동안 걸어다녔다. 그리고 가비가 있었다. 딱 열흘. 이걸로 끝이야. 나는 단숨에 주스를 들이켰다. 그녀와 보냈던 이백사십 시간을 꿀꺽 목구멍 깊숙이 삼켜

버리려고 했다. "또 언제 올 거지?" 나는 이를 악물고 못 들은 척했다. "흠, 다시 오게 될 걸." 조금도 웃지 않고 가비는 말했다. 우리가 처음 만나던 순간에도 그녀는 나에 관한 것이라면 모두 단도직입적으로, 의기양양하게 말하곤 했다. 그녀와 헤어지고서야 든 생각이지만 그럴 때의 가비는 흐름이 수없이 바뀌는 굴곡을 모두 지나 곧 바다를 만나는 지점에 이른 강물처럼 힘차고 확신에 차 보였다.

내 손바닥으로 작고 동글동글하게 생긴 것을 가비가 조심스럽게 내려놓았다. "이게, 뭐지?" 나는 채도가 다른 갖가지 푸른색으로 칠해진 그것을 재빨리 테이블 위로 내려놓았다. "달걀이잖아." 일 분쯤 망설였다가 잔뜩 주눅든 목소리로 말했다. "난, 이런 것은 먹지 못해." 나는 비참해지는 것을 느꼈다. 나에 대해 언제나 가비가 그러했듯 이번에도 역시 당신은 언젠가 달걀을 먹을 수 있게 될 거야, 라고 예언해주기를 기다렸다. "부활절이니까." 가비가 말했다. 그녀가 담배 한 대를 다 피우는 것을 지켜보고 있다가 비행기티켓을 들고 자리에서 일어났다. 내 주머니 속으로 가비가 그 파란색 달걀을 불시에 쑥 집어넣었다. 무슨 돌덩이라도 짊어진 사람처럼 나는 휘청거리기 시작했다.

*

이모의 이름을 밝히는 건 좋은 생각 같지는 않다. 그녀는 한때 이름을 날린 적이 있던 유명한 탁수선수였기 때문이다. 이모를 존중해야 할 의무가 나에게는 있다. 1973년인가 한국이 아시아 탁구기구에서 고립된 적이 있었다. 우리나라가 가입한 아시아탁구연맹이 국제

탁구연맹으로부터 인정을 받지 못해 해체 위기에 놓이게 되었기 때문이다. 탁구 치는 것 이외에 다른 살 궁리를 한 적이 없던 이모로서는 인생 최고의 위기를 맞은 것 같던 시절이었다고 한다. 왜냐하면 그때만 해도 이모는 그 이후에 벌어질, 이모 인생을 뒤바꾸어놓을 만한 사건에 대해서는 전혀 알 수가 없었으니까 말이다. 이모는 곧 다시 탁구를 칠 수 있게 되었다. 그해 4월에 이모는 제32회 유고 사라예보 세계탁구선수권대회에서 이에리사, 박미라 같은 선수와 출전하여 여자단체 세계제패라는 신기록을 세웠다. 바운드의 정점을 포착하여 전력으로 결정타를 쏘아올리던, 주먹을 불끈 쥔 이모의 사진도 아마 그 대회 때의 어느 한 장면이었을 것이다. 그것은 이모의 마지막 시합이 되고 말았다. 내 의지도 이모 자신의 의지도 아니었다. 그때 만약 내가 무언가를 결정할 수 있는 의식이 있었다면 나는 기꺼이 혼자 사는 삶을 선택했을 것이다. 나는 겨우 더듬거리며 사자를 '따자'로 펭귄을 '뱅긴'으로 발음하던 두 돌밖에 되지 않은 어린아이였다. 이모는 선수로서 갑자기 은퇴하기에는 미련이 남을 스물일곱 살이었다. 한순간에 우리는 이 세상에 단둘만 남겨지게 되었다. 그런 일들이 우리에게도 일어났다. 부모가 어떻게 죽게 될 것인가, 단 한 번도 그런 상상을 해볼 틈도 없이 말이다.

담요를 깐 라면박스에 나를 담아 바퀴가 달린 밀것에 올려놓고 이모는 새벽이면 생선을 떼러 수산시장으로 갔다. 나는 덜컥거리는 밀것 위의 라면박스 안에서 잠을 자고 우유를 먹고 이모가 큰 소리로 들려주는 동화를 듣고 눈에 띄지 않게 살금살금 성장했다. 무심코 발을 쭉 뻗으면 라면박스가 찢어졌기 때문에 하루 종일 몸을 알처럼 둥글게 말고 있었다. 키가 작은 편은 아니었지만 유난히 손발 놀림이 빠르고 몸이 유연한 나를 이모는 클라이머로 만들고 싶어했다.

아직 스포츠선수에 대한 미련을 버리지 못한 모양이었다. 그 다음에 이모는 나를 피아니스트로 키우고 싶어했다. 어림도 없어요, 이모. 나는 피아노 건반 위에서 자꾸만 힘없이 휘어지는 손가락 끝을 내려다보며 자포자기하고 있었다. 이모는 내 손가락에 밴드를 둘둘 감아주었다. 이번에는 이모도 쉽게 포기하지 않았다. 방바닥에 놋그릇을 엎어놓고 손끝으로만 그릇을 잡아올리게 하는 훈련을 시켰다. 그래야 손끝의 힘이 길러진다는 것이었다. 나는 번번이 무거운 놋그릇을 떨어뜨리기 일쑤였다.

이모의 꿈은 이루어지지 않았다. 그러나 이모는 나를 위해 삼만 번도 넘게 밥을 지었고 기도했으며 밤에는 울었다. 지금도 길을 가다가 벽에 구멍이 나 있으면 손가락이라도 집어넣고 살짝 매달려보는 건 아마 그 시절의 영향 때문일 거다. 이따금 후회가 들 때도 있다. 나는 어디든 잘 매달리는 그런 사람이 될 수도 있었는데 말이다.

사람은 무엇으로 이루어졌을까. 누군가를 만날 때마다 해독하기 어려운, 끊임없이 결합하고 떠다니면서 다른 구름에 붙었다가 또다시 흩어지곤 하는 변화무쌍한 구름들을 보고 있는 것 같은 착각이 들곤 한다. 나로 말할 것 같으면 아주 어렸을 적부터 이모의 눈물과 기원으로 만들어진 사람이었던 것이다. 그러므로 순종하지 않는 삶이라는 건 애초부터 나에게는 불가능한 것이었다.

짧은 고수머리와 길고 가는 허리와 맨발의 군청색 스니커와 웃는 눈과 꼭 다문 입술과 검은 손톱과 말보로 레드와 서툰 모국어와 그리고 밤의 마리화나로 이루어진 사람. 지금 여기에 있는 것은 내가 본 가비에 불과할 뿐이다. 내가 알고 있는 가비. 나는 그녀에 관해 고작 이렇게밖에 이야기해서는 안 될 것 같다. 그녀를 이해할 수 있는, 아직 내가 발견하지 못한 가장 정교한 눈금을 찾아야 할지도 몰랐다. 마음을 단단히 먹고 나는 주머니 속으로 손을 밀어넣어보았다. 둥글고 매끈한 것이 손바닥 안에 착 감긴다.

오직 한 가지에만 집착하는 실어증 증세를 가진 한 여자가 자신이 사랑하는 남자의 밥상을 온통 달걀요리로만 채우는 것을 텔레비전에서 본 적이 있었다. 달걀찜, 달걀장조림, 달걀국, 달걀어선, 달걀야채튀김, 달걀샐러드. 그 여자가 내 이모가 아닌 게 정말 다행이었다. 달걀을 좋아하지 않는 그녀의 남자는 밥상을 달게 받아먹는 시늉을 했다. 내가 아는 사람들 중에서도 그 여자처럼 한 가지 행동이나 물건 등에 집착하는 강박관념 같은 증세를 보이는 사람들이 더러 있었다. B의 이야기는 다음에 하기로 하자. 나는 아토피 피부염을 앓았고 그것의 원인은 단백질 때문이라고 했다. 달걀뿐만 아니라 우유나 치즈, 빵이나 과자 같은 것도 먹을 수가 없었다. 궁한 살림을 혼자서 책임지는 것 외에도 이모는 달걀이 안 들어간 이유식과 반찬을 만들기 위해 궁리해야 했다. 성장한 후엔 우유나 치즈 같은 것은 먹게 되었으나 나는 여전히 달걀만큼은 전혀 먹지 못하는 사람이 되어 있었다. 살아 있는 동안 이모는 단 한 번도 나를 향해 이런 달걀도 못 먹는 놈, 이라고 말한 적이 없었다. 그러나 나는 스스로 내 자신을 향해서 그런 비난의 말을 종종 퍼붓곤 하였다. 실제로 나는 내가 단지 달걀을 못 먹는다는 이유만으로 한 여자와 헤어진 경험이 있었다. 돼지고기를 못 먹는다는 것과 달걀을 못 먹는다는 것에는 생각보다 엄청난 차이가 있다. 달걀을 못 먹는다는 건 수없이 많은 사람들로부터 끊임없는 추궁과 의혹을 받는 것과 동시에 이해받지 못한다는 말과 크게 다르지 않았다. 십 년 전 내 육체를 구성했던 거의 모든 세포는 죽고 이제 새로운 것으로 대체되었으며 남아 있는 그 시절의 것이라고는 아마도 뇌세포뿐일 것이다. 그러나 달걀을 다시 먹어볼 엄두는 나지 않는다. 사람들은 높이에 대한 두려움과 달걀에 대한 두려움이 어떻게 다르다고 생각할까.

3월 넷째 주의 베를린은 온통 달걀로 뒤덮여 있었다. 그것도 모자라 웬 토끼들까지.

일은 뜻대로 진행되지 않았다. 인터뷰 약속과 촬영 시간을 다 잡아놓았던 그 성악가는 돌연 베를린 필하모닉 공연장에서의 공연을 취소해버렸다. 어렵게 다시 그의 형인지 대변인인지 하는 사람을 통해 성악가가 이스탄불로 날아가버렸다는 소식을 듣게 되었다. 그는 나흘만 기다려 달라고 했다. 두 명의 현지 도우미 중에서 충실하고 영리한 소년처럼 통역과 운전을 담당했던 사람이 바로 가비였다. 나흘이 지나도 우리는 그를 만날 수 없었다. 방송 70주년 기념으로 특별기획한 '세계를 이끌어나갈 50人' 중에 선정된 성악가였다. 그를 촬영해가지 못한다면 프로그램은 펑크가 날 수밖에 없게 될 거였다. 애가 타는 건 우리 쪽이었다. 기다리는 일밖에 할 수 없는 상황이 벌어졌다. 오후에는 베를린에 산 지 십칠 년이 넘었다는 가비를 따라 포츠다머플라츠니 반제호수니 하는 곳으로 관광을 다녔고 저녁에는 호텔 바에서 맥주를 마셨다. 일주일이 지나자 칠 년 동안 줄곧 그렇게 살아왔던 것처럼 그 일상들이 익숙해지기 시작했다. 스텝들은 늘 새벽을 넘겨서까지 맥주를 마셨고 나는 자정쯤이면 실내용 슬리퍼를 질질 끌고 혼자 방으로 돌아왔다.

그날도 그런 날 중 하루였다. 다만 다 함께 관광을 가는 일은 그만두기로 했다. 부활절 연휴가 시작되는 첫날이었으므로 관광을 하기에는 좋지 않다는 게 가비의 의견이었다. 나는 혼자 시내로 나갔다. 선물을 파는 상점들, 그것도 색색깔을 입힌 달걀이나 은박지 금박지로 포장한 토끼 모양의 초콜릿을 파는 곳이 아니라면 거의 대개가 다 문을 닫고 있었다. 나는 걸음을 멈추고 서서 마치 프리즘을 통과한 백색 광선처럼 다양한 스펙트럼으로 존재하는, 그 형형색색의 달걀들, 그러나 한 꺼풀만 벗겨내면 너무도 건전한 흰색으로 존재할 것이 틀림없는 그 달걀들을 물끄러미 바라보곤 등을 돌렸다. 커피를 사마시는 것조차 쉽지 않았다. 간신히 도넛 파는 데를 발견해내고서야 커피 한 모금을 마실 수 있었다. 다른 거리 역시 마찬가지였다. 하루 종일 수천 개의 달걀들을 피해 도망다닌 느낌이었다. 가비가 내 방으로 올라온 건 바로 그날 밤이었다.

네 시간 후면 나는 집에 도착하게 될 것이다. 가비가 사는 곳으로부터 점점 멀어지고 있었다. 미련이 남은 눈으로 다시 한 번 창문을 쏘아보았다. 작고 모서리가 둥근, 타원형의 저 비행기 창문이 꼭 내 주머니 속의 달걀을 닮은 것도 같았다. 졸립고 창백한 가비. 나는 눈을 감았다. 한 번쯤, 그녀를 안아볼 수도 있었다.

*

어느 날 아침 B는 주차장에 차를 대다 말고 뒷자리에서 킥킥대는 웃음소리를 들었다. 아연한 눈으로 B는 뒤돌아보았다. 출근길에 아이들을 어린이집에 데려다주고 온다는 걸 깜박 잊고는 직장까지 그냥 데리고 온 것이다. K가 상당히 오랜 기간 동안 아내의 칫솔을 사용한 것이 발각되어 심하게 잔소리를 들었다는 이야기를 듣고 모두 함께 실소했던 적이 있었다. 나이 탓이지 뭐냐. 회사 로비에 내려갔는데 왜 거길 갔는지 전혀 생각이 안 나 머쓱했다는 H가 말했다. 그때 B는 우리들처럼 웃어넘기지 않았다. 나는 B의 잔에 술을 따라주었다. 시간이 지날수록 기억이 희미해진다는 사실을 B는 믿고 싶어하지 않는 것 같았다. 나는 B에게 어떻게 말해야 할지 몰라서 우리 뇌가 그나마 시간을 인식하고 어떤 기억이 먼저인지 순서를 정확히 알고 있다는 사실이 얼마나 신기한지에 관해 이야기했다. 만일 나의 뇌가 냉장고에 음식이 들어 있다는 사실과 내가 그 음식을 다 먹었다는 사실의 순서를 모른다면 하루에도 몇 번씩이나 냉장고를 열어 그 사실들을 확인해야 할 테니까. 그러나 그런 이야기로 B를 설득시키진 못한 것 같았고 내가 듣기에도 썩 적절한 위로는 아니었던 것 같았다. B나 나나 시간에 따라 정돈되지 못한 과거의 경험들 때문에 곤혹스런 경험을 겪고 있었으니 말이다. 나는 두려워. B가 말했다. 뭐가? K가 간판 불을 끄고 술을 더 내왔다. 계속 이렇게 살게 될까봐.

수학을 가르치던 B는 결국 사표를 냈다. 그것도 모자라 가진 것을 모두 부인에게 주곤 주머니가 달린 등산용 조끼 하나를 걸치고 집을 나왔다. K와 H, 그리고 나는 B를 말리지 못했다. 일 년만 나 좀 내버려둬라. B는 우리들에게 쐐기를 박았다. B는 K와 H, 나의 집으로 번갈아가며 거처를 옮겨다녔다. 한동안 연락이 끊기는 때도 있었지만 아무도 그가 어디서 무엇을 하는지 알지 못했다. 차라리 택시를 한 대 사주는 게 어떨까? K가 진지하게 그런 의논을 해오기도 했다. 한동안 B가 나타나지 않으면 불안해지는 건 모두 마찬가지인 것 같았다.

B는 각종 테이프에 집착했다. 그의 조끼 주머니에는 다양한 테이프들이 잔뜩 들어 있었다. 동석한 K의 아내 치맛단이 뜯어졌을 때도 그는 조끼 왼쪽 주머니에 든 양면테이프를 꺼내 감쪽같이 치맛단을

고정시켜주었고 H 집의 수도관에서 물이 샐 때는 알루미늄테이프를 붙여 막아주었다. 내가 이사를 하던 날에는 초록색 덕트테이프로 짐을 싸주기도 했다. 그럴 때의 B의 표정을 뭐라고 표현해야 좋을지 모르겠다. 아무튼 B에게서 테이프를 빼앗는 건 불가능한 일처럼 보였다. 이사를 하거나 수도관이 새지 않아도 우리는 더 자주 B를 찾게 되었다. 그 무렵 나는 집을 종종 비우게 되었다. 이모의 병수발을 든 사람도 주로 그때 우리집에 머물고 있던 B였다. 이모가 죽고 난 후 나는 B에게 시간이 지날수록 기억이 희미해지는 게 당연한 거라고 말한 것을 후회했다. 그게 자연현상이라는 말 같은 것도 하지 말았어야 했다. 우리는 그때 망각에 대해서 이야기할 것이 아니라 그것을 일으키는 원인에 대해 좀더 진지하게 이야기했어야 했다.

베를린에 도착한 건 3월 14일 월요일 저녁이었다. 불규칙하게 솟아오른 잿빛 적층운들이 하늘을 뒤덮고 있었다. 곧 비가 쏟아질 것만 같았다. 체크인을 하고 일행들과 함께 호텔 식당으로 내려갔다. 얼핏 스물대여섯쯤 돼 보이는, 먼저 기다리고 있던 두 명의 여자들이 자리에서 일어났다. 두 번 눈여겨보지 않으면 기억하지 못할 평범한 얼굴이었다. 그것이 그중 한 여자, 가비의 첫인상이었다. 앞으로 우리와 열흘 동안 함께 지내게 될 거라고 자신들을 소개했다. 짧은 머리를 한 여자가 맥없이 희미하게 웃었다. 그녀가 내 맞은편 자리에 앉게 되었다. 입이 짧은 여자였다. 절반도 더 남긴 음식접시를 종이 냅킨으로 덮어놓는 것을 나는 무심코 바라보고 있었다. 그녀가 나를 보고 말했다. “나갈까?”

나는 그것이 어쩌면 자멸적인 행동, 일 분도 안 돼서 후회하고 말

거라고 생각했으나 달리 대응할 방법이 없어서 냉랭한 얼굴로 비척비척 그녀를 따라 밖으로 나갔다. 우리는 주차장 벽에 등을 기대고 말없이 서 있었다. 꼭 이런 어둠과 습기 속에서 한 치 앞도 안 보이는 습지를 걸었던 적이 있었다. "날씨가 계속 이런가?" 나는 참을 수 없다는 듯 진저리를 치며 물었다. 그녀는 미친 듯이 담배를 피워대고 있었다. 밤새도록 줄곧 이렇게 밖에서 어깨를 덜덜 떨며 납득할 수 없는 만족감에 가득 찬 얼굴로 서 있을 작정인 것 같았다. 어쩌겠다는 거지? 나는 조바심을 숨긴 눈으로 그녀를 쳐다봤다. 응집력 있게 크고 까맣게 뭉친 눈, 어떤 것이 와도 저항하지 않을 것 같은 눈, 한 번도 새를 새장에 짐승을 우리에 가둬본 적이 없는 눈. 그리고 새의 뼈처럼 텅 비어 있는 눈. 풀어진 눈.

그 눈은 줄곧 나를 쫓아다녔다. 그건 나 역시 마찬가지였다. 열흘. 거의 대부분의 시간을 나는 가비를 피해다니기 위해 노력했다. 한 공간에 있는 것만으로도 서로 만족했다. 식당이나 공원 같은 곳에 있어도 우리는 늘 일정한 거리를 서로 유지하려고 애썼다. 그러나 마치 서로의 보디가드라도 된 것처럼 상대에게 시선을 떼지는 않았다. 방심도 하지 않았다. 한번은 함께 우르르 몰려간 박물관에서 내가 잠깐 자리를 뜬 적이 있었다. "대체 어딜 갔다온 거지?" 주위를 아랑곳하지 않은 채 가비가 버럭 소릴 질렀다. 일행들은 친밀하면서도 존중하지 않는 태도로 가비를 대했다. 그것은 아마 애완용 개나 고양이를 대하는 태도와 비슷한 걸 거라고 나는 생각했다.

닷새쯤 지난 후 술이 오른 틈을 타서 가비를 구석으로 몰아붙이곤 이름을 물어본 적이 있었다. 가비가 그 텅 빈 눈을 위로 올려뜨곤 몹시 난처한 기색을 했다. 정말로 생각이 나지 않는다는 얼굴이었다.

"너한테선 늘 이상한 냄새가 나." 나는 비아냥거렸다. 그녀의 귀를 잡아끌어 음탕한 말을 내뱉어주고 싶었다. 나를 한대 올려치고 싶었는지도 몰랐다. 나는 그녀가 입은 스니커를 덮고도 땅에 끌리는 면바지의 주머니 지퍼를 거칠게 열곤 비닐봉지에 든 마리화나를 꺼내 그녀 눈앞에 대고 흔들어보였다. "고작 이런 걸로 너의 불안과 상심을 치유할 수 있을 거라고 생각하나?" 친밀하면서도 존중하지 않는 태도로 가비를 대하기는 나도 마찬가지였던 것이다. 매서운 눈으로 우리는 서로 노려보았다.

어머니가 남긴 것들 중에 이모가 유난히 아낀 것은 장롱이나 사진첩 같은 것이 아니라 무겁고 큰 가마솥이었다. 거기다 밥을 지을 때마다 둥글고 딱딱한 누룽지가 생겼다. 나는 누룽지의 크기를 보고 살림을 짐작하는 버릇이 생겼다. 누룽지는 커졌다가 작아졌다가 그리고 식후에 세 사람이 먹을 분량만큼 늘 일정한 크기를 유지해갔다. 생선을 파는 일을 그만두고 이모는 요리사자격시험 준비를 시작했다. 마지막 시험을 보는 날 시험재료로 가자미가 나왔다. 그걸로 무엇을 만들어야 할지 하도 막막해서 이모는 가자미 앞에서 막 울었다고 한다. 십 년 동안 생선을 팔던 여자가 말이다. 이모는 그 시험에서 떨어졌고 다시 생선을 팔고 가마솥에다 밥을 짓기 시작했다. 우리는 뒤에 산이 있고 커다란 마당이 있는 집으로 이사를 가게 되었다. 닦고 쓸고 문지르기에는 내가 너무 커버리자 이모는 이제 그 대상을 새집으로 옮겨간 것처럼 보였다. 더 큰 집으로 옮겨갈수록 나는 이모에게서 자유로워지는 것을 느꼈다. 비록 이모가 원하던 클라이머나 피아니스트가 되지는 못했지만 나는 직장을 갖게 되었고 여름이면 이모와 둘이 휴가를 떠나기도 했으며 큰 개를 사다 기르기도 했다. 이모는 여전히 세 사람 분량의 누룽지를 만들었다. 이 평화가 끝난 날을 지금도 나는 정확하게 기억하고 있다.

편집을 끝내놓고 새벽이 다 돼서야 퇴근하던 길이었다. 그 늦은 시간에 이모는 마루 끝에 나와 앉아 있었다. 무슨 일이 있어요, 이모? 이제는 새소리만 듣고도 가까운 곳에 뱀이 있다는 것을 눈치채고 어떤 뿌리를 먹을 수 있는지 어느 나무줄기 속에 달콤한 물이 채워져 있는지 구별해낼 수 있는 나의 늙은 이모가 퀭한 눈을 들어 나를 올려다보곤 이렇게 말했다. 글쎄 누가 우리집 대문을 뜯어가버렸구나.

나는 방금 막 내가 들어온 마당을, 대문이 있던 자리를 흘긋 바라보았다. 처음부터 대문 같은 것은 없었던 것처럼 그 자리는 깨끗해 보였다. 대문은 완벽하게 사라져버렸다. 사흘 동안 이모는 자리에서 일어나지 못했다. 대문이 아니라 아직 훼손된 적 없던 이모 몸의 일부가 뜯겨져나간 것처럼 보였다. 그날 이후였을까. 이모는 서서히 기억을 잃어가기 시작했다. 그것도 가장 최근의 기억부터 말이다.

*

한 사람은 원하고 한 사람은 그것을 원하지 않을 때, 두 사람 사이에서는 어떤 일이 일어날까. 요구와 저항과 압박과 위협과 그리고 마침내 한 사람의 굴복, 그리고 그 후엔 그것들의 반복이 계속될지도 모른다. 그것이 지금껏 내가 만난 여자들과 나의 관계였다. 이모와 나의 관계였다. 이모가 어떤 요구나 위협도 하지 않았다는 것, 압박과 질책이 아니었을지도 모른다는 것을, 내가 느낀 저항과 굴복은 책임감과 의무를 회피하기 위해 스스로 만들어낸 두려움이라는 사실을 깨닫게 된 건 바로 이모의 질병 때문이었고 그때는 이미 모든 것이 늦었다.

처음에 그것은 아무것도 아닌 일에서부터 시작된 것처럼 보였다. 우리는 단지 이사를 했을 뿐이다. 대문이 사라졌다는 것이 이모에게 어떤 영향을 미칠 것인지 돌아볼 틈도 없이 나는 적절할 기회를 잡은 사람처럼, 직장에서부터 너무나 멀어 불편하기 짝이 없었던 그 집을 당장 부동산에 내놓았고 혼자 서울 한복판에 있는 아파트를 알아보러 다녔다. 일은 일사천리로 진행되었다. 대문이 사라진 후 무기력해진 이모를 포장이사 차에 덥석 태워 이사를 감행했다. 그날 밤, 이모가 나를 불렀다. 여기가 어디냐? 나는 여기가 바로 지금부터 우리가 새로 살게 될 집이라고 설명했다. 그 말을 세 번쯤 했을 때 비로소 이모가 고개를 끄덕거렸다. 우리가 하루를 기억하는 게 아니라 어떤 한 순간을 기억하는 게 사실이라면 나는 그날 밤의 이모 표정을 영원히 잊지 못할 것 같다. 여전히 아연한 얼굴로 이모가 나를 돌아보며 더듬거렸다. 새, 새집, 새집이라고. 정신이 아찔해질 만큼 비통에 잠긴 목소리였다.

이모의 뇌 기능은 급속히 떨어졌다. 유전적인 원인 외에도 새로운 환경에 갑자기 노출된 혼란과 부재가 가장 큰 원인이라고 담당의가 말했다. 나는 그 말을 믿지 않았다. 기억력이 떨어지는 것, 자꾸만 망각하려고 하는 건 이모 자신의 의지처럼 보였기 때문이다. 이모는 이제 겨우 육십 세가 약간 넘었을 뿐이었다. 대문을 도둑맞은 집의 모든 사람들이 이런 병 따위를 앓거나 하지는 않을 것이었다. 나는 분노로 머리가 터져나갈 것만 같았다. 이모의 의지는 물속에 검은 잉크 한 방울이 떨어지는 것처럼 서서히, 그러나 순식간에 이루어졌다. 퇴근하기가 무섭게 나는 집으로 돌아왔다. 이모, 우리집 주소가 뭐지? 전화번호는? 이모 나이는? 내가 태어난 해가 언제지? 하는 어처구니없는 질문들을 이모의 얼굴에 내 얼굴을 들이대곤 너무나 진지하게 퍼부어댔다. 그럴 때마다 나는 깜짝깜짝 놀랐다. 이토록 늙은 이모의 얼굴을 본 적이 없기 때문이었다. 나는 곧 태어날 새끼들을 보호하기 위해 입을 닫지도 못할 정도로 많은 양의 알을 물고 있는, 알이 부화할 때까지는 먹이를 넣을 수도 없는 농어의 벌린 입을 떠올렸다. 퍼붓듯 쏟아대는 내 질문에 간신히 꾸물꾸물 대꾸할 때마다 입속의 그 알들이 모두 썩어버린 것처럼 축축하고 비리고 역한 냄새가 폐로부터 깊숙이 이모의 입속에서 풍겨나고 있었다. 치매의 냄새였다. 손쓸 새도 없이 이모는 수정이 불가능한 삶으로 진입하기 시작했다. 자신의 이름도 내가 누구인지도 모르게 된 것이다.

땀에 젖은 내 머리카락을 쓰다듬던 이모가 문득 손을 멈추더니 내 귀에 대고 속삭였다. 이쁜 우리 장군, 이모가 동화책 읽어줄까? 잠든 척하고 누워 있던 나는 자제력을 잃지 않기 위해서 입술을 꼭 깨물었다. 우리가 맨 처음 만난 순간으로 되돌아간 이모에게 나는 새된 목소리로 칭얼거렸다. 제발요, 이모. 나는 그 아기 토끼 이야기는 정말로 싫단 말이에요. 그 말을 한 건 그때가 처음이었다. 우리에게 남은 시간이 정말 없을 테니까.

내 방으로 가비가 처음 전화를 걸어왔다. 달걀들을 피해 슈트라세 거리에서 쫓기듯 돌아온, 그날 밤이었다. "잠깐 올라가도 될까?" 나는 싫다고 했다. "십 분이면 돼." 전화를 끊자마자 나는 전화가 울리기 전부터 가비를 기다려왔다는 사실을 인정하지 않을 수 없었다. 정말로 딱 십 분 후엔 자리를 털고 일어날 사람처럼 그녀는 침대 끝에 엉덩이를 살짝 걸치고 앉았다. "마땅히 피울 만한 데가 없어서." 나는 그녀가 담배 속을 털어내고 그 속에 마리화나를 채워넣는 것을 지켜보고 있었다. 가늘고 긴 손끝에 이빨로 씹어댄 듯한 손톱이 불안정하게 매달려 있었다. 그런 손으론 마늘 하나 까기도 어려울 것이다.

한 시간 후에 가비는 자신이 한때 스트립댄서가 되고 싶어했던 적이 있었다고 말했다. 왜 스트립댄서가 되지 못했느냐고 나는 물어보았다. 딱히 궁금했던 것도 아닌데 어쩐지 꼭 물어봐줘야 할 것 같은 기분이 들었기 때문이었다. 가비가 내 방에 온 순간부터 나는 난처해지고 있는 것 같았다. "내가 좋아하는 어떤 댄서가 혼자 옷을 벗고 춤추는 동작들을 애완 고양이나 개가 오 분 이상 지켜볼 수 있다면 그때 무대로 진출하라고 충고했어." 가비가 옷을 벗고 춤을 출 때 가비의 고양이는 바닥에 떨어진 가비의 옷 뭉치 속으로 슬그머니 기어들어가 잠이 들었다고 했다. "남의 충고가 필요할 때도 있어." "넌 왜 이 일을 하는 거니?" "여기서 돈을 받으면 아프리카로 여행을 떠날 거거든." 가비가 가장 길게, 가장 말을 많이 한 날이었다. 그리고 그날이 우리가 단둘이 있었던 처음이자 마지막 밤이기도 했다. "좀 릴렉스해져봐." 스트립댄서가 되고 싶었다는 말은 사실이 아닐지도 몰랐다. 나는 가비의 충고를 받아들이고 싶었으나 여전히 막대기처럼 뻣뻣하게 굳어 있었다. 두 시간 후에 가비는 내 이름을 까맣게 잊어버렸다. 나는 가비가 건네주는 담배를 받아 깊게 빨아들였다. 좋은 흙과 좋은 빛을 받아 만들어진 대마였다. "너 나한테 그렇게 반말을 하면 안 돼, 이 꼬마 아가씨야." 맥 빠진 목소리로 나는 중얼거렸다. 내가 하고 싶었던 말은 그게 아니었을 텐데. 반짝이는 가비의 입술이 내 뺨에 닿을 듯 가까이 있었다. 그녀의 턱을 잡아 내 입술을 가져가다 말고 나는 고개를 틀었다. 가비의 입술 안쪽도 다른 여자들처럼 깊고 검은 구멍으로 이루어져 있을까봐 겁이 났다. "내가 아기 토끼 이야기를 해줄까?" 가비가 히죽 웃었다.

아기 토끼 한 마리가 있었어. 엄마 품에서 멀리 벗어나고 싶었어. 그래서 엄마한테 나는 멀리 도망가버릴 거예요, 라고 말했어. 그러자 엄마가 말했어. 네가 도망가버리면 엄마는 쫓아갈 거야. 넌 엄마의 소중한 아기니까. 아기 토끼가 말했어. 엄마가 쫓아오면 난 물고기가 되어 헤엄쳐 달아날 거예요. 네가 물고기가 되면 엄마는 어부가 되어 너를 낚을 거야. 엄마가 어부가 되면 난 높은 산에 있는 바위가 될 거예요. 네가 높은 산에 있는 바위가 되면 엄마는 산 타는 사람이 되어 네가 있는 곳까지 올라갈 거야. 엄마가 산 타는 사람이 되면 난 비밀의 정원에 핀 크로커스가 될래요. 네가 비밀의 정원에 핀 크로커스가 되면 엄만 정원사가 되어 널 찾아낼 거야. 엄마가 정원사가 되어 날 찾으면 난 새가 되어 훨훨 날아갈 거예요. 네가 새가 되어 날아가면 엄마는 네가 돌아와 쉴 수 있는 나무가 될 거야, 바람이 될 거야. 그러자 아기 토끼가 말했어.* 아이참, 차라리 그냥 여기서 이모 아들 할래요. 그러자 이모가 다정하게 말했어. 자, 당근 줄게.

가비는 잠들어 있었다. 밤새 쑥을 태운 듯한 향기롭고 무거운 냄새가 방 안을 꽉 채우고 있었다. 그러다가 너는 결국 네가 무엇을 원했는지, 무엇이 되고 싶은지조차 잊어버리게 될 거야. 결국 너 자신이 누구인지조차 모르게 될 거야, 가비. 뇌 속으로 동시에 수천 개의 메시지가 쏟아져 들어오는 것 같았다. 창문을 모두 열어두었다. 침대 끝에 몸을 구부리고 누운 가비를 바로 눕혀 베개를 대주고 천천히 양말을 벗겼다. 가비의 열 개의 발가락. 진화가 낳은 결과물인 그것을 유심히 들여다보았다. 그날 밤, 그녀는 그녀의 꿈을 꾸었다. 나

---

* 마거릿 와이즈 브라운의 『아기토끼 버니』 중 일부를 발췌 인용함.

는 내 꿈을 꾸었다. 나를 만난 맨 처음의 기억으로 돌아갔어도 병든 이모는 혼자가 될 거라는 맹렬한 불안감에서 벗어나지 못했다. 난 이제 아무 데도 안 가, 걱정하지 마 이모. 꿈속에서 나는 중얼거렸다. 우리는 각자의 꿈을 꾸고 있었다.

*

나는 내 자신이 유년의 기억에 집착한다는 사실을 알아차렸다. B나 이모처럼 최근의 기억이 사라지는 걸 경험한 적이 없다는 건 다행처럼 느껴졌다. 유년의 기억에 집착하는 건 이모가 아프기 때문일 거라고 스스로를 위로할 수 있었다. 그리고 처음에 그것은 몹시 자연스러운 현상처럼 보였다. 어쨌거나 나는 이모와 그 시절에 관해 대화라는 걸 주고받아야 했으니까 말이다. 후퇴하는 이모의 기억 속에서 내가 알지 못했던 시간을 재발견하기도 했다. 이모의 기억에 따라 때로 씁쓸함과 역시 또 갚을 수 없는 부채감 때문에 가슴이 짓눌리는 경험을 하기도 했다. 이모와 내가 한 가지 공통적으로 기억하고 있는 내 유년의 기억은 바로 내가 아주 많이 아팠을 때였다. 대여섯 살쯤으로 기억하고 있다. 한동안 나는 원인을 알 수 없는 병에 시달렸다. 열에 들뜬 채 의식을 잃어가고 있었다. 내 병을 고치기 위해서 이모는 사방팔방 뛰어다녔다. 보름달이 뜨는 밤에 이모는 배를 한 척 빌려 나를 태우고 먼 바다로 나갔다. 이모는 새벽이 올 때까지 활활 타오르는 횃불을 내 머리 위로 높이 치켜들곤 성난 사람처럼 서 있었다. 내 몸에 악귀 같은 것이 붙어 있다고 믿는 사람 같았고 실제로 그랬는지도 모르겠다. 그날 이후로 나는 차츰 기력을 회복한 것이 사실이니까. 그러나 지금 이렇게 이모가 아픈데, 나는 이모를 위해서 해줄 수 있는 어떤 일도 찾아내지 못하고 있었다. 의사의 말이 아니더라도 이제 이모에게 남은 시간이 얼마 없다는 건 명확해 보였다. 내가 두려워하고 있던 건 정작 이모의 죽음이 아니라 죽기 전에 이모가 나에게 보여줄 태도, 혹은 나에게 마지막으로 남길 위협적인 비난의 말 같은 것은 아니었을까. 나는 평생 이모에게 갚을 수 없는 부채감으로 짓눌려왔고 그것은 때로 나도 모르는 사이에 불가피한 원망으로까지 이어지곤 했다. 나는 죽어가는 이모로부터 '내가 그동안 너한테 어떻게 했는데' 혹은 '나한테 어떻게 이럴 수가 있니' 라는 말을 듣게 될까봐 이모가 죽기 전부터 벌벌 떨고 있었다. 이모가 나를 키워준 순간부터, 우리가 함께 살았던 그 모든 시간 또한 나는 내내 이모의 인생을 망쳐버렸다는 죄책감과 그 죄책감에서 비롯된 의무감과 그리고 두려움으로 평생 짓눌려 있었다는 말을 해야 할지도 몰랐다. 그것은 죽어가는 사람에게 할 적절한 이야기는 아닐 것이었다. 밥 먹는 것도 대변을 가리는 것도 불가능한 이모를 집에 두고 나는 집을 자주 비웠다. 나 대신 B가 묵묵히 그 일을 해내고 있었다.

2월 첫째 주 금요일 밤이었다.

며칠 만에 집에 돌아온 나는 이불을 끌어당겨 이모의 목 언저리까지 덮어주었다. 안녕히 주무세요, 이모. 정작 하고 싶은 말은 이모가 죽을 때까지 한 마디도 하지 못할 것 같았다. 이모가 한 손으로 내 귀를 잡아당겨 이모 입술로 바싹 끌어당기곤 말했다. 난 아직도 잠잘 땐 탁구공이 훅, 튀어올랐다가 내려오는 꿈을 꾼단다. 또렷한 눈으로 이모는 방긋 한 번 웃었다. 나는 그것이 이모의 마지막 말이라는 것을 알아차렸다. 이모, 미안했어요. 이모가 그 말을 듣지 못할까봐 나는 큰 소리로 말했다. 눈을 감은 채 이모는 또 한 번 살며시 웃었다. 미안하다는 말이 아니라 그날 나는 고마웠다는 말을 했어야 했는지도 모른다. 그 말을 이모가 더 마음에 들어하지 않았을까. 이모는 단 한 번도 나에게 내가 그동안 너한테 어떻게 했는데, 혹은 니가 나한테 어떻게 이럴 수가 있니라는 말 같은 건 한 적이 없었는데 그동안 나는 왜 그토록 두려워했던 것일까.

장례를 치르던 날 건조한 미풍이 불어왔다. 맑은 하늘에 희고 깨끗한 구름들이 느리게 흘러갔다. 눈물 대신 나는 하늘을 올려다보면서 저건 바람의 연, 날씨의 힘, 그리고 비의 희망이라고 중얼거렸다. 구름을 두고 하는 소리라는 걸 이모는 알 것이다. 나의 작별인사라는 것도. 친구들은 한 접시의 쌀과 꽃으로 부조를 했다. 유일한 자녀였던 나는 이모의 죽음 앞에 보자기에 싸고 있던 닭 한 마리를 허공으로 날렸다. 그것이 이모의 저승길을 안내해줄 거라는 믿음을 갖고 말이다.

이모가 죽은 지 한 달 후, 나는 베를린에서 가비라는 여자애를 만난 것이다. 그리고 그녀와 헤어진 후 돌아온 서울에서 나는 낯선 동네로 이사 오면서부터 이모가 겪게 된 혼란과 부재를 지금에서야 겪고 있는 것 같다. 냉장고에 음식이 들어 있다는 사실, 내가 방금 밥을 먹었다는 사실, 이모가 죽었다는 뼈아픈 사실 같은 것도 종종 잊어버리곤 하는 자신을 발견하고 있었다. 그러자 최근에 유년의 기억에 집착한다는 사실에 끔찍한 병을 선고받은 사람처럼 정신이 번쩍 나고 조급해졌다. 그러나 갑자기 시작된 혼란의 원인이 이모의 죽음 때문인지 아니면 만난 지 열흘 만에 헤어지게 된 가비 때문인지 알 수 없었다. 명백한 건 지금 나는 무엇이 나를 때리고 갔는지조차 알 수 없다는 것이었다.

비상회의는 성악가 대신 노벨물리학상을 받은 일본 과학자를 섭외하는 것으로 결론이 났고 제작3팀이 촬영을 위해 일본으로 떠나자 나는 휴직을 신청했다. B처럼 나에게도 시간이 필요하다는 것을 느끼고 있었다. 일 년만. 내 자신에게 혼자 하는 말이 내 귀에는 이모에게 하는 말처럼 들렸다. 여전히 나는 이모를 의식하고 있는 모양이었다. 하루 종일 잠을 자는 날이 많았다. 낙타가 나타나는 꿈을 자주 꾸었고 어느 날엔간 내가 가비에게 당근을 줄까? 라고 속삭이는 꿈을 꾸기도 했다.

B가 식당을 개업하던 날 K와 H, 나는 집에 있는 의자들을 모두 식당으로 가져가야 했다. 다른 것은 다 준비한 B가 의자들은 깜박 잊었다고 했다. H는 아내 몰래 화장대의자와 알루미늄 정원의자 등을 가져왔고 K는 제 술집에서 좌우로 회전이 되는 바텐의자와 다용도실을 뒤져서 찾아낸 플라스틱 비치체어들을 가져왔다. 집 안을 둘러봐도 마땅한 의자가 눈에 띄지 않아서 하는 수 없이 나는 두 개 있는 식탁의자 중 하나를 뺐다. 크고 두꺼운 오크 원목으로 만들어진 식탁은 지금은 아무것도 기억할 수 없는 나의 아버지가 면서기로 있을 때 쓰던 책상이었다고 했다. 사고가 난 후엔 살림을 정리하던 이모가 그것을 어머니의 장롱과 가마솥과 함께 우리가 살게 될 집으로 옮기게 된 것이었다. 거기에 0.5센티미터쯤 깊게 타들어간 선명한 다리미 모양의 흔적이 남아 있었다. 이모의 기억력이 현저히 떨어지던 무렵에 일어난 사고였다. 나는 움푹 타들어간 다리미 자국 위에다 내 손바닥을 겹쳐놓았다. 내가 아무리 깊은 망각에 빠진다고 해도 이 흔적은 나로 하여금 영원히 이모를 떠올리게 만들 것이었다. 그러니까 B가 아니라면 나로서는 누구에게든 함부로 내줄 수 있는 의자는 아니었던 셈이다. B는 나에게 너무나 촌스러운 의자를 가져

왔다고 핀잔을 주더니 예의 그 조끼 주머니에서 초록색 전기테이프를 꺼내 의자 다리를 둘둘 싸버렸다. 검은 흑빛이 도는 의자에 싼 초록색 테이프가 곧 근사한 스트라이프무늬로 변했다. B는 또 K가 가져온 의자들을 노란색 야광테이프로 장식했다. B의 식당에 온 손님들은 제각각 다른 모양의 의자들에 흥미를 보였다. 누군가는 자신의 의자를 하나씩 새로 들고오기도 했다. 헤어진 B의 아내와 아이들도 제가 쓰던 의자들을 들고왔다. 일주일도 채 지나지 않아 B의 식당엔 디자인도 크기도 높이도 제멋대로인 수십여 개의 의자들이 생겼다. 나는 B가 주방 뒤에 숨어서 흐뭇한 얼굴로 식당을 둘러보는 것을 본 적이 있다. 의자를 깜박 잊었다는 것은 B의 새로운 아이디어일지도 모른다는 생각이 그때 들었다. 5월이 막 시작되려던 참이었다. 그날 나의 빈집으로 한 사내의 창백한 얼굴을 스케치한 팩스 한 장이 날아들어왔고 그것이 바로 나의 얼굴이라는 것을 알아차리는 데 십 분쯤 걸렸다. 솜씨가 좋은 편은 아니었다. 지금은 아무것도 하고 싶은 게 없지만 딱 하나 하고 싶은 게 있다면 그림을 그리고 싶다고 말했던 그녀였다. 그 끝에 은빛 갈고리처럼 그녀, 가비의 이름이 휘갈겨져 있었다.

*

비행기를 탄 지 일곱 시간쯤 지나면 창문을 깨고 뛰어내리고 싶은 충동에 휩싸이곤 하지만 언제나 그런 것은 아니다. 나는 천천히, 깊은 숨을 쉬었다. 무엇이 나를 때리고 갔는지조차 알지 못한 채 갑자기 바닥에 쓰러져버릴 수만은 없었다. 나는 한 사람은 원하고 한 사람은 그것을 원하지 않을 때의 경우만 생각했기 때문에 한 사람도 원하고 다른 한 사람도 바로 그것을 원할 때가 있다는 걸 전혀 알지 못했다. 요구와 저항과 압박과 위협과 그리고 마침내 한 사람의 굴복, 그리고 그 후엔 그것들의 반복이 계속되는 관계 말고도 이 세상엔 내가 모르는 것으로 가득 찬 관계가 존재할지도 몰랐다. 이것이 착각이 아니라 인식이 될 수 있을까. 그런 질문을 던진 채 5월 11일 목요일, 오후 2시 50분 프랑크푸르트행 LH 713에 탑승했다. 떠나기 전에 B의 식당에 가서 꽤 값이 나가는 크롬 스틸로 마무리된 가정용 의자 몇 개를 주문해주곤 내가 준 식탁의자를 도로 찾아왔다. 쩨쩨한 놈. 뒤에서 B가 피식 웃었다. 누가 올지도 몰라. B를 향해 소리쳤다. 의자를 도로 식탁에 갖다놓았다. 저녁을 먹고 나면 가끔 이 식탁에서 허리를 구부린 채 이모와 탁구를 치기도 했다. 그런 시간은 다시 돌아오지 않지만 이모와 함께 보냈던 시간들이 전부 다 사라져버리는 건 아니었다. 가비에게 아직 하지 못한 말들이 많았다. 가비를 만난다면 불 앞에서 젖은 머리를 말리던 이모, 고작 가자미 앞에서 뚝뚝 눈물을 흘리던 나의 아름다운, 언제나 자신을 맨 마지막에 놓았던 이모에 대해서 말하게 될지 모른다. 나는 본래의 나에 대해서, 가비에 대해서 이야기해야 한다. 가비가 원하는 것, 내가 원하는 것. 그리고 그것을 가비가 선택할 수 있도록. 둘로 쪼개어진 가장 친밀한 관계가 될 수 있다면 말이다. 나는 달걀에 대해서도 이야기해야 할 것이다. 비행기를 타기 전에 식탁의자를 도로 가져다놓는 것 말고 한 가지 일을 더 했다. 가비에게 줄 마땅한 선물이 생각나지 않아 달걀 한 판을 사다 삶곤 식을 때까지 기다렸다가 그 위에 페인팅을 했다. 가비가 나에게 준, 지금 내 주머니 속에 든 이 달걀처럼 갖가지 푸른색으로 덧칠을 해보기도 했고 빨강과 노랑으로 물방울무늬를 그려넣기도 했다. 달걀을 만지고 삶고 그 위에 그림을 그리는 일,

그러니까 달걀을 다루는 일은 생각했던 것만큼 어렵거나 곤혹스럽지는 않았다. 단지 내가 그림에 전혀 소질이 없는 사람이라는 사실을 다시 한 번 확인했을 뿐. 환각과 망상과 환상이라는 감각의 변화를 통하지 않고서도 가비는 내 얼굴을 정확하게 기억하고 있었고 그것은 나도 다르지 않았다. 그 얼굴은 내 이모처럼 내가 나 자신을 돌아보게 될 때면 언제나 보게 되는 그런 사람이 될지도 몰랐다. 달걀. 그것은 내가 아주 어렸을 적, 이모가 나에게 준 최초의 음식이었다. 가장 강력하며 가장 침투력이 강한, 가장 근원적인 나의 두려움 말이다. 그러나 그 두려움은 어쩌면 나를 지켜나가기 위한 하나의 생존방법 같은 것은 아니었을까. 나는 내 주머니 속에 든 가비의 달걀을 만지작거렸다. 냄새도 맡아보고 흔들어보기도 했지만 그 달걀이 진짜 달걀인지 아니면 베를린 거리의 수많은 다른 달걀들처럼 초콜릿이나 나무로 만들어진 달걀인지 모른다. 그것을 깨보기 전까지 나는 알 수 없을 것이다. 가비를 만나면 우선 그것부터 물어봐야 할지도 모르겠다. 비행기는 지금 고비사막을 지나고 있다. 이제 다섯 시간이 지나면 나는 목적지에 도착하게 된다. 비행기 창문을 위로 밀어올렸다. 만천 킬로미터의 고도 속에서 잘린 반구 같은 적운들 위로 가장 높고 가장 가벼운 구름들이 양떼처럼 무리지어 있었다. 내 눈에 눈물이 차오르는 것을 느꼈다. 매번 입술을 꼭 깨물어야 한다면 이 눈물은 어디로 흘려보내야 할까. 기체가 덜컥 흔들렸다. 좌석 벨트를 다시 매곤 허리를 똑바로 펴고 앉았다. 누군가 지금 저 밑에서 이 킬로그램짜리 죽은 닭을 쏘아올린다고 해도 이 창문은 깨지지 않을 것이다. 나는 안전하다. 그래도 정신을 바짝 차리고 있어야 한다. 이 모든 걸 다 잊지 않으려면 말이다. 아직은 그녀를 만나기 전이니까. ■

## 심사평

예 심

2000년대 문학을 기대하다

서영채 · 박혜경 · 김형중

* * *

본 심

서초역 사거리의 향나무—글쓰기의 기원에 부쳐

김윤식

* * *

스스로의 한계를 넘어서는 깊이 있는 시선

박완서

* * *

경쾌함 뒤의 긴 여운

김화영

* * *

## 수상소감

항로에 없는 길을, 혼자서, 지독하게……

정이현

# 2000년대 문학을 기대하다

서영채 · 박혜경 · 김형중

올해 현대문학상 소설 부문 예심은, 2004년 11월부터 2005년 10월까지 주요 월간지와 계간지에 발표된 400여 편의 작품을 대상으로 이루어졌다. 그중 22편(타 문학상 수상 여부 불문)을 본심에 올려보냈다. 예년의 현대문학상 예심 관례로 보면 배 이상 많은 작품이 본심에 오른 셈이다. 우선은 우열을 가리기 힘든 작품들이 많아서였다. 본심 위원들께는 죄송스런 일이었지만, 다소 무책임하단 소릴 듣더라도 이 작품들 모두 현대문학상 수상 후보작에 오르는 영예를 누리길 바란 탓이 컸다. 한편 다른 이유도 있었는데, 올해의 한국소설계에 일어난 작지 않은 변화가 이와 같은 예심결과에 한몫을 단단히 했다. 그 변화란 다름이 아니라 탁월한 문학적 역량을 갖춘 신예들의 급부상이다.

문학 관련 일에 종사하는 많은 사람들이 이미 작년에 이러저러한 문학상을 수상한 작가들의 면면을 보면서 한국문단의 결코 작지 않은 변화를 예감한 바 있다. 작년에 주요 문학상을 수상한 작가들 대부분이 30대 초·중반, 그러니까 70년대 초반 생 작가들이었단 사실을 우리는 기억한다. 그것은 오랫동안 문단의 주류를 점했던 소위 386세대의 문학이 이제 서서히 '기성문학'으로 자리를 잡아가는 반면, 바로 그 직후 세대들이 이전 세대들이 90년대에 수행했던 한국문학의 견인차 역할을 담당해가고 있다는 사실의 방증이었다. 그러나 올해의 변화 수위는 그보다 더 높았다. 가령 본심에 오른 작품들 중 반 정도가 2000년 이후 등단한 작가들, 그리고 그들 중 또 반 정도가 아직 창작집 한 권도 출간하지 않은 그야말로 신예였단 사실은 정작 그 작품들을 추려낸 예심위원들로서도 의외였다.

문학상 수상의 유일한 기준이란 오로지 작품성일 수밖에 없다는 사실에 흔쾌히 동의한 세 예심위원들이고 보면, 심사과정에 다른 외적인 기준이 적용될 수는 없었다. 가령 세대간의 균형을 고려한다거나, 특정 세대에 힘을 실어준다거나 하는 식의 심사 말이다. 그럼에도 불구하고 이와 같은 결과가 나왔다면 거기엔 분명 급부상한 신예들의 작품이 가진 문학적 역량이 신뢰할 만한 것이었단 이유가 가장 크게 작용했을 것이다. 게다가 이들의 작품은 어떤 측면에서는 우리가 일반적으로 '90년대 문학'이라고 부르는 미학적 자질들과 일정하게 변별되는 새로움을 확보하고 있었다. 그들은 부정적인 방식으로건 긍정적인 방식으로건 90년대 문학 특유의 '내면성'으로부터 벗어나고 있었다.

이 점에 있어서는 이미 90년대부터 꾸준히 작품활동을 해온 중견작가들의 경우도 마찬가지였는데 올해의 수작들이 보여준 공통된 경향이 바로 이것이다. 상당수의 작가들이 개인의 내면으로부터 타자들에게로, 나르시시즘적 메커니즘으로부터 인생에 대한 보편적 탐구로 이행해가고 있었다. 신예들에게서 이러한 경향은 더욱 두드러졌는데, 부정적으로는 왜소해질 대로 왜소해진 주체들의 사회 · 심리적 병리 상태가, 긍정적으로는 도저히 희망을 꿈꾸기 힘든 시대에도 어떻게든 희망을 찾으려는 몸부림이 이들이 주로 다루는 테마였다. 소설 장르 자체에 대한 진지한 질문 역시 이들에게는 중요한 소설의 테마였다. 요컨대 2000년대가 5년쯤 지난 이즈음에 와서야 '2000년대 소설' 은 서서히 그 모습을 드러내고 있는 것이 아닌가 하는 생각을 그들의 작품은 가능케 했다.

이들 신예들의 출현으로 인해 어느 사이 중견이 되어버린 직전 세대 작가들의 작품이 그만 못했다는 말이 아니다. 소위 90년대 작가들의 변화 역시 이미 말한 그대로 주목을 요하는 것이기도 했거니와, 그들이 보여주는 눈부신 변화와 인생에 대한 깊이 있는 사유는 문학의 위기설이 팽배한 가운데도 한국소설의 미래가 결코 비관적일 수 없음을 반증했다.

400여 편의 소설들을 읽어내야 하는 고통(?)에도 불구하고 심사 기간 내내 예심위원들이 즐거울 수 있었다면 그것은 모두 올해 발표된 이 보석 같은 작품들 덕분이다. 부디 이들로 하여 우리가 대망하는 21세기형 문학의 모습이 찬란할 수 있기를 기대한다. ■

# 서초역 사거리의 향나무—글쓰기의 기원에 부쳐

김윤식

사람은 무엇을 대가로 지불해야 글을 쓸 수 있을까. 정확히 말해 무엇을 대가로 지불해야 '소설'을 쓸 수 있을까. 이 물음은 큰 의의가 있는 바, 형상화를 가능케 하는 힘을 묻는 것이기에 그러하다. 형상화의 글쓰기란 어디까지나 자기 자신의 기억들에 의존함이며, 따라서 이 기억에 모든 무게가 걸려 있다. 이 기억들은, 또 사물이 한결같이 그러하듯, 여러 가지 단층으로 이루어져 있다. 또한 기억들은 큰 단층을 이룬 것과 그렇지 않은 것들로 이루어져 있거니와, 이들 중에서도 아주 깊은 기억만이 글쓰기에 관련될 것이다. 사람은 아주 심한 충격에 부딪치면 이를 기억에서 제거하기 어렵다. 큰 충격이란, 견딜 만한 기억과 견디기 어려운 기억의 단층으로 이루어진다. 이 단층이 조성하는 골짜기의 깊이 여하에 따라, 글쓰기의 밀도랄까, 추진력이 생겨

나는 것이 아닐까. 작가 정이현 씨의 글쓰기의 기원이랄까 기억들의 단층을 보여줌에 있어 삼풍백화점은 썩 투명하다. 여학교 동창생 R의 부탁으로 삼풍백화점 일일점원으로 나갔을 때, 그 단층이 선명하여 인상적이다. 유니폼으로 갈아입자 생각보다 무거웠으나, 일을 끝내고 평상복으로 갈아입자 이번엔 평상복이 오히려 무겁지 않겠는가. 기억 속의 이런 단층의식이 글쓰기의 기원이 아니었을까. 백화점 삼풍의 그 위풍당당함과 그것이 한순간 무너져 감쪽같이 사라짐에 그 기억의 단층이 선명하다. 허구와 현실이 한순간 엇갈리는 그 장면이란 일종의 공백이자 죽음과 같은 순간이다. 글쓰기로서의 소설은 이 단층이 만들어내는 공백의 체험에서 비로소 탄생한다. 그 단층의 순간이 얼마나 순진한가를 아울러 보여주는 것도 이 작품이 지닌 미덕이다. "어린 소처럼 어글어글한" R의 모습이 기억 중의 으뜸 기억이며 그 기억을 보증하는 물질적 흔적이 '나'에게 준 R의 집열쇠이다. 그것은 기억의 단층과 등가일 터이다. 신기루모양 나타났다 사라진 '삼풍백화점'의 기억을 10년 동안 간직하기도 서초역 사거리의 향나무와 더불어 음미될 성질의 것이리라. 또 있다. 10년이 지난 지금 R이란 이름의 홈피에 들어가 R의 딸이 있기를 바라는 대목은 향나무에서 풍기는 향기와 흡사하다. ■

# 스스로의 한계를 넘어서는 깊이 있는 시선

박완서

예선에서 넘어온 작품 중 정지아의 「풍경」과 한창훈의 「나는 여기가 좋다」와 정이현의 「삼풍백화점」을 가장 인상 깊게 읽었다.

정지아의 「풍경」은 나에게는 새로운 발견이었다. 이름이 알려진 작가인데도 그의 작품을 읽은 건 풍경이 처음이기 때문이었을 것이다. 읽지도 않고 그에게 어떤 선입견 같은 걸 갖고 있었다는 걸 느꼈다. '빨치산의 딸'로 알려진 작가답게 여러 아들들이 빨치산이 되어 사라지고 남은 식구들, 식구들이라고 해봤댔자 치매 걸린 노모와 장가도 한번 들어보지 못하고 늙어가는 아들하고 달랑 두 식구가 깊은 산중에서 살아가는 모습을 수채화처럼 담담하게 그린 작품이다. 쏜살같은 세월에 미처 편승하지 못하고 낡은 기둥처럼 지난 세월을 버티고 살아가는, 모자母子라기보다는 차라리 두 늙은이의 모습이 가슴을 뭉클

하게 한다. 지난 한 시대가 그들에게 무슨 짓을 했나, 그건 아마 지리산만이 알고 있을 것이다. 작가는 흥분하지도 설득하지도 않으면서 읽는 이에게 깊은 감동을 주었다. 보통 솜씨가 아니다.

한창훈은 데뷔작부터 읽어온 작가다. 다 읽었다고는 볼 수 없으나 읽을 때마다 그의 지치지 않는 입심에 슬며시 웃음이 나곤 했다. 그가 아무리 망해가고 내몰리는 사람들 이야기를 다뤄도 그의 입을 빌리면 불쌍하지 않고, 까짓것 어디 가선들 못 살랴싶은 질기고 낙관적이 생명력이 느껴진다. 이번에 예선에 올라온 「나는 여기가 좋다」도 그가 잘 아는 세계, 어촌의 선주 이야기다. 배를 팔아버릴 수밖에 없는 지경에까지 간 선주가 아내와 함께 마지막으로 자기 배를 타고 바다에 나간 심정을 빌어 피폐해가는 어촌을 다루면서도 그의 문체는 갓 낚아올린 갈치 비늘처럼 싱싱하게 번득인다.

정이현의 「삼풍백화점」은 벌써 우리의 기억에 가물가물한 삼풍백화점 붕괴사건을 다룬 소설이다. 우리의 고도성장의 상징 같은 부정과 날림의 성이 단 일 초 동안에 무너져내리면서 그 안에 있던 오백여 명은 대부분 구조되지 못하고 목숨을 잃었다. 어떤 대형사고든지 기적적인 구사일생이나 특별히 억울한 죽음 아니면 유명인사가 당한 불행에 관심이 집중되다가 잊혀진다. 인명에 대한 기억력은 날림공사에 대한 분노나 비웃음보다도 오히려 그 지속시간이 짧다. 10년이면 잊혀지기에 충분한 시간이다. 작가는 10년 전 그날까지의 시간을 주변 환경과 그 시절만의 독특한 문화현상을 통해 사실적으로 압축해들어가면서, 오백여 명이라는 수자로 집단화된 죽음 중에서 있는지 없는지 모르게 살다가 아무도 모르게 죽어간 한 아가씨의 죽음을, 비록 있는지 없는지 모르게 살다 갔을지라도 그녀의 생애는 아무하고도 바꿔

치기하거나 헷갈릴 수 없는 아름답고 고유한 단 하나의 세계였다는 걸 치밀하고도 융숭 깊은 시선으로 그려내고 있다. 여태까지 나는 정지아를 발칙할 정도로 위악적인 작가로만 알고 있었다. 그게 나쁘다는 게 아니라 그런 특성이 지닌 한계가 있기 마련인데 이번 작품에서는 그의 다른 면, 따뜻하고 깊이 있는 시선을 보여줌으로써 앞으로의 다양한 가능성을 기대하게 만들었다.

나는 위의 세 작품 중 어느 작품이 되어도 좋겠다는 넉넉한 마음으로 심사에 임했고 토의 끝에 정이현으로 의견이 모아진 것에 기꺼이 동의했다. 어차피 수상자는 한 사람밖에 낼 수 없으니까. ■

# 경쾌함 뒤의 긴 여운

김화영

금년에는 예심을 거쳐 넘어온 작품들을 읽는 일이 즐거웠다. 작품들의 수준이 예년에 비하여 한결 더 고르다는 인상을 받았기 때문이다. 더군다나 〈황순원 문학상〉〈이효석 문학상〉 등의 수상작품집이나 개인 창작집에 수록된 단편들을 제외하고도 상당수의 작품들이 관심을 끌기에 충분했다.

정지아의 「풍경」, 한창훈의 「나는 여기가 좋다」는 오랜만에 단편소설 특유의 고전적인 형식미가 오히려 참신하게 느껴지는 작품들이었다. 누보로망 이래 "아무런 할 이야기가 없는 사람들의 이야기"가 현대소설의 주류를 이루어왔다고 한다면 이처럼 아직도 할 이야기가 남은 사람들의 이야기를 읽는 재미는 나름대로 새삼스러워지는 것이다. 「풍경」은 오래 묵은 술처럼 그윽하고 애틋하면서도 아주 독하다. 「나는 여기가 좋다」는 이 작가만이 구사할 줄 아는 간결한 문체와 아울러 그 깔끔한 서술의 행간마다에 고이는 삶에 대한 연민이 유난히도 마음을 사로잡는다. 어느 날 문득 정신을 차리고 주위를 돌아보면 높은 파도 위에 떠서 흔들리는 한 조각 판때기 같은 삶, 그 위에 구겨져버린 부부가 마주 앉아 있다.

정이현의 「삼풍백화점」은 결격사유가 전혀 없는 문장들이 찰고무공처럼 통통 튄다. 가독성과 개성에 있어서 가장 빼어난 작품이다. 그러나 이 작가 특유의 통통 튀는 문장은 바로 그 경쾌함 때문에 위태롭게 느껴지는 때가 없지 않았었다. 「삼풍백화점」의 경우, 경쾌함은 그 뒤에 숨어 있는 억제된 쓸쓸함으로 인하여 문득 긴 여운으로 변한다. 흘러간 십 년의 세월, 있었던 것은 없어지고 없었던 것이 새로 생기는 그 세월을 사회학적으로 기술한다. 그러나 이 모든 말들의 한가운데는 텅 비어 있는 침묵의 공간이다. 그 비어 있는 곳에 던져놓은 작고 "불완전한" 은색 열쇠 하나가 의문부호처럼 빛난다. 그 의문부호에게 상을 주고 싶었다. ■

# 항로에 없는 길을, 혼자서, 지독하게……

정이현

삼풍백화점은 이제 없습니다.

그 자리에는 거대한 주상복합건물이 들어섰으니까요. '삼풍백화점' 이라는 제목의 소설을 쓰고 난 얼마 뒤, 그 건물 일층 회전초밥집에서 점심을 먹었습니다. 색색의 띠를 두른 접시들이 컨베이어 벨트를 따라 빙글빙글 돌았습니다. 접시마다 생선초밥이 두 점씩 놓여 있었습니다. 날것인 채 얇게 포 떠진, 다른 동물의 살점들. 그것을 어금니로 꼭꼭 씹어 목구멍 속으로 삼켰습니다.

초식동물이 아니라는 것에 스스로 환멸을 느끼는 순간이 이따금 찾아옵니다.

요즈음, 글을 쓰는 행위가 참 무서웠습니다.

언젠가 그곳에 살 때 "처녀귀신이 나올 텐데 이 동네에 어떻게 살아요?"라고 묻는 택시기사의 잔인한 상상력 앞에서 아무 대꾸도 하지 못했습니다. 그와 비슷한 종류의 무력감이 숨통을 짓누르던 참이었습니다. 닿고자 하는 기슭이 어디인지라도 안다면 좀 쉬울 텐데. 낭만주의자이기보다 현실주의자인 저는 아무도 안 볼 때 몰래 투덜대곤 했습니다.

수상을 알리는 전화를 받은 것은 서른세 번째 생일 저녁이었습니다.

기습적으로 도착한 선물꾸러미 앞에서 축포를 쏘아 올려야겠다는 생각은 들지 않았습니다. 자동차 브레이크를 눌러 밟고 있던 오른쪽 무릎이 조금 떨린 이유는 아마도 막막함 때문이었을 것입니다.

더 이상 핑계댈 수 없겠지요.

항로에 없는 길을, 혼자서, 지독하게……

머뭇거리지 말고 어서 떠나라고 격려해주신 심사위원 선생님들께 깊이 감사드립니다. 망망대해의 가설무대 한가운데 서 있다는 느낌이 들 때마다, 지금 이 순간을 기억하겠습니다.

놀이터이자 무덤이자 교실이던, 그리운 삼풍백화점에게 어떤 인사를 건네야 할까요?

2006 現代文學賞 수상소설집

# 삼풍백화점


지은이 | 정이현 외
펴낸이 | 양숙진

초판 1쇄 펴낸날 | 2005년 12월 20일

펴낸곳 | ㈜현대문학
등록번호 | 제1-452호
주소 | 137-905 서울시 서초구 잠원동 41-10
전화 516-3770
팩스 516-5433
E-Mail | book@hdmh.co.kr
홈페이지 | www.hdmh.co.kr

찍은곳 | 대한교과서주식회사





값 9,500원

ISBN 89-7275-341-6 03810